ナニカアル

桐野夏生著

新潮社版

9564

目次

ナニカアル

プロローグ

黒川久志様

拝啓　皆様、変わらずお過ごしのことと存じ上げます。ご無沙汰《ぶさた》ばかりしておりまして、申し訳ございません。

此度《このたび》は見事な文旦《ぶんたん》をお送りくださいまして、ありがとうございました。文旦は叔父の大好物でございましたから、生きておりましたら、どんなにか喜んだことでしょう。

葬儀の折には、皆様でお参り頂きまして、ありがとうございました。何分にも盛夏のことでございましたから、お母様がご体調を崩されたのではないか、と姉共々心配しておりました。お母様の、お膝《ひざ》の具合はいかがでございましょうか。

それに致しましても、時間が経《た》つのは早いものでございます。あっという間に、四十九日が過ぎ、納骨が済んだと思ったら、来週は早や師走《しわす》です。叔父が生きておりましたなら、今頃は薔薇《ばら》園の冬支度が心配で、きっとそわそわしていたことでしょう。

　去年の冬は、車椅子《くるまいす》がなければ外出もままならない状態でございましたが、寒肥や剪定《せんてい》を済ませなければならないと申しまして、近所の植木屋の若い人に車椅子を押させて、薔薇園まで出向いたほどでした（薔薇園まで、ちょっとした坂がありますので、女の力では車椅子を押せないのです）。

　叔父は、病気になっても虫が付いても、薔薇は冬の間に休眠して治して、春には再生するのだ、とよく申しておりました。だから冬というのは、植物にとってとても大事な時期なんだ、と。

　叔父は人に説教したがるような人間ではありませんでしたが、薔薇の話をした直後には必ず、「よく冬の時代などと言うけれども、人間にも死んだように休眠する時期が必要なのだ。でないと、再生できないよ」と付け加えていたのを懐《なつ》かしく思い出します。

　叔父がいなくなった今、薔薇の世話などまったくできない女ばかりが残されてしまいました。仕方なしに、薔薇園も放ったらかしの状態になっております。かつて、梅《うめ》原龍三郎《はらりゆうざぶろう》画伯に、緑敏《りよくびん》さんの薔薇でなければ描けない、とまで言って頂いた薔薇を作った園が潰《つい》えていきそうです。一人の人間がいなくなるということは大きなことなのだ、とつくづく思います。

黒川様、ついいつもの癖で、「叔父」と書いておりました。申し訳ありません。今でも、「夫」ではなく、「叔父」と呼ぶ方が、私の気持ちにぴったり合うものですから。緑敏と結婚してもう十七年になりますのに、やはり叔父はいつまで経っても、叔叔母・芙美子《ふみこ》の夫であって、私には「叔父」なのだと思います。逆に言えば、それほどまでに芙美子は私に、いえ林の家にとって、巨大な存在だったのでございましょう。

黒川様は私どもの事情をほとんどご存じの方ですから、誰にも言ったことのない思い出話をさせていただきますが、よろしいでしょうか。

叔父が私にプロポーズしてくれたのは、実はかなり昔のことなのでございます。祖母のキクが亡《な》くなった二年後でした。キクが亡くなったのは、昭和二十九年、芙美子が亡くなった三年後ですから、昭和三十一年くらいのことでしたでしょうか。

キクは八十五歳で亡くなりましたので、大往生でございました。寝込んだのも、ほんの五日間くらいで、「死ぬまで這《は》ってでもお便所は行くよ」と申しており、本当に這って行っていました。そして、枯れ木が折れるように亡くなったのです。芙美子が急逝《きゆうせい》した時は、皆悲しみに沈みましたが、キクの場合は、誰の胸にもほっとした思いを残した、堂々たる幸せな死でございました。

しかも、キクが亡くなった年に、どういう訳か、私の母も病没したのです。キクの産んだ二人の娘は（父親違いではございますが）、最初に次女の芙美子が亡くなり、それからキクがまるで冥土《めいど》に連れて行ったかのように、同じ年に、長女のシズも亡くなってしまったのでした。

まるでキクのおそるべき生命力に吸い取られてしまったかのような、娘たちの早い死ではありませんか。

私はそんなことを思って、一人で祖母の着物を整理していたのです。すると、叔父が部屋に入って来て、私の手元をじっと眺めていました。祖母の着物は、まるで子供の物のように着丈が短くて小さいのです。芙美子もそうでしたが、私も小さい。

「こんな小さい着物は、子供か私ぐらいしか着られませんね」

私が叔父に笑いながら言いますと、叔父はこう答えました。

「じゃ、ふーちゃんが着たらいいよ」

「嫌ですよ。お祖母《ばあ》さんの着物なんか地味だもの」

私は散々、口うるさいキクに苛《いじ》められましたから、そんなお祖母さんの着物なんか貰《もら》ってやるものか、という気持ちが強かったのです。叔父は苦笑しました。

「そうだね。じゃ、焼いてしまいなさい」

亡くなってまだ二年なのに、遺品を焼いてしまうのもあんまりだと思いました。私は抗議するように叔父の顔を見ました。叔父はすっと視線を逸《そ》らしました。

芙美子の家には、大きな焼却炉がありまして、そこでいろいろな物を始終焼いておりました。手紙類や原稿の反古《ほご》、日記の書き損じ。作家の家にある物は何でも文学的資料になりかねませんので、必ず叔父が検分して、取っておく物、捨てる物、と分けて処分していました。

処分とは完全なる消失。つまり、焼いていたのです。その意味で、叔父はたいそう聡明《そうめい》な人間だったと思います。いいえ、聡明であるだけでなく、作家・林芙美子の夫として、芙美子を守り、私たち家族を守り、自分を守って生きてきたのです。

「確かに、いずれは焼くことになりますよね」

私は虚《むな》しさを感じて言いました。叔父は丸くなった穏やかな顔を綻《ほころ》ばせました。

「仕方がないよ。すべてものには終わりがあるんだから。気に入った着物をひとつだけ形見として取っておいて、後は処分するしかないね。お姉さんたちにも選んで貰いなさい」

叔父はそう言って出て行こうとしましたが、ふと私を振り返ってこう言ったのです。

「ふーちゃん、お祖母さんも亡くなられたし、どうだろう。僕と結婚しないかい」

叔父にしてみますと、晋《しん》ちゃんという養子が残されましたので、晋ちゃんの面倒を見る女手が必要だったのだと思います。結婚を申し込まれた当時、私は三十一歳。若いとは言えませんが、まだいろいろな可能性は残されていました。ですから、私は唐突な叔父のプロポーズに驚いて、二の句が継げませんでした。叔父は私の顔を見て、続けました。

「僕に再婚を勧める人もいるんだよ。でもね、僕は芙美子が一人で築いた財産は、林の家に残したいのだ」

つまり、叔父が私以外の人と結婚すれば、林芙美子の財産を他家の人と分け合うことになるというのです。それでは、芙美子にも、その親族にも申し訳ないという気持ちだったのでしょう。かように、叔父はあちこちに気を遣う人でした。

叔母の急死後も全集がたくさん出版されましたし、相変わらず、叔母の書いた小説は売れ続けていたのです。著作権料だけでも大変な額が毎年入って来ていました。そして著作権の他に、落合に五百坪の邸宅と、同じく五百坪の薔薇園がありました。それらは確かに莫大《ばくだい》な財産だったのです。

私は芙美子の姪《めい》ですから、叔父と私が一緒になれば、晋ちゃんの面倒を見るという意味でも、財産の散逸を防ぐという意味合いでも格好だ、と考えたのでしょう。晋ちゃんは、私にとても懐《なつ》いていました。でも、私が困惑して黙っておりますと、叔父は照れ臭そうに手を振って言いました。

「ふーちゃんは若いから、これから他の人と結婚するかもしれないよね。この話、忘れてください」

私と叔父の歳《とし》の差は、ほぼふた回りの二十三歳です。私に結婚を申し込んだ時は、叔父はすでに五十四歳になっていました。どんどん歳を取っていくのに、若い私を縛り付けるのが忍びなかったのでしょう。でも、一人で晋ちゃんの面倒を見て行くことも自信がなかったのだと思います。また、鹿児島の母を喪《うしな》った私が寄る辺ないのでは、と心配してくれたのかもしれません。

ご存じでしょうけれど、私は叔母が亡くなるちょうど二カ月前に、叔母から手伝いに来るようにと呼ばれて鹿児島から上京したのでした。

まさか、この私が出て来てすぐに、叔母の最期《さいご》を看取《みと》ることになるとは、思ってもみませんでしたし、さらには叔父・緑敏の後添いとして生きるとも、想像だにできませんでした。人生にはいろいろな偶然が重なって、思ってもいない方向に行くものだと思います。

芙美子が亡くなった時、まだ七歳だった晋ちゃんは、すでに十二歳になっていました。学習院中等科の一年生。男の子ですから、すでに難しい年頃でした。しかも、晋ちゃんは自分が養子であることはよくわかっています。叔父に対しては、遠慮があったのでしょうね。どこか他人行儀で甘えることができなかったのです。でも、母親代わりの私には、何でも話してくれました。

「オートバイを買ってくれなかったら、煙草《たばこ》を吸ってぐれちゃうぞ」

などと、可愛《かわい》い脅迫を受けたこともあります。叔父に言えない分、歳の近い私に甘えていたのです。だから、私も晋ちゃんを可愛がっていました。叔父との結婚はまだ考えられなくても、叔父の元に残って、晋ちゃんを育ててもいい、と考えていたのは事実です。

それに、林の家は、芙美子が亡くなっても何かと忙しい家でした。死後も、編集者が本のことで相談に来ますし、新聞社や雑誌社の人が取材で訪ねて来ます。映画化の話が来たり、全集の出版話を持って新しい出版社の方が見えたりもするし、ファンの方が訪ねて来ることもありました。来客の絶えない家だったのです。

女中もおりましたが、責任ある子育てはできません。叔父が趣味の庭いじりをするためにも、中心となる女手は絶対に必要なのでした。

私はどうしたらいいかと、叔父の申し出について、姉たちに相談したことがあります。姉たちは、私さえよければ緑敏と結婚して、晋ちゃんを育てるべきだ、と言いました。でも、私はまだ時期が早いような気もして悩んでおりました。晋ちゃんはまだ揺れ動く年齢ですし、どうせ皆で一緒に暮らしているのですから、急ぐ必要はないと思ったのです。

黒川様は、私の姉たちには何度か会われていると思います。芙美子の父親違いの姉が、私たち姉弟の母親、シズでございます。

祖母のキクには、すべて父親の違う子供が四人いました。一番上がシズ、二番目が芙美子、三番目、四番目は男です。シズは五人の子持ちで、女が上に三人、下の二人が男です。私はちょうど姉弟の真ん中、姉妹の三番目だったのです。三人もいるんだから、一人ぐらいはうちに寄越しなさい、とキクと芙美子がまだ子供だった私を、わざわざ鹿児島から呼び付けたこともありました。養女にする心積もりがあったようですが、私は子供でしたから、姉弟が多くて賑《にぎ》やかな家が恋しくて、すぐに逃げ帰ってしまったのです。

芙美子は随分怒ったようで、昭和二十四年に『浮雲』の取材で鹿児島に来たことがありましたが、その時、私たち姉弟がみんな芙美子に呼ばれて叱《しか》られました。

「あんたたちは、みんなすぐに逃げ帰って」

というようなことを酒を飲みながら泣いて言うのです。芙美子は泣き上戸でございましたね。

さて、私の長姉はすみ子と申しまして、最初の夫は硫黄島で玉砕しております。二度目の夫との間に出来た娘が、早苗《さなえ》でございます。早苗は、ちょうど芙美子が亡くなった年に生まれた子です。

早苗は、葬儀の際に黒川様にお茶を出してご挨拶《あいさつ》申し上げました。叔母の私が言うのも変ですが、とてもしっかり者で、叔父の死後、この家の始末についても、著作権等の管理についても、随分と私を助けてくれました。

二番目の姉は仲子と申します。仲子は許嫁《いいなずけ》を学徒出陣の後、ニューギニアで失って以来、生涯独り身でした。落合に移り住んで、叔父の介護を手伝ってくれました。思えば、すみ子にしても仲子にしても、姉たちの人生には、戦争の影が色濃く差していたのですね。私は三番目で若いですから、戦争の影響はそれほど受けずに済んだのでした。私はこれからも早苗の助けを借りながら、仲子姉と二人でひっそり暮らしていこうと思っています。

叔父の話に戻しますが、やもめとなった叔父は、意外と女の人にはもてたようです。

よく、いい庭ですこと、と見知らぬ女の人が勝手に家に入って来て、叔父が庭仕事をする様をじっと見ていたりもしました。叔父については、作家である芙美子を陰で支えた優しい人、という印象が広まっていたようなのです。

実際に、叔父は穏やかな人でした。歳が離れているということもありますが、私に声を荒らげたことなど一度もありませんし、怒ったところも見たことはありません。

叔父と晋ちゃんと私は、思えば不思議な関係でした。誰も血が繋《つな》がってはいませんが、共通点がありました。全員、芙美子の関係者なのです。芙美子の夫である叔父と、芙美子がどこからか貰って来た晋ちゃん、芙美子の姪である私。この三人が疑似家族ででもあるかのように一緒に暮らし、晋ちゃんの成長に合わせてあちこちに出掛けたりして、家族として過ごしていたのでした。

晋ちゃんが亡くなったのは、夏休みの終わり頃のことでした。学習院には、別荘のない家の子なんかいませんでしたから、うちも蓼科《たてしな》に借りようということになったのです。姉のところの早苗や、叔父の姪の子とか、私と叔父が総勢四人くらいの子供を連れて蓼科に行きました。十日ほど滞在して、夏休みも終わりに近付いたので、帰ることにしたのです。

帰りの列車は混んでいました。しかも、金魚釣りをして来た人がこぼした水でデッキが濡《ぬ》れていました。乗客は、滑るから気を付けなさい、と互いに言っていました。私たちはそのデッキに立っていたのです。私は親戚《しんせき》の小さな子供も連れていましたから、気の毒に思われたのでしょう、席を譲られました。それを幸い、客車の中に入ったのです。そのために、見ていなかったのですが、晋ちゃんはデッキから外に身を乗り出したりしてふざけていたようです。

大月に向かって列車がスピードを出したために、外へ放り出されそうになった晋ちゃんは、慌《あわ》てて戻ろうとしたのでしょう。濡れたデッキ上で転んで、頭を打ってしまったのです。私は報《しら》せを受けて横たわった晋ちゃんの側《そば》に駆けつけましたが、まるで眠っているようで、まさかすぐに亡くなってしまうとは思いもしませんでした。思い出すと、今でも胸が痛みます。

その頃は、遺体を運ぶ車などありませんでしたから、私たちはどうやって晋ちゃんを家に連れ帰ろうかと悩みました。誰かがバスを借りればいいというので、バスの真ん中に板を張りまして、そこに晋ちゃんを寝かして帰って来たのでした。この話は、おそらく黒川様も聞いておられないと思います。

三人で寄り添って生きていこうとしていた私たちに、晋ちゃんの死はとても重かった。十年も経《た》たないうちに葬式を三回も出した、林芙美子の家は悲劇続きだ、との心ない言われように、叔父もひどく傷付いたと思います。自分たちを守るべく、神経を細やかにしてさらに鎧《よろ》っていったのでしょう。しかも、そろそろ私との正式な結婚を考えていた矢先の出来事でした。でも、晋ちゃんの死後に入籍すれば、何を言われるかわからない。叔父も悩み抜いたのではないでしょうか。

晋ちゃんの十三回忌の法要が終わった後、私たちはやっと入籍することにしました。最初のプロポーズから、すでに十六年の月日が経っていました。叔父は七十歳、私は四十七歳になっていました。

不思議なことに、いつの間にか私も、叔父と同じ気持ちになっていたのです。叔母が一人で作ってくれた財産を守ってきた叔父。その叔父を私が支え、財産をこのままの形で林の家に残していくことにしたのです。叔父は、昭和十九年に手塚姓を捨てて、晋ちゃんと共に林家に養子に入りました。私も入籍によって、林姓に変わりました。叔父と私の生涯を考えますと、林芙美子という作家と関わったが故《ゆえ》に、家族となり、奇妙な運命を生きることになったのだ、と思うことがよくあります。

黒川様は叔父と古くからのお付き合いの方ですので、あまりの気安さから、ついつい思い出話を書いてしまいました。失礼をどうぞお許しくださいませ。

文旦のお礼にかこつけてではありませんが、黒川様にご承知おき頂きたいことがございます。実は、叔父が亡《な》くなりましてから、この家を維持するのも無理だろうから、マンションでも建てようか、と姉の伸子と相談しておりました。そこに、新宿区から、買い上げて林芙美子記念館にしたいという有難い申し出がありました。

　確かに、私にもこの家を解体するのは大きな躊躇《ためら》いがございました。凝り性の芙美子が数年がかりで研究して、大工と京都に見学に行き、山口文象《ぶんぞう》さんが設計された素晴らしい家でございます。叔父も家と庭を慈《いつく》しんで、車椅子《くるまいす》のための渡り廊下を付ける時も、くれぐれも家に疵《きず》が付かないようにと、厳しく言ったほどでございます。新宿区の申し出に、私ども親族は、まったく異存なく、有難くお話を受けることにいたしました。最後になりましたが、お付き合いが長く深い黒川様にもご了承頂きたく、ご報告申し上げる次第でございます。

　末筆となりましたが、寒さに向かう時期となりました。くれぐれもご自愛くださいませ。

かしこ

平成元年　十一月二十八日

林　房江《ふさえ》

黒川久志様

寒中、お見舞い申し上げます。ようやく庭の梅も少し膨らんで参りました。早く春の訪れが来ないかと心待ちにしている今日この頃ですが、皆様お変わりなくお過ごしのことと存じ上げます。

此度《このたび》は、心の籠《こ》もったお手紙と寒餅《かんもち》をお送りくださいまして、ありがとうございました。寒餅、美味《おい》しく頂戴《ちようだい》致しました。それにしましても、今年の正月は寂しい思いを致しました。やはり、叔父のいない家は、広くて寂しゅうございます。

黒川様、私どもの決断にご賛同頂きまして、心より感謝申し上げます。叔父が心を砕きました芙美子の文学的資料の保存も、区が代わってやってくださると聞けば、正直肩の荷が下ります。私も今年で六十五歳です。余生を林芙美子記念館の運営に少しでもお役に立てることに捧《ささ》げ、それを生き甲斐《がい》としたいと思っております。

今は、記念館に寄贈する物と捨てる物の選別に追われております。伸子と、長姉のところの娘、早苗に手伝って貰《もら》っていますが、到底終わるものではなく、区の係の方にもご足労頂いて、選り分けております。

叔父は整理整頓《せいとん》好きでしたし、始終検分しては取捨しておりましたが、その叔父も晩年は車椅子の生活となって、思うように体を動かせぬ状態でございました。そのためか、手紙や資料も溜《た》まっております。しかも、私は叔父と違って、それらが要るか要らぬかがわかりませんので、時間のかかる作業となっております。

芙美子の着物などもかなり残っていたのですが、さすがに年月を経ると、虫食いやら黴《かび》やらで展示には値しなくなっているのが申し訳なく思います。思えば、鹿児島から出て来たばっかりの私に、叔母はハイカラな洋服をたくさんくれました。ちょうど体型が同じように小さかったので、サイズはぴったりでございました。バッグや靴も貰ったのに、随分前に流行遅れになったと捨ててしまいました。その類《たぐい》は取っておけばよかったと悔やむことしきりです。

末筆ではございますが、寒さ厳しき折、何卒《なにとぞ》ご自愛くださいませ。

かしこ

平成二年　二月三日

林　房江

黒川久志様

拝啓 庭の石榴《ざくろ》の花が咲きそうです。芙美子も叔父も愛していた花ですので、この地に残せた幸せを感じています。紫陽花《あじさい》も満開となりました。本当に、更地にしてマンションを建てる羽目にならずによかった、と胸を撫《な》で下ろす毎日です。

さて、先日は陣中見舞いに来てくださり、まことにありがとうございました。埃《ほこり》だらけのところに長くお座りになっておられましたので、ご体調を崩されていないかと姉が心配しておりました。また、お母様が再度入院されたとのこと、さぞやお心掛かりでいらっしゃいましょうに、私どものところにわざわざ寄ってくださり、申し訳なく存じます。

今日、こうして手紙を書いておりますのは、先日申し上げたことと関連がございます。黒川様にご相談したいことが出来《しゅったい》いたしました。私どもではすぐに決められませんので、ご助言頂ければ助かります。何卒よろしくお願い致します。

叔父が「自分の描いた絵は一銭にもならぬ、全部燃やしてくれ」とかねがね申していたのは、すでにご存じかと思います。黒川様もよくご承知のように、叔父は絵描きである自分を、殊更《ことさら》軽侮するように振る舞っておりました。

まだ幼い私を描いた絵が二科展に入選しましたものの、その後はあまり絵も描かずに、芙美子のマネエジメントを手伝ったり、庭いじりをして、あたかも気儘《きまま》に暮らしているような風を装《よそお》っておりました。しかし、現実は、芙美子が傷付かぬよう、私どもが痛い目に遭わぬよう、目配りをしていたのだと思います。

私を描いた絵は、どういう因縁か、ある地方文学館の手に渡り、芙美子を描いた絵は叔父の出身地である信州でお世話になった方のところにあるそうです。あと一枚、近所のバッケ堰《せき》を描いた絵は、叔父も気に入っておりましたので、記念館のために残しました。アトリエの壁に掛けておくつもりです。

その他の絵は、叔父が二階の納戸《なんど》の奥深く隠して仕舞っていたのです。隠して、とは大袈裟《おおげさ》な、と黒川様はお笑いになるかもしれませんが、二階には叔父だけの納戸がありまして、誰も覗《のぞ》いたことはなかったのです。

亡くなる寸前、叔父は再度私に「絵はすべて燃やしてくれ」と申しました。それは黒川様にも念押ししたようですね。「黒川さんに、燃やすなんて勿体《もったい》ないと止められたよ」と苦笑していたことがございましたから。しかしながら、私はそれが叔父の遺志ならば、燃やしてしまうしかないと思ったのです。

叔父は、芙美子の書いた物を自分なりに取捨選択して「編集」することが生き甲斐でありましたし、家族を守る術《すべ》だと固く信じていたところがございます。そのことは、叔父の側で長く生きていて、まったく正しいと私も思うようになりました。世間は小さな材料を針小棒大に膨らませ、勝手なことを言います。

芙美子に対してもそうでしたが、まだ生きている私たちに関しても、新宿区に高い金で売れてさぞかし儲《もう》かったのだろう、などと心ないことを言う人もいました。今回も記念館を作るに当たって、根も葉もない噂《うわさ》を立てられ、どれだけ私が傷付いたかは言葉にできません。その意味で、叔父は正しい選択をしてきたと思うのです。芙美子にとって損、家族にとって損な物は、どんな物でも表に出してはいけないのです。

画家である「手塚緑敏」にとっては、絵が残って、その絵で才能云々《うんぬん》を言われるのは嫌なことでしょう。とりわけ、芙美子は自身に絵の才能がある、と自負していた作家です。生きている頃から叔父は芙美子と比較されて、不快な目に遭っていたように思うのです。

ですから私は叔父の遺言通り、二階の納戸から絵を運び、一枚ずつ焼き捨てることにしたのです。絵は全部で三十枚近くありました。早苗は勿体ないと言って、数点持ち帰りましたが、私は潔《いさぎよ》く焼却炉で燃やすことにしました。これが夫の遺志なら、妻である私が叶《かな》えなければならないと思ったからです。

油絵がよく燃えると思ったのは、間違いでございました。まるで描いた人間の情熱を表すかのように、まず、ちりちりと青い火が表面を包みます。そして、そのまま静かに静かに燃え続けるのです。一気に燃え盛ると思っていた私には意外でございました。

長い年月を経て乾き切った絵の具が、炎によって起こされたかのように、ぬらりと粘度を蘇《よみがえ》らせる瞬間があります。まさか燃やされるとは思わなかった、と絵が悲鳴を上げているようで、私は正直怖《おそ》ろしく思いました。それでも、燃やさねばならないと必死でした。

早苗が、二階からどんどん絵を運んで来てくれて、炉の前に積み上げました。号数はわかりませんが、どれもそう大きな絵ではありませんでした。叔父の特徴の色遣い、灰色や茶色や黄土色や黒、とすべて濁った色が重ね塗られて、近所の風景が描かれている地味な絵ばかりでした。

「叔母さん、これ何でしょう」

早苗が書類袋を見せました。絵の裏に入っていたというのです。私は驚いて中身を覗きました。

一抹の雲もない秋の昼の山々
七彩の青春に火照《ほて》る木の間よ
神々も欠伸《あくび》し給《たま》ふ。

大地を埋め尽す静寂の落葉
眼《まなこ》閉ぢ何もおもはず
吾額に哀《かな》しみを掬《すく》ふなり
悠々と来《きた》り無限の彼方《かなた》へ
彼方へ去りゆく秋の悲愁よ。

刈草の黄なるまた
紅の畠《はたの》野の花々
疲労と成熟と
なにかある……
私はいま生きてゐる。

さっと見た時、芙美子の字が目に入りました。私には、馴染《なじ》み深い芙美子の筆跡です。私はとっさに新宿区の方に見せてはならない、と早苗に言いました。

早苗はどうして、と不思議そうでしたが、記念館の方は資料がなくなるのを怖《おそ》れます。叔父の遺言だからと言って、絵を焼いていることも、本当は残念がっておられるのを承知しておりました。

私はこれは資料というよりも、叔父が誰にも見せたくなくて隠していた物ではないか、とぴんと来たのです。でも、捨てるには忍びない、芙美子の生きた記録かもしれない、と。

黒川様、もし、ご相談に乗って頂けるのでしたら、原稿はすぐに別便でお送りしますので、ご指示くださいませ。同封しようかと思いましたが、一応、ご意向を伺ってからと思ったのは、やはり、捨てるか残すかは、重いことではあるからです。叔父はこの重い仕事を引き受けてやって来たのだとつくづく思い知りました。

中身は、どうやら芙美子の自筆紀行文と言いますか、回想録のようでございます。芙美子が昭和十七年に陸軍の嘱託となり、インドネシアに長く出掛けていた頃のことを書いたもののようです。戦後、その時の経験を基に、『浮雲』を書きましたが、そのインドネシアでの記録らしいのです。

ちなみに、先ほどの詩は、『北岸部隊』の冒頭にある自作の詩だということです。早苗がちょうど『北岸部隊』を読んでいまして、見覚えがあると教えてくれました。

何気ない振りをして、記念館の担当の方に伺いましたら、軍に駆り出された作家は、一切の日記や記録をつけることを禁じられたそうです。もし、見付かれば没収の上、破棄されたということですから、芙美子がこっそり書いて持ち帰ったか、思い出して書いたのでしょう。

先日、私はこの原稿を広げて読んでみました。読後、怖ろしさに身が震えて仕方がありませんでした。なぜ怖ろしいかと言うと、これが真実ならば、叔父はどんな気持ちで読んだのだろう、と思ったからです。さすがの叔父も、焼却することができなかったのは、真実に見えるけれども小説ではないか、という迷いがあったからで、もし創作ならば捨てるわけにはいかないと逡巡《しゅんじゅん》したのでしょう。しかし、真実ならば、私たちの生きてきた道を否定することにもなりかねません。芙美子研究にも大きな影響があるかと思います。

黒川様のご厚情に甘え、いつも長々と申し訳ありません。でも、叔父亡《な》き今、どうしたらいいか、迷っております。何卒、お読みになってご意見をお聞かせくださいませ。

最後になりましたが、季節柄、ご自愛くださいませ。

かしこ

平成三年　六月十五日

林　房江

第一章　偽装

I

昭和十八年六月十五日

五月初めに南方から帰国した。何に乗って何日に着到したのか等、一切口外するな、というきついお達しである。この日記、誰に見せるわけじゃなしと思えども、実際どこにスパイが潜んでいるやもわからぬ。特高やら憲兵やらが、目を光らせているかもしれぬ。私はつくづく戦争というものに飽き飽きした。うんざりした。辟易《へきえき》した。懲《こ》りた。陸軍報道部とやらには、お辞儀しつつもお尻《しり》ぺんぺん。ここだけの話、戦争は反吐《へど》が出るほど怖《おそ》ろしい、というのが実感である。

だから、私は滴《したた》るほどの新緑の中、立ち竦《すく》んだままで感動しているのだ。ここにあるのは、紛れもない故国の緑であり、故国の花々である。椎《しい》、梅、染井吉野、モミジにサルスベリ、石楠花《しゃくなげ》、紫陽花《あじさい》、石榴《ざくろ》。すべてが懐《なつ》かしい日本そのもの。

家に戻った私が真っ先にしたのは、こうして庭に立って、緑に染まることだった。花を愛《め》でることだった。我が家に戻って来た喜びが、じわりじわりと身裡《みうち》から込み上げてくる。ああ、何としても嫌な思い出を封じ込めねばならぬ。もう二度と行くこともないジャワに、置きざりにしておかねばならぬ。この必死の思いが誰にわかろうか。

夫は、庭木の手入れに余念がない。麦藁《むぎわら》帽に半纏《はんてん》、地下足袋にゲートル。まるで植木職人のような格好で背を丸め、咲き始めた紫陽花をためつすがめつ満足げに眺めている。身を屈《かが》めて、ツツジの花殻を丁寧に取り除いている夫の背中を眺めていると、戦地での死や略奪とは無縁の世界にいることが信じられない。ジャワでの死にたくなるほどの修羅が、まったく想像できない平穏。塀の向こう側からは、学校帰りの子供たちが呼び合う声。遠くから電車の車輪の唸《うな》り。私は目を閉じる。あそこで何があったのか。ちゃんと考えなくては駄目だ。厳しい声が遠くから響いてくるのに、私はだらけた小僧のように宿題を後回しにして、目を背けている。

「先生、速達来てますよ」

書生の坂上《さかがみ》が、書斎から顔だけ出して声をかけた。人の部屋に勝手に入って窓から覗《のぞ》くなど、行儀が悪い。私はむっとして返答しなかった。

坂上は、私が南方に行っている間に、夫が郷里の信州から呼び寄せた遠縁の学生だ。背が高いので、視線がいつも、私の頭上を通り越して宙を睨《にら》んでいる印象がある。坂上は早稲田の学生だが、今年中に学生も出征することになるかもしれないと怯《おび》えている。

うちには、他にも二十歳になるかならずの変わった女の子が毎日遊びに来る。裏に住む、竹林絵馬《たけばやしえま》という女の子だ。

絵馬ちゃんは、祖母がブルガリア人とかで、大層美しい顔立ちをしている。ジャワにも、オランダ人と現地の女との間に出来た、美しいハーフカスが大勢いたことを思い出す。絵馬ちゃんの父親は、東京外国語学院のブルガリア語科教師と聞いたが、戦時中では仕事もない上に子沢山で、生活が苦しいらしい。それで華やかなことの好きな絵馬ちゃんは、うちに通って来るのだろう。絵馬ちゃんは日本人離れした美貌《びぼう》のせいで、奇異な目で見られるばかりか、刺すような視線を感じることもある、とぼやいていた。そう、ここは何もかもが窮屈で、貧乏臭い国なのだ。

そんなことを思うと、こうして美しい故国にどっぷりと浸りながらも、またぞろどこかに行って放浪したいような気持ちも湧《わ》き上がる。たった一人で感じるひりひりするような孤独や、どうなるかわからない不安に身を焦《こ》がしたい自分がいるのだ。帰って来たばかりなのに、早過ぎるだろうか。私は、こちらを振り返った夫の顔をぼんやりと眺めた。

「芙美子、速達だって」

夫の目は苛立《いらだ》ちを表していた。

「じゃ、持って来てよ」

物憂《ものう》く言うと、坂上はのんびりと下駄《げた》を突っかけ、不器用そうに歩いて来た。

「土を蹴《け》らないでよ。庭石に泥が付く」

こうるさく言う私に、坂上は「すみません」と恐縮しながら葉書を差し出した。不機嫌な私に慣れないのだろう。

私は、表書きの筆跡を見て心が躍った。果たして、裏には「毎日新聞　大阪本社　米田《よねだ》源助《げんすけ》」とある。

元は大阪毎日新聞と東京日日新聞だったのが、今年から毎日新聞に統一された。米田は長い付き合いの記者だ。泰然として何があっても動じないように見えるが、その代わり、こちらに漕《こ》ぎ出して来るような積極さがないのが物足りなくもある男だ。それでも、私が胸襟《きょうきん》を開いて何でも相談できる数少ない、いや唯一《ゆいいつ》と言ってもいい友達だった。

「林芙美子様
帰国されましたこと、朝日の某より聞きました。お帰りなさい。ご無事で本当に何よりです。
僕は、六月十六日に東京本社に出掛ける用事があります。是非ともお目に掛かり度く、ご連絡致しました。
銀座でお茶などいかがでしょうか。六月十六日午後二時に丸善前でお待ちしております。ご都合悪くても結構です。私は丸善に参ります。

敬具

米田源助」

私は米田の葉書を帯の間に挟んだ。若干の虚《むな》しさがあった。まず、お茶を飲もうという米田の清潔さにであり、さらには、これが謙太郎の手紙ならどんな気持ちになるだろう、と想像したからだった。
十六日は朝から雨が降っていた。雨中、初夏の新緑は青さを増していっそう萌《も》え上がり、凄《すご》みさえ感じられるほどだった。私はボルネオのジャングルで感じた恐怖を思い出している。南方のジャングルには、ジャングル瘡《かさ》という怖ろしい病気がある。ジヤングルを歩く兵隊が溜《た》まり水に落ちたりすると、その怖ろしい病気に罹《かか》るのだ。踵《かかと》や股《また》に錐《きり》で開けたような細い穴が幾つも出来るのだとか。だから、ジャングルでの戦いは酷《むご》いのである。まずは、怖ろしい自然との戦いで消耗するからだ。が、そんなことを想像し得た軍人が何人いるのだろうか。

とはいえ、日本の萌え立つ緑もやはり獰猛《どうもう》で、見ている私は思わず数歩後退《あとじさ》った。ざわざわと心が寒くなる。寒さとは、勢いに逆らう孤独ということでもあった。

化粧を終えて何を着ていこうかと思案しているところに、絵馬ちゃんが遊びに来た。絵馬ちゃんは、古い制服を直した紺サージの襞《ひだ》スカートに、白いブラウスという質素な格好をしている。切り揃《そろ》えた前髪の下に覗く目は大きく、瞳《ひとみ》が青みがかって美しい。その弾むような若さが好ましくもあり、鬱陶《うっとう》しくもあるのはなぜだろう。絵馬ちゃんと書生の坂上を添わせるというのはどうか、と勝手にくっ付けようとしたことがあるが、絵馬ちゃんの美貌に怖れをなしてか、坂上はまともに目を合わせようともしなかった。きっと絵馬ちゃんは、庭の萌え立つ緑と同じなのだ。

「おば様、今日は何をお召しになるんですか」

絵馬ちゃんは、最初に私の様子をじっと観察してから言った。賢い娘だ。

「雨が降ってるからどうしようかな。洋装で行こうかしら」

「駄目ですよ。銀座に行くんでしょう。だったら、お着物。夏大島はどうですか」

絵馬ちゃんは、仕事とはいえど私が男と会うとわかっているのだ。賢い上に勘がいい。窮乏生活を送っていると他人の欲望に敏感になるのか、と私は舌を巻く。ジャワにも昭南にも、絵馬ちゃんのようなはしこい日本娘が大勢来ていたのを思い出す。戦争の何たるかも知らず、ただ戦勝日本の勢いに乗って、見知らぬ場所を見たいだけの若い娘たちが。あるいは、徴兵されぬ女の身を恥じて、お国のために役立ちたいという健気《けなげ》な女たちが。

「雨の日に夏大島は勿体《もったい》ないよ。それに、いくら六月とは言っても、今日は肌寒いもん」

「じゃ、おば様はジャワ帰りなんだから、更紗《さらさ》はいかが」

「あれは派手だよ。このご時世にまずくないかい」

「おば様は有名な女流作家なんだから、多少派手だっていいじゃありませんか」

日本に帰ってから銀座になど一度も行っていない。様子がわからないが、窮乏は相当なものだと聞いていた。更紗の着物は目立つだろうと逡巡《しゅんじゅん》したが、私は絵馬ちゃんが出してくれた着物に袖《そで》を通した。まだ物資が豊富な頃に仕立てた大正更紗である。黒の博多《はかた》帯を合わせた。

「似合う、素敵」

絵馬ちゃんは手を叩《たた》いて喜んだ。私は絵馬ちゃんの彫りの深い顔をしみじみと眺める。こんな顔に生まれたら、こんな若さがあったら、謙太郎は私を選んだだろうか。いや違う、と首を振る。あの男は、この貧乏臭い国ではなく、違う国での違う生に憧《あこが》れているのだ。英語を操り、英語の文化の中で、東洋の島国の存在など知らない人々の間で暮らしたいのだ。謙太郎の愚かさを嘲笑《あざわら》いたくなった途端に涙が出そうになって、私は息を吐いた。自由になりたい人間の、どこを笑えようか。

絵馬ちゃんが鋭い眼差《まなざ》しで見ているのに気付き、私は引き出しを開けて、帯留めを熱心に選ぶ振りをした。初夏らしいという理由でトルコ石の帯留めを選ぶ。一寸ほどもある大振りな玉に、微《かす》かな黒い斑《ふ》が入っているのが美しい。すると、絵馬ちゃんがすかさず口を挟んだ。

「おば様、トルコ石は十二月の誕生石なのよ」

「おや、そうなの。じゃ、駄目か」

「翡翠《ひすい》の方が素敵よ」

絵馬ちゃんはきっぱり言った。それから、自分の趣味を押し付けたことを詫《わ》びるように褒めた。

「おば様の持ち物って、みんな趣味がいいから大好きよ」

それには絵馬ちゃんも含まれているんだよ、と私は内心思う。緑敏、絵馬ちゃん、坂上。自分の留守中、皆で楽しくやっていたのだろう、母のキクを抜かして。そんなことを思った矢先、老母が北側の暗がりからちょこちょこと歩み出た。小柄なので、ゼンマイ仕掛けの人形が動いて来るかのようだった。

「芙美子、帰りに魚屋に寄って、何かあるかどうか見て来てな」

大正更紗で仕立てた着物で魚屋に寄るのか。私は苦笑して絵馬ちゃんを見遣《みや》った。絵馬ちゃんは私の視線に気付かず、細い白い指先でトルコ石の帯留めを摘《つま》み上げ、酔ったみたいにぼんやり眺めていた。

銀座は閑散としていた。雨のせいか、戦時中のせいか。柳の緑が目に沁《し》みて、またしても涙ぐみそうになる。激しい戦争が起きていて、私たちの運命はどうなるかわからないのに、私は日本のことなどどうでもいいのだった。それどころではない。日本橋まで歩き、丸善の前で、私は気をとり直して胸を張った。

「お芙美さん」と背中を叩かれた。振り返ると、陽に灼《や》けた米田が立っていた。私よりほんの少し大きいだけの米田は、照れ臭そうに乱杭歯《らんぐいば》を見せて笑った。国民服に白い開襟シャツの襟を出して着ている。米田と会うのは、ほぼ一年ぶりだった。

私は南方に行く数カ月前、大阪で米田と大阪鮨《ずし》を食べて別れたのだった。私たちはしばらく微笑《ほほえ》んで顔を見合っていたが、どちらからともなく、凬月堂《ふうげつどう》に向かって歩きだした。

「お元気でしたか？」

米田が、私の目を見ずに尋ねた。

「ええ、お蔭様《かげさま》で。米田さんもお元気そうじゃないですか」

「まあね。しかし、当局がうるさいんで大変ですよ」

米田は声を潜めた。私も四囲を窺《うかが》い、こっそり頷《うなず》く。当局とは、内閣情報局も含めた「世間」とでも言うものだろう。当節は、何でお叱《しか》りを受けるのかわからない状況になっている。ために自粛も進んで、すべてにわたって息苦しい世の中だった。「サンデー毎日」という名称自体も敵性語だというので、「週刊毎日」と変わっていた。

「お芙美さん、この間なんかね、サンデー、いや週刊毎日の表紙に陸軍のSが文句を言いに乗り込んで来てね。驚きましたよ。Sが何て言ったと思う？」

私は頭を振った。「S」が誰かとは、敢《あ》えて聞かない。その方がいいからだ。

「何と、頭に物を載せて運ぶ女の絵が気に入らないって言うんだよ。こんな習俗は大和民族にはないって言ってね。呆《あき》れたよ。だって、大原女《おはらめ》なんだから。これは京都の大原女ですって言ったら、しばらくぶつくさ言って帰って行ったけど」

私は少し笑ってから、真顔で言った。

「嫌だね、みんな誰かの顔色窺ってる世の中って」

「しかも、顔色はだんだん悪くなってるしね」米田がまぜっ返した。「ほんとに、冗談でなく怖ろしいですよ」

実感だった。が、私の真剣さが米田にどの程度伝わったのかはわからない。

凧月堂の窓際《まどぎわ》の席に座って、二人ともコーヒーを注文した。代用コーヒーが出回っていると聞いたが、凧月堂にはまだまともなコーヒーがある。

「ジャワはコーヒーが旨《うま》いらしいね」

米田が煙草《たばこ》をくわえた。私も米田の箱から一本抜き取り、火を点《つ》けて貰《もら》う。

「そうなのよ。ルアックと言ってね、マレージャコウネコの糞《ふん》から拾ったコーヒー豆が一番高級で旨いのよ」

「糞から？　そりゃ汚くないの？」

「汚くなんかなくてよ。あのね、コーヒーの実はジャコウネコの餌《えさ》なんですよ。でも、種だけは消化しないから排泄《はいせつ》されるの。それを集めて洗ってから焙煎《ばいせん》するのよ。とっても高級で、美味《おい》しかったわ」

思わず嘆息すると、私の顔を米田がじっと見ているのに気付いた。何か問いたげでもある。すると、コーヒーを運んで来た女給が恥ずかしそうに言った。

「すみません、林先生ですか?」

私が頷くと、小さな手帳を出した。

「サインして頂けませんか?」

米田が気を利《き》かせてペリカンを貸してくれたので、私は名前の横に「花のいのちはみじかくて　苦しきことのみ　多かりき」と書いてやった。

女給が何度も礼を言うので、周囲の人が一斉にこちらを見た。ひそひそと「林芙美子」という囁《ささや》きが聞こえる。私が構わず煙草の煙を思い切り吐き出すと、少々呆れた顔で互いの目を見合わせている。銀座に来る女たちには、成り上がりの傲岸《ごうがん》な女流作家先生に見えるのだろう。

「お芙美さん、あっちはどうだったんですか」

「ま、いろいろありましたよ。楽しいこともそうでないことも」

さばさば答えると、米田は憂《うれ》い顔になった。

「だったら、ジャワでのことでもちょっと思い出して小説を書いてみたらどうです。男の文士はみんなやってるじゃないですか」

「どうですって、毎日で載せてくれるの？」

私は冗談めかした。たちまち米田は暗い顔付きになる。

「いや、知ってるでしょう。お芙美さんの原稿は一切載せないって決まってるんだ」

「わかってるわよ、社を挙げてでしょう」

私はそう言いながらも、忌々《いまいま》しい思いに駆られた。

私の不機嫌を感じ取ってか、米田が話を変えた。

「しかし、女の人の着物姿って、やはりいいですね。これは南方の布なんですか？何て言うの」

米田の視線は私の胸元を擦り抜けて、翡翠の帯留めで止まった。懐《なつか》しい物に会ったように眺めている。

「大正更紗よ」

私は、黄色地に海老《えび》茶《ちゃ》や茄子《なす》紺《こん》の草花が染め出された美しい文様を眺め下ろした。

「買って来たんですか？」

私は米田の無知を笑った。

「まさか。これは日本製よ。それに、お土産なんか持って帰れる雰囲気じゃなかったもん」

しかし、そうは言っても、同じくジャワに徴用された久生十蘭《ひさおじゅうらん》たちは、朝日機でジャワの特産物や妻の服などを家に送っている、と誰かから聞いたことがあった。久生は海軍の徴用だったから、陸軍の私よりは自由だったのだろうか。やればできないことはなかったのかもしれない。だけど、そんな気力も失《う》せるほど、私は謙太郎との修羅のただ中にいたのだ。その傷は未《いま》だ癒《い》えていないどころか、ふつふつと滾《たぎ》り疼《うず》いて、私を憂鬱にさせる。ぼんやり放心していると、米田が感嘆したように言った。

「それにしても、お芙美さん。よくその格好で出て来られたね。さすが女流作家さんだ。根性が違う」

褒められた私は首を傾《かし》げた。

「そんなに派手かしら」

「お芙美さんは南方帰りだから忘れているんだろうけど、統制はますます厳しくなってるんだよ。あなたの格好は華美過ぎるって言われるから気を付けて」

米田はにやにや笑った。おや、と私は周囲を見回した。確かに凮月堂の客は、男も女も一様に地味な格好をしていた。男は国民服、戦闘帽を被《かぶ》っている者さえいる。女は地味な着物にモンぺか、洋装。柄物の着物を着てちゃらちゃらしている女は私一人。先ほど、煙草を吸う私に呆れたような視線を投げかけていた女たちは、私の着物姿も気に入らなかったに違いない。

「しみったれてるね。絹のモンペでも穿《は》こうか」

癪《しゃく》に障《さわ》って啖呵《たんか》を切ると、米田は笑いを浮かべ、その笑いを周囲から隠すように俯《うつむ》いた。

「何よ、米田さん。あなたが会おうというから、お洒落《しゃれ》して来たのに」

半分冗談で恨みごとを言う。米田が秘密を打ち明けるように身を乗り出した。

「あれは対米英戦の始まる前だから、昭和十五年だっけか。急に奢侈品《しゃしひん》の統制が厳しくなったじゃない。お芙美さんも覚えているでしょう？　さっきの大原女じゃないけど、自粛自粛で、何がいいんだか悪いんだか、うちの新聞もさっぱりわからなくなっちゃったことがあってね。だったら、いっそのこと陸軍報道部に聞いてみようっていうことになったんだ。俺はそういうのあまり好きじゃないんだよ。だって、そこまで卑屈になることはないだろうって。でもね、仕方なく報道部の連中を星岡茶寮《ほしがおかさりょう》に招いて、ご高説を拝聴したことがあったんだ」

急に嫌なことでも思い出したのか、米田が口許《くちもと》を歪《ゆが》めた。

「そこにSだのMだのがいたのね」

米田が体に合わない国民服の、余った肩を竦《すく》めた。名前をはっきり言わないのは、あまりにも差し障りがあるからだった。

「そうそう。そのS中佐が自慢げに言うんだ。自分たちはかつてみじめな思いをしたこともあったけど、今はすべてを決めているとね。不愉快だったな」

「みじめな思いって何」

「単に軍の主流じゃなかったってことでしょう。今は夜郎自大だからね」

米田は蔑《さげす》みを込めて言い捨てた。私は米田のこういうところが好きなのだった。決して積極的に出る男ではないけれども、本質的なところはきちんと摑《つか》んでいる。真のジャーナリストだ、と心の中で褒めかけ、また謙太郎を思い出して、ずきりと傷が痛んだ。謙太郎も、米田と同じく毎日新聞の記者なのだった。だが、毎日新聞は社を挙げて、私の原稿を載せない取り決めをしている。

何と捩《よじ》れた運命なのだろう。そんなことをとりとめもなく考えている私をよそに、米田は声を潜めて喋《しゃべ》り続けていた。

「S中佐がこう言うんだよ。パーマネントを慎みましょう、というお達しを出したら、美容師さんたちが、それでは食いはぐれてしまうから、どの程度ならいいのか教えてくれ、と泣き付いてきたんだと。だから、報道部に美容師さんたちを招いて、写真を並べてさ。これくらいならよし、こういうのはいかん、とか何とか言ったんだって。

皆、必死にメモを取って帰ったらしいよ。だけどさ、聞いてみて呆れたよ。根拠なんか何もないんだ。そのS中佐が自分の女の好みで喋っているだけなんだ。だから、自分たちが世の中のすべてを決めている、と威張っているんだよ。野卑で粗雑な連中だ」

「じゃ、あたしの髪なんか、絶対に駄目ね」

私はパーマネントのかかった髪を手で押さえた。メダンの美容院でパーマをかけたのが、帰国するひと月前だった。たっぷりとパーマ液をかけて小さな棒できつめに巻いた髪は、頭全体にしっかりした小さな巻き毛をたくさん作っていた。陸軍報道部のS中佐が絶対に許すはずもない巻き髪。しかも、今日は雨が降っているから、カールはいっそう強まっている。私は縮毛を指先でいじくった。

米田はちらっと私の髪に目を遣り、それから目を泳がせた。

「いったいどうなってしまうんだろうと思わない？　お芙美さん」

「思うわよ。米英戦になってから、急に悪くなったね」

欧米列強になど勝てっこない。私はその後の言葉を仕舞いつつ、胸の中で反芻《はんすう》する。南方を占領したと日本ははしゃいでいるが、ジャワで見た和蘭《オランダ》人の鋭い眼差しは忘れられなかった。あの目は、継続が一番難しい、日本にできるのか、と言っていなかったか。私は嘆息して沈黙した。そうは言っても、ジャワの濃い夜気が懐かしかった。

ふと、東京日日と大阪毎日が毎日新聞へと名称が統合されたことを思い出し、米田に名刺をねだった。

「あ、そうだ。あなたの新聞、名前が変わったのね。新しい名刺ちょうだいよ」

米田は、藁半紙《わらばんし》のように粗雑な薄い紙に印刷された名刺をくれた。「毎日新聞大阪本社　出版局　米田源助」とある。近眼の私は顔を寄せて名刺の文字を読み、何気なさを装《よそお》って聞いた。

「久米さんはまだいるの？」

「いや、今は日本文学報国会の常任理事だ。ご活躍だよ」

米田が低声で囁く。

「報国会か。私に理事になれとも何とも言わないのよ」

「お芙美さんを誘うわけがないよ」

米田が苦笑した。私は、文壇での自分の評判がいかに悪いか、よく知っていた。毎日新聞が私に一切の原稿依頼をしないと取り決めたのも、東京日日の学芸部長だった久米正雄との確執が原因なのだった。

久米正雄は、大衆小説の作家だ。が、夏目漱石《そうせき》の門下であったこともあり、純文学に対する憧憬《しょうけい》は強かった。漱石の娘、筆子《ふでこ》に恋をしたが、勝手に結婚するというデマを流して振られ、筆子の夫となった松岡譲《ゆずる》に嫉妬《しっと》して、文壇村八分にしたとも言われていた。花札賭博《とばく》で捕まったこともあるし、軽率な行いで世間を騒がせる作家であったことは間違いない。が、自ら出版社を経営する、商売上手な菊池寛《かん》とも親しく交わり、いつしか大衆小説界では一目置かれる存在になっていたのだった。

その久米と私は闘って久しいのだが、米田は、久米を学芸部長に起用した東京日日の姉妹紙、大阪毎日新聞の記者だったし、謙太郎も同じく毎日の記者なのだ。この皮肉に、私は苦笑せざるを得ない。

「何、思い出し笑いしているの。お芙美さん」

米田が不思議そうに尋ねるので、私は肩を竦めた。

「いや、あたしがあなたと会ったことを知って、あいつがあなたに厭味《いやみ》を言ったことがあったね」

たちまち米田が顔を顰《しか》めた。

「ああ、久米さんがね。そんなことあったな。普段は調子のいい人なのに、あれはびっくりした」

昭和十四年に、私が大阪で米田と会って食事したことを知った久米は、「林は、米田ごときに謝れば済むと思っているのか」と口走ったそうだ。米田は苦い顔をした。

「確かに僕が口を利いたって、どうにもならない問題だったけど。それにしても、『ごとき』とはね」

当時の私は、それほどまでに久米に憎まれていたのだった。そして、毎日新聞の私に対する措置はまだ続いている。しかも、久米と親しい作家たちは、相変わらず私を嗤《わら》ってやまない。「林芙美子は、自分が目立つためなら、何でもする女だ」と。

2

思い出すのも不愉快な出来事だけれども、私が事実を書かなければ、悪評だけが残りかねない。久米との軋轢《あつれき》について、ここに記しておいた方がいいかもしれない。昭和十三年の漢口作戦に従軍した時のことだ。

昭和十八年の今でこそ、作家も映画監督も絵描きも、誰もが徴用されて南方や満州へと派遣されるようになった。が、私が「ペン部隊」の一員として漢口に行った頃は、まだ徴用ではなく、各出版社や新聞社の特派という形だった。当時は、軍部が作家を使うことを、そうは露骨にしていなかったのだ。

「ペン部隊」の一員にならないかと私を誘ったのは、菊池寛だった。

昭和十三年八月二十三日、菊池寛は内閣情報部の求めに応じて、十一人の文学者を集めた。顔触れは、尾崎士郎、片岡鉄兵《てっぺい》、北村小松《こまつ》、久米正雄、小島政二《まさじ》郎《ろう》、佐藤春夫、白井《しらい》喬二《きょうじ》、丹羽《にわ》文雄《ふみお》、横光《よこみつ》利一《りいち》、吉川英治、吉屋《よしや》信子《のぶこ》。情報部は、二十人ほどの作家に戦線を視察して貰《もら》いたい、書くかどうかは自由、と言ったらしい。ほとんどの作家が承諾したが、横光氏だけは、明言を避けたと聞いている。菊池寛は、他に十一人の作家に声をかけた。川口松太郎、浅野晃《あきら》、岸田國士《くにお》、深田久弥《きゅうや》、佐藤惣之助《そうのすけ》、富《とみ》澤《ざわ》有為男《ういお》、杉山平助《へいすけ》、浜本浩、瀧井《たきい》孝作《こうさく》、中谷《なかたに》孝雄《たかお》、そして私、林芙美子。

「林さん、私は戦争を伝えるのなら、大衆小説作家の方が向いていると思うんだ。純文学作家はああだこうだとうるさいし、大衆の心は摑めないでしょう。だから、是非、あなたにも行って貰いたい」

私は、菊池の言葉に、一も二もなく頷《うなず》いた。というのも、私は前年の昭和十二年、南京《ナンキン》取材を好評裡《り》に終えていたからだった。毎日新聞の特派員として記事を送ったのである。この時の従軍では、火野葦平《あしへい》の『麦と兵隊』の成功が大きかった。陸海軍とも小説の力を認め、もっと利用しようとしたのだろう。

菊池寛によれば、石川達三《たつぞう》の『生きてゐる兵隊』の件も私に声をかけた一因、ということだった。石川達三の『生きてゐる兵隊』は、兵隊の残虐行為《ざんぎやく》を描いたために、「国の安寧秩序を紊《みだ》した」として新聞紙法違反で起訴されたのだった。掲載した「中央公論」は即日発禁、石川も有罪となった。

前年は、ペンの力を利用しようとして作家を集めた軍部が、今度は、ペンの力を怖《おそ》れ、もっと管理を強めるために声をかけてきたのだ、と今にして私は思う。親しい友人は、こう言った。

「作家の二、三人は死んでも構わないくらいのつもりかもしれないよ。気を付けなさい」

だが、私は気が焦《あせ》っていた。だったら、私が石川達三の『生きてゐる兵隊』を超えるものを書きたい、という思いが強かったのだ。昨年の従軍記を上回る素晴らしい作品を書きたい、石川達三の厭世観《えんせい》などなくして、もっと闘う兵士の心に寄り添ったものを、と。その意味では、私は負けず嫌いの大馬鹿《ばか》者だったのかもしれぬ。戦争の本質など、わかっていなかったのだ。ここだけの話、聖戦だろうと何だろうと、戦争の本質は同じだ。卑劣で残虐で愚かしい、人間の悪を全開させるものだ。その意味で、石川達三は正しかったのだ。

さて、菊池寛が海軍班、久米正雄が陸軍班を作り、「ペン部隊」が編成されることになった。ここで私にとって、仰天すべきことが起きた。何と、毎日新聞は、吉屋信子と契約した、という噂《うわさ》を耳にしたのである。私は前年と同様、毎日新聞が契約してくれると思っていただけに、手酷《てひど》く裏切られた思いがした。

吉屋信子は、久米正雄と仲がよく、久米の依頼で書いた『良人《おっと》の貞操』という毎日系の新聞連載小説は、ベストセラーになっていた。かといって、前年のことを無視して、私に何も言ってこないのは信義にもとるのではないか。私は激しく立腹した。しかも、毎日新聞から契約を願い出てくると思っていたから、私はまだどことも契約を済ませていなかった。「ペン部隊」は、政府の要請でありながらも、身分は出版社や新聞社の所属という形で行くのだから、どことも契約しないで行くなどありえない。

さらに、ちょうどその折、私は「サンデー毎日」(当時はまだサンデーを名乗っていた)と、「週刊朝日」の正月号巻頭小説五十枚を依頼されていた。私の所属だけが決まらないことを知った朝日新聞は、特派員にならないかと誘ってきた。が、私はギリギリまで待つつもりだった。東京日日の学芸部長になった久米は、私の顔を潰《つぶ》してでも吉屋信子を立てるのか、それとも私に何も言って来ずに「サンデー毎日」の原稿だけは欲しがるのか。私は、私を真に必要としてくれる方に、新年号の原稿を渡そうと決心していた。勿論《もちろん》、「サンデー毎日」の側も、私の魂胆を見抜いて、原稿が入るかどうか、何度も確かめてきた。その度、私は迷いながらも「必ず書きます」と言ってはきた。

漢口への出発日が迫っていた。しかし、毎日新聞からの依頼はない。待ちくたびれた私は、とうとう朝日新聞の特派員になることを決め、「週刊朝日」に短編の原稿を渡した。「サンデー毎日」の編集者は、試すように伺いを立ててきた。

「原稿はどこに取りに行きましょうか」

「東京駅まで来てちょうだい」

陸軍班は、福岡から飛行機が出る。だから、東京駅から福岡まで出向かねばならないのだった。私は、東京駅に来た「サンデー毎日」の編集者に詫《わ》びた。

「ごめんなさい。車中で書くから、大阪駅に取りに来てちょうだい」

一枚も書けていなかったからである。どうしても書くことができなかった。私には納得がいかなかったのだ。私を指名しないくせに、なぜ系列の週刊誌で私の原稿を取りたがるのだ、と。

しかし、大阪までは八時間半ほどの旅路である。書くべきだ。作家生命が懸かっているのだから。私は観念して原稿用紙を取り出しかけた。が、まるで私の忠誠心を試すようなやり方で原稿依頼をしてきた「サンデー毎日」の真意を考えているうちに、嫌になった。

車中、私は半ば呆然《ぼうぜん》として座っていた。他の文士は、たった一人の女性である私に遠慮してか、あるいは煙たいのか、隣の車両で話し込んでいる様子だった。そのうち、えい、どうにでもなれ、というやけっぱちな気分になってきた。どうして私が、これほどまでに気を揉《も》まなければならないのだろうか。

現に、学芸部長の久米は同じ列車に乗り込んでいるのに、私に原稿の出来を尋ねるでもなく、今回の特派員を依頼できなかったことを詫びるでもなく、素知らぬ顔で陸軍士官らと声高に話し込んでいるではないか。

たとえ私が「サンデー毎日」の原稿を書く気になったとしても、列車内は狂乱に似た昂奮《こうふん》に終始包まれていて、落ち着いて小説を考えることなど、到底できなかっただろう。

出発前の明治神宮参拝、東京駅での大勢の見送り。私たち文士の一行は、人々の歓呼の中でぼうっとしていた。その昂奮が冷めやらず、皆が皆、わけもなく意気込んでいた。つまりは、全員が自分の力で止めることのできない、突っ走る列車に乗ったようなものだった、特急富士号のごとく。

陸軍班は、海軍班よりも六人も多い十四名の文士が参加していた。面子《メンツ》は、浅野晃、尾崎士郎、片岡鉄兵、川口松太郎、岸田國士、佐藤惣之助、白井喬二、瀧井孝作、富澤有為男、中谷孝雄、丹羽文雄、深田久弥、紅一点として私。そして、陸軍ペン部隊の団長で、久米正雄。

ついでに書いておけば、海軍班は、文藝《ぶんげい》春秋社長・菊池寛を団長として、北村小松、小島政二郎、佐藤春夫、杉山平助、浜本浩、吉川英治、吉屋信子という面々だった。こちらは、羽田からの出発であった。

久米は、私と「サンデー毎日」のトラブルについて逐一報告を受けていたに違いなかった。だが、私とは壮行会で軽く挨拶《あいさつ》したのみで、後は一切目を合わせようともしない。自分が吉屋信子を特派員にすると決めて、「サンデー毎日」と私とのトラブルの原因を作っておきながら、車内では誰かと話し込んだり、酒を相伴するばかりで、私のところへは寄り付こうともしなかった。故《ゆえ》に、私は決して意図的に原稿をすっぽかしたのではない、と毎日側に説明する機会も逸したのだった。

列車が沼津駅に滑り込んだのが、午後五時近くだった。わさわさと虫の羽を擦るような大きな音がしたので驚いて立ち上がると、ホームにびっしりと人がいて、一斉に日の丸を振っているのが見えた。万歳、万歳と連呼する声。私はさすがに感動して、千切れんばかりに手を振って応《こた》えた。列車もゆっくりと長いホームに止まった。

すると、一番前にいる、数枚の画用紙を繋《つな》げて何ごとかを大書した物を持った女性たちが、紙を高く掲げた。その画用紙には、こう書いてある。

「吉屋信子先生、報国の誠を尽くしてくださいませ。銃後の守りは引き受けました。熱狂的愛読者より」

吉屋信子は海軍班なのだから、富士号には乗っていない。しかも、出発日も違う。だが、軍関係の情報は公《おおやけ》にはもたらされないから、わかりようもなく、ただペン部隊の乗った車両が通過するという噂だけを聞いて駆け付けたのだと思われた。

女性たちは、吉屋信子の姿を探して、ゆっくり発車する列車の窓を、右から左へと忙《せわ》しなく眺めている。あまりにも必死なので、可哀相《かわいそう》なほどだった。

不意に、私は視線を感じて振り向いた。後ろから、久米が私の背中を見ていた。その顔に、勝利の笑みが浮かんでいる。どうだ、吉屋信子の方が人気があるだろう、と言わんばかりの。途端に、私は売られた喧嘩《けんか》を買う気になっていた。毎日新聞との関係がどうなってもいい、と肝が据わった瞬間だった。

私が前年に引き続いて、毎日新聞の特派員になりたかったのは、記者である斎藤謙太郎との紐帯《ちゆうたい》を強めたい、という思いもあったかもしれない。謙太郎は当時学芸部にいて、久米とも親しかった。久米や女流作家たちと温泉旅行に行き、私をやきもきさせたこともあったくらいだ。私が謙太郎と知り合って、深く付き合うようになったのは、南京従軍前からだった。毎日新聞から指名がなくて、私がいかに傷付いたかは、人には言えない、こんなつまらぬ理由もあるのだった。

旅程は事前に何も知らされていなかった。特急富士号は、下関に翌朝九時半に到着するという。その後、連絡船で門司《もじ》港に渡り、鹿児島本線に乗り換えて、福岡で一泊することになっているのだそうだ。そして第一陣は翌朝、福岡から陸軍機で上海《シャンハイ》に発《た》つとか。私は第一陣に組み込まれているとのことだった。

列車は沼津駅を出て、速度を上げ始めた。左手に暗い海が見える。じきに静岡。私は惚《ほう》けたように座席にぺたんと腰を下ろした。

「林さん、お疲れじゃないですか」

丹羽文雄がわざわざやって来て、声をかけてくれた。丹羽は、他の文士が皆、国民服にゲートルという姿なのに、ただ一人、茶の背広にソフト帽というダンディな格好をしていた。ズボン吊《つ》りは芥子《からし》色で、お洒落《しゃれ》この上ない。文士は軍人ではない、という強烈な矜持《きょうじ》が感じられて、気分がよかった。紅一点の私はというと、地味な灰色のスーツ姿である。

「いいえ、大丈夫ですよ」

私たちは、中国の戦況について話し合った。丹羽は中央公論社の特派員として来ている、とのことだった。

「林さんは毎日新聞でしょう」

丹羽に聞かれ、私が「朝日新聞です」と答えると、丹羽文雄は、意外そうな顔をした。

「林さんは、毎日系かと思っていた」

そう言って、車両の真ん中で陸軍士官らと酒を酌《く》み交わしている久米の横顔を窺《うかが》っている。その表情から、丹羽も久米を好きではないのかもしれない、とちらりと思った。確かに、久米のはしゃぎぶりは異様だった。他の文士も国民服を着てはいるが、久米は日の丸の扇子を常時かざして、ヘルメットを着用したままだ。

「ま、どちらにせよ、僕らは文士なんだから、いい物を書かないとね」

「私もそう思います」

私は列車の窓に映る自分の顔を見ながら、自分に誓うように言った。心底、そう思っていた。戦場では怯懦《きょうだ》を乗り越え、これまでの人生で見たことのないものを見て、今まで書いたことのない、いい物を書くしかないのだ。それが、これから始まる毎日新聞との闘いに勝つ唯一《ゆいいつ》の方法だと思った。しかし、ガラス窓に映った私の顔は、物欲しげで寂しそうで、その向こう側の夜の闇《やみ》に消えてしまいそうだった。

「私、なるべく誰も行かない奥地まで行こうと思いますわ」

思わず力が入ってこんなことを告げると、丹羽はやや呆《あき》れた顔をした。

「女だてらに大変じゃないですか。なあに、無理はしない方が得策ですよ。生き残って、世の中を見るのも文士の仕事です」

「だって、折角の機会じゃないですか」

「まあ、焦らなくてもいいですよ。くれぐれも無理しないでください」

丹羽の顔に気の毒そうな表情が浮かんでいるように思えたのはなぜだろう。私と吉屋信子が、とかく女流同士の対決、と煽《あお》られているのを知っていたからだろうか。

その少し前まで、花形文士を競わせるのを面白がる企画が多かった。読売新聞社が初めて新鋭飛行機を買った時は、「リレー飛行」という催しがあったし、毎日新聞の「国立公園早廻り競争」というのもあった。私も女流作家から成る「西軍」の一番手として、走り回ったものだった。あの頃はまだのんびりしていた、とその時は思ったが、この漢口従軍の頃だとて、米英と開戦した今と比べれば、暢気《のんき》なものだった。

車中で一泊し、下関駅に到着したのは翌朝の午前九時半だった。大阪を通過したのは、真夜中。「サンデー毎日」の記者が来ていたかもしれないが、私はホームを見もしなかった。下関駅のホームには、「筆勝！」と書いた紙を掲げる人もいた。久米が満足そうに、日の丸の扇子を振って応えている。

下関駅には、当然のことながら、「サンデー毎日」の編集者はいなかった。いくら何でも、諦《あきら》めたのだろう。いや、もともと私に書く気がないのを知って、単に追い込んできたのかもしれない、と思うと試されたみたいで嫌な気になった。

その後、「サンデー毎日」側がどうしたかは、一切私の耳に入ってこなかった。久米に文句を言われたら、決してすっぽかそうと思っていたわけではない、と正直に謝るつもりだったのに、久米は相変わらず私を無視し続けている。私はそこに不気味なものを感じて、こちらからも近寄るのをやめた。どうやら、私という作家を無視することに決めたらしい毎日新聞に、一矢《いっし》報いてやりたい気持ちがまたもむくむくと湧《わ》いてきて、抑えることができなくなった。

ねちっこい久米のことだから、林芙美子は書く気もない原稿を書くと言った大嘘吐《おおうそつ》きであるとか、吉屋信子に激しい嫉妬《しっと》心を持っているからあんなことをしたのだ、などと後から陰口を叩《たた》くに決まっていた。同性のライバルを蹴落《けお》として、自分だけが目立って、いい位置を得ようとする狡《ずる》い女、と。

だが、しかし、私には吉屋信子に個人的な恨みはなかった。吉屋信子は女学校時代の私の憧《あこが》れでもあったのだから。私は、誰よりも何よりも、文筆で稼ぐ女は素晴らしく偉い、と心から尊敬していたのである。その私が、吉屋信子と「ペン部隊」の紅二点となったのだから、少女の頃の私からは想像もできない大出世であることは間違いないのに、どうしてこうも、世間は私の心を捻《ねじ》って曲げるようなことをするのだろうか。

とはいえ、私は大ベストセラーになった吉屋信子の『良人の貞操』を、うまい小説、と感心したことは一度もなかった。芸術性は私の方が高い、と密《ひそ》かに自惚《うぬぼ》れていたし、吉屋信子と比較されるのが苦痛の時もあった。その高みに立った私の態度が、久米や吉屋や菊池の、いや、大衆作家と呼ばれる文士たちの癪《しゃく》に障《さわ》ったのだと思われた。だけど、私は根っからの詩人だ。詠嘆調の美文を見ると、虫酸《むしず》が走るのをどうにもできない。

久米は、大衆文学に対する「純文学」や、「微苦笑」を造語した文士として知られていた。だが、自分が芸術性の低い大衆文学のただ中にいることに、根強い劣等感を持っているのだった。だから、少女小説出身の吉屋信子と親しく交わり、『放浪記』を著した、生まれも育ちも悪いルンペン女の私が、お高くとまっているのを殊《こと》の外《ほか》嫌うのだろう。

『きみのように弁が立って、一人で何でもできることを威張るような女を、男は苦手とする』

不意に、謙太郎の言葉を思い出して、私の心はまた塞《ふさ》いだ。あれは、私がパリの話をしていた時だった。ロンドンに赴任していたこともある謙太郎にとっては、ヨーロッパ帰りを鼻にかける、生意気な女に映ったのだろうか。いや、謙太郎の心の底には、私の育ちや暮らしに対する蔑《さげす》みがあったのかもしれない。貧しい育ちを書いてデビューした私は、今度は、貧しい育ちへの偏見に苦しめられているのだ。そして、そんな偏見を持った男でも愛しているのだから、私という女は、どこまでもどこまでも始末の悪い、大馬鹿《ばか》に出来ている。そのくせ、喧嘩っ早くて、後で泣きを見る。それがわかっていても、喧嘩をやめることはできない愚か者。

そして、もうひとつ。私と久米正雄の仲が修復できないほど決定的に駄目になったのは、「サンデー毎日」事件だけではなかった。今では国民の誰もが知っている、私の「漢口一番乗り」のせいだった。

私が上海に着いたのは、陸軍班の第一陣で、九月十三日のことだった。久米も一緒だった。文士たちは上海でそれぞれ新聞社や出版社、陸軍の担当者らとばらけ、別行動をすることになっていた。

九月十九日、私は何とか前線の近くまで行くことにした。そのためには、兵站《へいたん》基地である九江まで行く必要がある。私は単身、上海から南京へ飛び、九江に向かう船に乗った。その名は「ぜのあ丸」。船底には、徴用された軍馬が三百頭も乗っていた。そして、あの石川達三が一人寝転んでいたのだった。石川は私の姿を見て、やあやあと親しげに手を挙げた。

二十三日朝、九江着。九江では、海軍班の文士たちとも久しぶりに会った。吉屋信子とは中央銀行の食堂で会ったが、互いに何も言うことはなく、ただ顔を見て頷《うなず》き合っただけだった。久米は、中国兵の死体がまだ転がっていると聞いて、わざわざ見に行ったという。支那《しな》の食べ物屋を冷やかした、中国兵の捕虜を見た、と自慢げに語る文士たちの顔を見ていると、なぜか虚《むな》しくてしょうがなかった。これは断じて物見遊《ゆ》山《さん》ではない。兵隊たちは命を賭《と》して闘っているのに、自分たちは危険な目に遭わず、高みの見物で済むのか。

私の中には、私の生まれや育ちを陰で軽蔑《けいべつ》している文士たちへの恨みが噴き上がっていたのかもしれない。本当のどん底を経験したものでなければ、本物の地獄など書けやしないのに、この人たちは、文士などと称して威張っている。私は、創作意欲を掻《か》き立てられてうずうずしていた。無論、軍の制約は知っていた。火野葦平が軍から禁じられたのは以下だった。

「日本軍が負けているところを書いてはならない。戦争の暗黒面を書いてはならない。敵を憎らしくいやらしく書かねばならない。作戦の全貌《ぜんぼう》を書くことは許されない。部隊の編制と部隊名は書いてはならない。軍人の人間としての表現は許さない。分隊長以下兵卒の人間はいくら書いてもよいが、小隊長以上はすべて人格高潔、沈着勇敢に書かねばならない」

それらの禁忌をかいくぐっても、なお見たい、書きたい。書いてはいけないのならば、この日に灼《や》き付けておきたい。私は女の身で、非戦闘員だけれども、どうしても見たい、と思うのだった。

だから、私は焦燥感を募らせていた。なのに、ペン部隊の面々は、キャバレーで遊んだり、気分だけは憂国だったり、骨董《こっとう》屋を冷やかして、美味《うま》い支那料理を食べたがる趣味人であったり、と私の気持ちを逆撫《さかな》でし続けた。彼らとは違う生まれと育ちの自分が、真の戦争の姿を見て、銃後に伝えなくてはならない。ルンペン作家と馬鹿にされて、底の底の生活から這《は》い上がってきた自分が、真の戦いの有様を書かなければ、人の心には届かない。

そんな切実さが、私を前線へと駆り立てていた。が、その思いが、またしても私を「目立ちたがり屋」と呼ばせる危険に満ちているものだとは、気付かなかった。いや、気付いたとしても、私はやめられなかっただろう。

九月二十六日、日本軍は最大の要衝である田家鎮、馬頭鎮への総攻撃を開始した。戦況は有利で、漢口の陥落は時間の問題と言われていたが、私は九江で下痢と腹痛に苦しんでいた。体調はどんどん悪くなるばかりで、くさくさした私は、いったん南京に戻って体調を整えることにした。

九月二十九日、船で揚子江を下り、十月一日早朝、南京に帰った。結局、南京には二週間、滞在することになってしまった。

体調が戻るにつれて、前線に行きたい、何としても戦争の姿を垣間見《かいまみ》なければならぬ、という思いが再び募ってきた。船では時間がかかるし、体力を消耗する。だったら、九江行きの海軍輸送機に乗れないだろうか。戦局は今にも動きそうで、のんびり船に乗っている時間はない、と思われた。再三頼みに行ったが、飛行機はいつも満員で、なかなか乗る順番が巡ってこなかった。

しかし、怖々と戦争を後ろからそっと覗《のぞ》くだけだったペン部隊の連中は、私と逆に焦《じ》れたのか、続々と帰国し始めた。海軍班などは、十月十一日には、菊池寛以下、全員が神戸に着いた、と朝日の支局の人から聞いた。

十月十五日、私たちはとうとうダグラス輸送機に乗れることになり、船旅だと三日以上かかる行程を、たった二時間足らずの飛行で九江に到着した。上から見る景色は、際限なく広がる湖沼《こしょう》地帯だった。こんな景色は見たことがない。他人の国で戦争を仕掛けているというのに、胸が躍るのはどうしたわけだろう。戦争という昂揚《こうよう》は何ものにも代え難く、私という楽器を打ち鳴らし続けるのだった。私は戦争の危険に心底から侵されていたのだろうと自問すると、脂汗《あぶらあせ》が流れた。が、危険だった。何が知りたいのだろう。何があっても前進したい、何かを見たい、という決心はさらに強まっていた。

十六日ぶりの九江は、冷たい秋風が吹いていた。ほんの少し留守にしただけで、風景は晩秋の成熟に変わっている。が、やがて灰色の冬に変貌する危うさに満ちた成熟でもある。ものの哀れを感じる間もなく、私は緊張で震えていた。

久米がまだ帰国せず、増田屋旅館に泊まっていると聞いたのは、そんな時だった。私は会いに行かなかった。久米はこの地で、漢口が陥落するのを待っているに違いなかった。しかし、私は待つのは嫌なのだ。

そんな私の思いを人は「野心」と呼ぶのだろう。だが、文学的野心のない者は、ものを書く資格などないのである。文学的野心と、戦争の真の姿を見たいと思う心は、私の中で見事に一致していた。

だから、この時の私は、誰よりも先に行って、陸軍班団長の久米を出し抜き、その面目を潰《つぶ》そうとは、ゆめ思っていなかったのだ。私が前線に行けるのか、生きて帰れるのかどうかも、正直わからなかったからである。

そんな私の前に、朝日新聞特派員、渡辺正男記者が現れた。渡辺は意志の強そうな角張った顎《あご》を持った男だった。黒縁の眼鏡を掛け、私の目をまっすぐ見て喋《しゃべ》る。

「林さん、この先どうしますか」

「行けるところまで行きます」

「そうですか。でも、僕は行けるところまででは嫌なんです」

渡辺は私の目を見てきっぱり言った。「もし、行けるところまでとお考えならば、もっと安全になってから、いらしてください。僕は行けないところまで行くつもりです。誰よりも先んじて、僕がこの目で見て、第一報を書いて送りたいんです。でなきゃ、ここに来た意味がない。うちは確かに、毎日に次いでいつも二位です。だから、朝日は今度の武漢作戦に社の命運を懸けているのです。四百人もの人員を送り込みました。記者、カメラマン、映画班、航空部員、無電技師、伝書鳩《でんしょばと》係、設営、庶務、運転手、連絡係。無電士も足りなくて、漁業無線関係者を臨時雇いしたほどです。今度の報道は、我が社にとっても総力戦なのです。林さんが、去年、毎日新聞の特派員だったことはよく知ってますよ。今年は選に洩《も》れて、吉屋さんが選ばれた。ねえ、悔しくないですか。だったら、僕らと同様、あなたも文士としての命運が懸かっているのでしょう。一緒に闘いましょう。戦場に一番乗りしましょう。僕はあなたがうちの特派員になってくださって、ありがたいと思っていますよ」

渡辺の言葉によって、朝日の焦《あせ》りと、私が毎日に指名されなかった無念さとが一致している、と気付かされた瞬間だった。報道戦争の中で、文士たちも闘いを担《にな》わされていたのである。

渡辺は、朝日の「アジア号」という無電トラックで、北岸部隊に従軍するという。九江から武穴を経て、広済に着いた時、渡辺が緊迫した表情で言った。

「林さん、明日の朝、広済を発《た》って漢口に向かいます。激しい闘いの中を行くのですから、私は覚悟しています。あなたが私と行くのであればあなたの命を私が預かります。どうしますか」

いよいよ激戦地に行く。女の私が行けるだろうか。ほんの一瞬だけ怯《ひる》んだ私の心は、「命を預かる」という渡辺の言葉で決まった。私は頭を上げて、渡辺の眼鏡の奥の目を見つめた。

「渡辺さん、私を漢口へ連れて行ってください。あなたに命をお預けします。私も覚悟していますから、連れて行ってください」

私たちは手を握り合った。心が通った気がした。確かに、朝日と命運を共にすることは、毎日を代表する久米の面目を潰すことでもあるのだ。何度も言うが、当時の私に、そこまでの考えはなかった。見知らぬ場所で見たことのないものを見て、書いたことのないことを書きたい。この、身の置き所のないようなじりじりする思いは、もしかすると、母と共に行商していた頃からの、私の放浪癖に通じるかもしれない、と思ったのは、かなり後だった。

十月二十二日、トラックで移動が続く。すると、誰かが言った。

「林さん、もしもの事があったらどうします」

「その時は殺して行ってください」

私は即座に答えた。死は怖くない。覚悟をすれば、いくらでも言葉は湧《わ》いてくる。まるで実験観察をするように、私はノートを肌身離さず、文字を書き綴《つづ》ったのだった。

成熟と破壊と
哀《かな》しい人間の交渉《つきあひ》と

くだらなく自分の月日が尽きてゆく
牝鶏《めんどり》は牝鶏の歌をうたひ
人間は人間の生活に苦悶《くもん》する

空漠たる人生
紫袍《しはう》をまとへど
金の盃《さかづき》を持つとも
人間の世界のはかなさ
そのはかなさは秋の日の髪を梳《す》く如《ごと》し

いまは漠とした哀しみのみ
泡を食《くら》ふなり

吾は磯辺の蟹《かに》の如く
泡を食《くら》ふなり
荒磯《ありそ》に峰をおもひ

峰に帆船を描きて
孤独の遊びに耽《ふ》ける
また愉《たの》しきかな

この哀しみに愉しさを掬《すく》ひ
自分の月日に塩をふりかけるなり。

私はこんな詩を作った。自分でも怖《おそ》ろしいくらいに、創作意欲が高まっていた。もどかしいほどに言葉が次から次へと生まれ、外に出ようと体の中を暴れ巡る。早く声に出せ、紙に書き付けよ、と溢《あふ》れ出そうになっている。こんな経験は生まれて初めてだった。きっと、死を覚悟した人間は皆こうなるのだ。言葉は生の証《あかし》なのだった。私は戦場にいて初めてそれがわかった。どん底の生活の中で、なぜこんな言葉が生まれるのだろうと不思議に思っていたが、生が危うくなると、言葉はいくらでも生まれるのだった。生きよ、生きよ、と。

安全な場所にいて、戦線を見たような気になっている文士たちに、私はますます軽侮の念を覚え、やがてそれもどうでもよくなった。人のことなど構わなかった。自分が見たいものを見て、書きたいことを書くのだと思った。私は『北岸部隊』にこう書いた。

「もう、これ以上の望みは何もない。無から出発した私が、再び無にかえる。私は前進してゆきたい。どんな事があっても」

十月二十七日、私は歩いて漢口に入った。「漢口一番乗り」と朝日新聞に大きく喧《けん》伝《でん》された。女流一番乗りではなく、文士の一番乗り。久米がまるで怯懦《きょうだ》であるかのように嗤《わら》われて、歯ぎしりして悔しがったのは言うまでもなかろう。しかも、毎日は、「サンデー毎日」原稿すっぽかし事件を根に持っていたから堪《たま》らない。林芙美子は、特派員に指名されなかったことを恨んで、原稿を書かずに中国に行き、久米をわざと出し抜いて「一番乗り」をした狡《ずる》い女、と言われ続けることになったのだった。

林芙美子には一切仕事をさせない、という毎日新聞の措置は、五年経《た》った今も続いている。その代わり、私は朝日新聞とは懇意になった。敵を作れば味方が出来る。まさしくその通りだと思いつつも、未《いま》だ文士たちの執拗《しつよう》な悪口に苦しめられている私は、薄暗い思いになっていた。

3

「お芙美さん、何を考えてるの」

米田の声がして、私ははっと我に返った。

「いろいろ思い出していたのよ」

もしや、私と気安く会っていることで、米田にまで害が及んでいたのかもしれない。私が黙っていると、米田が思い出したように大きな声を張り上げた。

「そうそう。お芙美さんに会おうと思った理由を忘れるところだった。伝えたいことがあったんだよ」

私は身を乗り出した。どこで誰が聞いているかわからないから、大事なことは直接会って話すようになっていたのだ。もしや、謙太郎のことではあるまいか。何でもいいから消息を聞きたい、と恋うる思いと、名前も聞きたくないという拒絶とがせめぎ合う。しかし、あっという間に自制は敗北し、私は米田の口から何がもたらされるか、緊張しながら待っているのだった。

「お芙美さんも乗ったことのある『ぜのあ丸』ね、五日前に沈んだって」

思ってもいない内容だった。突然、私の目に涙が溢れた。米田は慌《あわ》てた風に付け足した。

「軍事機密だから、ここだけの話、ということにしておいて。『ぜのあ丸』は、また徴用されて輸送船として使われていたそうです。で、十一日にパラオ沖で沈没」

まるで知人の死のように悲しかった。私は人目も構わず涙を流した。こちらの様子を窺《うかが》っていた客が、私の涙を見て驚いたように顔を背ける。戦時中のこととて、戦死者は毎日のように出る。ガダルカナル島よりの転進が報じられてからは、誰も口にはしないが、日本の行く末が暗いのはわかっていた。米田は私の涙に驚いたのか、何も言わず、窓外に目を向けている。

「船長さんはどうしたの」

「さあ、そこまで知らないけど、船と運命を共にしたんでしょう」

米田は言いにくそうだった。私は、不意に船全体に漂う獣の臭《にお》いを思い出していた。徴用された軍用馬の臭い。船も徴用なら、馬も徴用。私が最初に南京から九江に向かった時に乗った船だった。

帰国してから私が書いた『北岸部隊』という本の中では、軍機に触れるという理由で、「〇〇丸」としか表せなかった。ちょうど、「漢口一番乗り」のことを考えていただけに、私の運命を変えた船が沈んだことが衝撃だった。

「悲しいね」

私が呟《つぶや》くと、米田が心配そうに私の顔を見た。

「お芙美さん、大丈夫かい？　顔色が悪いよ」

「大丈夫」

私はコップに残った温《ぬる》い水を飲んだ。さっき、私のサインをねだった女給が水を注いでくれたが、とうに私への関心をなくしたかのように、さっさと別のテーブルに移って行く。米田も水をひと口啜《すす》って、視線を落とす。会話が途絶えた。すると、後ろの方のテーブルでぼそぼそと話す声が耳に入った。

「じきに全部配給制になるって話だよ」

対する女の声は小さいので聞こえない。配給か。だったら、庭で大根でも作ろうか、とそんなことを私は思った。

「ああ、そうそう。もうひとつ言っておくことがありました」

米田が口を開いた。私が顔を上げると、目を合わさずに早口に言った。

「斎藤が社会部副部長になったよ」

謙太郎のことだ。まったく知らされていなかった。音信不通。私は目を伏せた。

「それ、出世したってこと？」

「まあ、そうだね」

米田は、私と謙太郎との仲を知っている。一緒にどっちつかずの顔をしてくれた。

「そろそろ帰るから」

私は気もそぞろになった。

「お芙美さん、田舎に逃げないのかい」

「東京にいない方がいいの」

私が問うと、米田は頷《うなず》いた。

「この先、何があるかわからないよ」

こんなことになるなんて。つまりは、私が昂揚《こうよう》して書いた『戦線』にしても、『北岸部隊』にしても、すべてが現在へと繋《つな》がっているのだった。現在。つまり何もかもが姿を消している世の中へと。物資も人の命も。

米田と別れた後、私は小雨の降る中、無性に買い物をしたい気分になって銀座通りを歩き回った。だが、ショウウィンドウを覗《のぞ》こうにも、商品がほとんどないのだった。ガソリンの配給もないから、車の影も少ない。何と寂しい街になったのだろう。ぜのあ丸に乗った時は、戦争がこんな姿をしていることに気付かなかった。私の「野心」は戦争の一面を見たが、未来は捕らえられなかったのだろうか。

「おい、非常時だぞ」

陸軍の制服を着ている兵隊二人に擦れ違いざま怒鳴られた。着物姿がまずかったのだろう。私は、漢口へ従軍した時に、「私は兵隊が好きだ」という詩を作ったことを思い出して泣きそうになった。私は傘で顔を隠すようにして歩いた。意気阻喪していた。ふと周囲を見回せば、男は国民服、女も地味な服を着て、しっかりボタンを留め上げ、素肌はおろか、緩んだ心根も見せまいとしているかのように鎧《よろ》っているのだった。ああ、嫌な時代だ、と私はわっと叫んで走りだしたい気分だった。

私は、自分の着物姿に対する好奇や非難の眼差しなどほとんど気付かず、銀座まで出掛けて行ったらしい。心ここにあらず、といった風情《ふぜい》だったのだろう。

思わず、苦笑とも嘆息とも付かぬ小さな息が漏れた。即座に、久米正雄の造語である「微苦笑」なる言葉を思い浮かべ、これがそうなのか、と笑いたくなった。何と不自由な世の中。その不自由さに見合った言葉を考え付く、作家の小さな能力よ。ただでさえ小さくなった心を、さらに言葉でがんじがらめに縛り上げて、どうするというのだ。

「林芙美子は、いつも計算ずくなんだ。『漢口一番乗り』だけじゃない。あいつの十八番の『泥鰌《どじよう》すくい』だって、皆にやってくれと乞《こ》われたから、仕方なく踊るんじゃないんだよ。あらかじめ人前で踊るつもりで来てるのさ。それが証拠に、ちゃんと赤い腰巻きを着けてるって言うじゃないか。女給上がりのルンペン作家は、やることも下品なんだ。笑い者にされて、久米さんが気の毒だよ」

男の文士や編集者たちが、私をこんな風にこき下ろして爆笑した、と小耳に挟んだことがある。

膝下《ひざした》まできっちりとゲートルを巻き上げて、茶の革ベルトで国民服のウエストを絞った久米の小粋《こいき》な格好。口髭《くちひげ》を蓄えて、ヘルメットを被《かぶ》った堂々たる姿。私は、久米の残像と、身裡《みうち》でこだまして止《や》まない私への悪口を、必死に打ち消そうとしたが、なかなか消えなかった。

私は有楽町駅から省線に乗って、窓枠に肘《ひじ》を突き、雨のそぼ降る黒ずんだ街並みを眺めた。ガソリン車はまったく見当たらず、自転車やリヤカーがやたら目に付いた。まるで何十年も昔に戻ってしまったような光景だった。老人がずぶ濡《ぬ》れになって、空の大八車を引いていた。ジャワの農村で見た風景とそっくりだ。懐《なつ》かしさに目頭が熱くなる。彼の地に行くことは、二度とあるまい。

それにしても、今はまだ懐旧的な気持ちで耐乏生活に挑むつもりでいるのだろうけれども、この先どうなるか、日本人はまだ何も知らないのだ。大東亜共栄圏と大きく出たものの、どこの国とどんな風に「共栄」するつもりなのか。大風呂敷《おおぶろしき》は、誰がいつ畳むのか。

「日本はインドネシアをオランダから独立させて、『共栄』すると言っているが、実際には、オランダに取って代わろうとしているだけさ。アジアの国々から資源だけを奪い取って、日本の『独栄』を目指しているとしか思えない。こう言っちゃ悪いけど、きみも馬鹿《ばか》なことをしたものだ。『漢口一番乗り』なんておだてられて、朝日に戦意昂揚の第一人者に祭り上げられてしまったじゃないか」

ジャワで再会した時の謙太郎の言葉だった。毎日新聞の特派員としてアメリカに渡り、第一次日米交換船で帰って来た謙太郎は、短い期間だったのに、すっかり別人になっていた。

「戦意昂揚の第一人者」とは何ともひどい言い方ではないか。記者の自分だとて、軍部の手先のような、戦意昂揚記事をたくさん書いてきた癖に。記事は匿名性《とくめい》に隠れ、作家は看板故《ゆえ》に表に出る。悔しさに唇を嚙《か》んだが、その実、言葉を売る仕事の恐ろしさに震えてくるのだった。では、謙太郎は、久米は、菊池は、震えないのだろうか。

またしても、心の傷がぱっくりと口を開けて、暗闇《くらやみ》を覗かせた。その闇の奥深い底では、私の謙太郎への執心が燠火《おきび》のように燃えているのだった。しかも、謙太郎は私の愛だけでなく、私の仕事をも否定した。私は苦しさに呻《うめ》いた。

突如、ぴかりと空が光った。雨の中の稲妻。一瞬、爆弾ではないかと怖《お》じた私は、反射的に身をかわそうとした。が、車内は静かで誰一人、動じない。むしろ、派手な身形《みなり》の中年女が慌てふためく様を見て、驚いている。

昨年、一回目の空襲があったが、たいした被害ではなかった。でも、私は恐ろしいのだ。今に、空が破けて、大きな災いが降って来るのではあるまいか、と。いつか東京も焦土と化して、人々が我先に逃げ惑うことになるかもしれない。

帰国してから平穏な日常を取り戻しつつあるのに、黒い思いが消えないのは、謙太郎の変貌《へんぼう》と関係がありそうだった。どこかで、取り返しのつかないことが進行しているような不安。

再び、『ぜのあ丸』ね、五日前に沈んだって」という米田の言葉を思い出し、この報《しら》せを石川達三に伝えて感想を聞きたくなった。石川は、今どこにいるのだろう。

あの時、私はぜのあ丸の船底で何度も「なにかある……私はいま生きてゐる」と自分の作った詩の最後の部分を呟いていたのだった。石川が書いた小説も『生きてゐる兵隊』だった。「生きてゐる」という実感は、死と対になっている。ぜのあ丸で運ばれながら、私も石川も兵隊たちも三百頭の軍馬も、あの時はみんな生きていた。五年経った今、死んでしまったのは、ぜのあ丸だけだろうか。いや、そんなはずはあるまい。兵隊も馬も大多数が死んだのではないだろうか。あの場に居合わせた者のほとんどが消失するとは考えるだに怖《おそ》ろしい。だから、私は石川の無事な顔を見たい。

「石川さん、大変だったわね。判決は残念だったわ」

ぜのあ丸の船底で、私は石川を労《いたわ》った。茣蓙《ござ》に仰向けに寝ていた石川は、起き上がってにやりと笑ってみせた。石川は顎《あご》が厳《いか》つくて人より長く、目が鋭い。言葉に、微《かす》かな東北訛《なまり》があった。

「いやあ、文学なんざ皆目わからん連中ですから」

石川は、有罪判決が下されたことなど一向に気にしていない様子だった。声を潜めて私に聞いた。

「ところで、林さん。僕のあれ、読みましたか?」

私は首を横に振った。「中央公論」は出たと同時に発禁になってしまったから、読みようがなかった。噂《うわさ》では、南京での日本兵の残虐《ざんぎゃく》行為を書いている、とのことだったから、私が見た景色とはまったく異なっていたことになる。南方から帰った今ならば、私は軍部にあらかじめ選ばれた場所しか見せられなかった、と気付くことができたかもしれない。が、当時はまったく無知だった。

「僕が書いたことも、戦争の真実の姿です。人間は何でもします。残酷さと高邁《こうまい》さとを併せ持っている。それを両方書くのが文学です」

「仰《おつしや》る通りよ、石川さん」

私は相槌《あいづち》を打ったが、その実、違う野心に燃えていた。だったら、私は高邁さも書こうと。高邁な戦争などあるはずもないのに。

「ところで、林さんは九江からどうするつもりなんです」

石川が聞いた。

「私は前線を見たいので、かなり奥まで行くつもりですよ」

石川は驚いた顔をしたが、嫌な感じではなかった。

「行ってどうするんです」

「見るんです。そして書きます」

「おやめなさいよ。女の人が行くのは大変だから。誰もあなたを助けられない状況になったらどうしますか。戦場で、女がどんな目に遭うかご存じですか」

石川は心配そうだった。

「ええ。私にも覚悟はありますから」

「何でそれほどまでに」

私は目を落として、船底の薄暗い四隅を次々に見た。兵隊たちが蹲《うずくま》っていた。

「わからないんです。でも、見ずにはいられないんです」

石川は真剣な表情になった。

「あなたの気持ちはよくわかります。でも、悪いことは言わない。僕と一緒に行動しましょう。あなたの見たものがまっすぐ伝わるかどうかはまた違う話です」

私は生意気だった。

「私も物書きです。そんじょそこらの覚悟とは違いますから、絶対に伝えます」

石川は頷《うなず》いた。

「わかりました。では、林さんのお書きになる物を楽しみにしてます」

厭味《いやみ》ではなかった。以来、石川は私を庇《かば》ってくれるようになった。九江では、一緒に大王廟《だいおうびょう》見物に出かけたりもしたのだ。

私が書いた『戦線』や『北岸部隊』は、戦意昂揚のための文章ではなかったと信じている。私が見たのは、軍部にあらかじめ用意された景色では、断じてなかったからである。

しかし、作家は利用されるのだ。ジャーナリズムに、国家に。言葉という部品は好き勝手に切り取られ、作品は都合の好《よ》い要約だけが行き交うようになる。そして、誰もがまっしぐらに、「要約」しか信じなくなる。作者が止めようとしても止まらなくなるのだ。石川が言いたかったことは、この「速度」だったのかもしれない。

私が見て感じて書いたことが、今の大きな戦争に繋《つな》がっているのだとしたら、何を書けばいいのだろう。私の暗い思いは、またしても、謙太郎の言葉に行き着いて、私を悩ませるのだった。

私は家の前の坂をふうふう言いながら登った。帯が腹を締め付けて苦しかった。勝手口に回って、すぐさま帯を少し緩める。

「お帰り」

いきなり台所の暗がりから現れた母は、一瞬、自分かと思うほど私に似ていた。母を見た途端、魚屋に寄るのを忘れたことを思い出した。

「ごめん、魚、忘れちゃったよ」

私は狭い三和土《たたき》で、鼻緒に掛けた爪皮《つまかわ》を取った。

「ええよ。どうせ、ろくな物がないんじゃから」

母は不満そうに言った。

「だったら、寄れなんて言わなきゃいい」

私も母には遠慮がない。母は小さな肩を竦《すく》めた。

「もののついでじゃ。それより、アトリエにまだ絵馬ちゃんがおるよ」

「あら、何してるの」

「緑さんが絵を描いとる。モデルになってあげとるんじゃろ」

「じゃ文句を言ってやろうっと」

私はふざけて言った。

「何の文句じゃ」

「絵馬ちゃんが勧めるから、うっかり派手な格好して出て行っちゃった。兵隊に見咎《みとが》められてしまったじゃないか」

私は傘の水を表で振り払ってから答えた。

「あんたが馬鹿なんじゃ」

母が奥へと引っ込んだ。入れ替わりに、遠慮していた女中が現れた。私は傘を渡して言った。

「お米を研いでおいて。絵馬ちゃんがいるから五合。おかずはあたしが適当に作るからいいよ」

いずれ米もなくなるだろうと思いながら、私は下駄《げた》を突っかけて離れに回った。私の書斎と夫のアトリエがある。

よもや、家を建てる身分になれるとは思いもしなかった私だが、目下一番愛し、執着しているのは、我が家だった。二年前に出来た家は、ことに雨の日、酔わんばかりに木の香が立ち上る。一枚一枚焼かせた瓦《かわら》が雨に黒く濡《ぬ》れて光る様も、漆喰壁の白に庭の緑が映えるのも、魂が溶けるほど美しかった。

私は陶然として自分の家を見上げた。貧しさの満ちた銀座で滅入った心も、少し和らいだ気がした。裏に住む絵馬ちゃんが、始終来るのもわかろうというものだ。人は意外と思うだろうが、ルンペン作家と蔑《さげす》まれた私は、美しい物に目がなく、しかも目《め》利《き》きなのだ。

アトリエのドアは開いていた。おそらく夫は、妙齢の美しい絵馬ちゃんと籠《こ》もっている、と思われたくないのだろう。誤解を受けることは微塵《みじん》もしないという態度は、信頼を深める以上に、その過敏さが物憂《ものう》くもあった。私がそんなことを考えているとは、夫はゆめにも思っていないだろうが。

絵馬ちゃんは、籐椅子《とういす》に腰掛けて、夫が作ったアルバムを熱心に眺めている。夫は凝り性だった。自分で撮影した、自宅建築の写真をうまく年代順に編集して、一冊のアルバムに纏《まと》めてあった。

道具を片付けていた夫は、私の視線に気付いて顔を上げた。

「お帰り。どうだった」

「どうだったって何が」

夫が苦笑した。私の気分が塞《ふさ》いでいると感じたのだろう。

「まあ、いいよ」

「あら、言いだしておいて何よ」

私はぞんざいに責めて、絵馬ちゃんの背後からアルバムを覗《のぞ》き込んだ。昭和十五年の上棟式の写真だった。絵馬ちゃんが、白い首をのけぞらせて微笑《ほほえ》んだ。

「おば様、お帰りなさい」

「絵馬ちゃん、あんたが更紗《さらさ》がいいなんて言うから、おばちゃま、兵隊さんに怒られちゃったよ」

絵馬ちゃんは、白い揃《そろ》った歯を見せて驚いた。

「何でいけないの。素敵なのに」

夫は黙々と絵の具を片付けている。私はその背後から、画架に架かった絵を眺めた。ギリシャの女神を思わせる、絵馬ちゃんの横顔が描かれていた。

「綺麗《きれい》だね。でも、あたしが描いた方がうまいよ、きっと」

夫は私のこの手の戯言《ざれごと》に慣れているから何も言わない。すると、絵馬ちゃんが立ち上がって一緒に覗いた。

「あたしはおじ様の絵って好き」

夫は嬉《うれ》しそうに笑う。絵馬ちゃんは、私の袂《たもと》に手で触れた。

「おば様、今日のトルコ石の帯留めだけど、ひと晩だけお借りしてもいいかしら」

「いいけど、どうするの」

「綺麗な物を眺めながら寝たいの。あたしの身の回りに綺麗な物なんて、何ひとつないんだもの」

「鏡を見てりゃいいじゃない」

私の冗談に、絵馬ちゃんは気付かない振りをしている。

帯留めは、絵馬ちゃんに貸したらなかなか戻って来ないかもしれない。が、断る理由も思いつかない。私は隣の書斎に向かった。絵馬ちゃんが忍びやかな足音で付いて来る。絵馬ちゃんがそっと耳許《みみもと》で囁《ささや》いた。

「おば様、少しお太りになった？　それとも、お腹《なか》に赤ちゃんでもいるのかな」

「太ったんだよ」

やっとこさ言って、私は帯締めを解き息を吐いた。正直、この娘の鋭さに舌を巻いていた。

確かに、私は妊娠していた。生まれて初めての妊娠。まさか、と疑っているうちに、手の打ちようがなくなってしまったのだ。あれほど欲しかった赤ん坊が、今腹の中にいる。こうなれば、偽装して、密《ひそ》かに産むしか手はなかった。南方に行く時、病院船に偽装した輸送船で発《た》ったように。

第二章　南《なん》冥《めい》

I

昭和十八年六月十八日

今日も朝から小雨模様である。雨の中、いっそう萌《も》える庭の緑と裏山の竹林。怖《おそ》ろしいほどの生命力を感じて、私はそっと腹を撫《な》でさする。

妊娠。自分には一生縁のない言葉だと思っていたのに、なぜ四十にして、新たな生命を宿したのだろうか、この身は。

いずれ、母にだけは打ち明けて、丸く収まる形を一緒に作って貰《もら》わねば、生まれてくる子が不憫《ふびん》である。何としても夫には、私の子であることを隠さねばならないのだから。子も不憫なら、産む母も不憫。どうしたらいいのだろうか。

その時が来たら、私はどこか知らない街の産院に身を匿《かく》して産み落とそう。そして、産婆《さんば》には固く口止めをするつもりだ。早くも、そんなことを按配《あんばい》している自分に、少し涙が出た。

私は、南方で私に何があったかを記録するつもりでこの手記を書くことを始めたのだった。

仕事をするには意気阻喪している。小説は書きたくない。疲れ過ぎている。妊娠のせいではあるまい。

南方から戻って、私のこれまでの過去は、引き出しに溜《た》まった要らない物のごとく感じられてならないのだ。チラシだの古葉書だの輪ゴムだののように、とりとめもなく増えていく物。その時は大事に思っても、ふと気が付けば、要らない物ばかり。そう、私の記憶はすべてゴミになった。無理にでもゴミ箱に入れて、棄《す》てねばならぬゴミである。だから私は、生まれてくる吾子《あこ》のために、なぜ記憶がゴミになったかを書かねばならないのだ。私と謙太郎のことは、戦争と深い関係がある。

そろそろ、南方に発《た》つ話から書き始めよう。でないと、何があったかを説明できない。いつか吾子がこの手記を読む日もくるだろう。その日のために、母がしなければならないのは、言葉を残すことだ。即《すなわ》ち、戦争とは、すべての思い出を引き出しの中のゴミにするものである、と。

陸軍報道部に呼ばれたのは、昭和十七年八月下旬のことだった。

少し前、私の元に一通の封書が届いていた。差出人は、陸軍報道部部長の谷萩那華雄《やはぎなかお》という人物である。

手紙にはこうあった。曰《いわ》く、「選ばれし女流作家の方々に、南方に出張して、見聞を広めて頂きたいと願う。ついては、参加するか否《いな》か、ご面倒ながら報道部まで出向いて、ご返答をお聞かせ願えまいか」と。そこには、断れるものならば断ってみよ、とでもいう風な、高飛車な気配があった。

一昨日、いみじくも毎日新聞の米田源助が言ったように、陸軍報道部の面々が、あたかも自分たちが世間を指導しているかのような勝利感に酔い、はしゃいでいる様が微《かす》かに感じ取れる文面ではあったのだ。

前年の昭和十六年十二月八日に真珠湾攻撃をして以来、日本の国民は沸きに沸いていた。米英を撃て、と声高に叫び、神国日本が負けるはずはない、と信じている者がほとんどだった。その勢いに乗じたような陸軍報道部の態度だった。

しかし、谷萩の手紙を読んだ私の気持ちは、次第に高まっていた。どこでもいい。

行ったことのない土地をこの目で見たい、というもの欲望が募っていた。これは、私の放浪癖に通じる思いであろう。今いる場所を棄てて、知らない土地でやり直したいという新規まき直しの願望が下敷きになっている。さらに、この地から脱出したいという欲望も昂《こう》じていた。私は息が詰まりそうな狭い日本を逃げ出したかった。

昭和十五年、私は満州視察ルポ「凍れる大地」を書いた。その時、思いがけなくも、陸軍報道部から「厳重注意」を受けたのだった。満州を理想の別天地のように書かねばならないのに、不毛の地であるかの如《ごと》く題した、と叱責《しっせき》されたのである。

意外だった。私は自分で感じる切実さしか書けない人間である。だから、『戦線』も『北岸部隊』も、朝日新聞に書いた数々のルポも、成功したのではなかったか。私の切実さが、読者に通じたのではなかったか。嘘《うそ》を書いて、いったい誰が信じるのだろう、と私は、強い不満を覚えた。

だが軍部は、自分たちがジャーナリズムを操っていると信じている。そして自分たちが書いて貰いたいことだけを書く作家以外は要らない、とはっきり言うようになっていた。

では、私はどういう作家なのだろう。私が切実と信じるものは軍部と同じなのだろうか。それとも、ずれているのか。私はもう一度、戦地を見て自分の切実さを試したいと思った。戦争の重圧に押し潰《つぶ》されそうになった私の創作意欲を復元するため、と言っても過言ではない。そう、私はどこまでも自分勝手な女文士だった。

そして、誰にも言えない身勝手な理由もあった。海外に出れば、謙太郎に会いやすくなるかもしれない、という密《ひそ》かな企《たくら》み。

当時、謙太郎は、日米交換船で帰って来たばかりだった。何の連絡もないのに焦《あせ》った私は、謙太郎の家まで押しかけて行った。その時の気まずい再会を思い出すと気持ちが滅入った。しかし、狭い日本には、恋人同士が安心して逢《あ》い引きできるような場所は、もうどこにもなかったのである。南方ならば、やり直せるチャンスがありそうな気がした。そして、何かと私に疑いの目を向ける夫からも、逃れたかったのだ。

何とも不純な理由である。吾子はこれを読んで、どう思うだろう。だが、どんなに人に誹《そし》られても、吾子が呆《あき》れても、私のペンは嘘を書けない。自分に正直であることは、自分の切実さを信じることでもある。その意味で、意識してはいなかったものの、私は陸軍報道部とは、すでに真っ向から対立していたのである。

陸軍省は、昨年、三宅坂《みやけざか》から、市谷の高台の旧陸軍士官学校本部に引っ越して来た。報道部はその中にある。

坂を登って行くと、自然、建物を見上げる形になる。中央が玄関、その脇《わき》に両翼を広げた形で三階建ての建物が広がっている。玄関の上には広いバルコンがあって、六階建て。いかにも陸軍の権勢を象徴するような、堂々たる白亜の建物だった。

案内されて応接室に入ると、すでに女流作家が集まっていて、壮観だった。

大きなソファにゆったりと腰掛けているのは、窪川稲子《くぼかわいねこ》、美川《みかわ》きよ、小山いと子、宇野千代の面々。そして、一人掛けのビロード張りの椅子《いす》に、水木洋子、川上喜久子、阿部艶子《あべつやこ》らがいた。皆、遅れて来た私に軽く会釈《えしやく》した。

「お芙美さんも来たのね」

宇野千代が言った。宇野は、紫色のスーツにブルーの帽子を被《かぶ》り、白絹のスカーフ、と素晴らしくお洒落《しやれ》で美しかった。

「あら、ご挨拶《あいさつ》だこと。あたしが来なくっちゃ始まらないでしょうに」

私は冗談口を叩《たた》いて、部屋の隅にある椅子に座った。女の作家たちは、皆一様《いや》にしらけた顔をした。この手の冗談に尾鰭《おひれ》が付いて、高慢だの我《わ》が儘《まま》だのと、私を卑しめる噂《うわさ》になるのは承知していた。が、私はどうしても、灰を被る炉端に座るように、出来ているのだ。ちなみに、私が座った椅子は、硬い木の背凭《せもた》れが付いていて、まるで被告席のようだった。

「皆さん、やっとお揃《そろ》いですね」

陸軍報道部長の谷萩大佐は、私が席に着いたのを見てから口を開いた。北関東の訛《なまり》がある。

「最初にお断りしておきます。私は皆さんに是非行って頂きたいと思っていますが、これは決して徴用ではありません」

谷萩は、いかにも栄養が良さそうな小太りの男で、軍服のボタンが弾《はじ》けそうだった。

「では、どういう身分になるんでございましょう」

プロレタリア作家の窪川稲子が上品に聞き返すと、谷萩は窪川の方に目を向けた。

「陸軍報道部嘱託という身分になります。嘱託ですから、徴用のような強制力はありません。ただし、無給となります。皆さん、どちらがよろしいですかね」

全員が笑った。前年から、男の文士や絵描き、カメラマンたちに徴用の通知が続々と届いている、というのは有名な話だった。

「徴兵の赤紙、徴用の白紙」と言われるように、白い徴用令書が来れば必ず役場に出頭して、決められた日時までに、指定された場所に行かねばならない。

この国家の非常時に恋愛などを書いている場合ではない、という空気は色濃くあったから、中には「『徴用』でなく、懲《こ》らしめの『懲用』ではないか」と、勘繰りながら出向いた作家も多くいると聞いた。また、どこかの炭鉱で働かされるのではないか、と完全に懲罰を覚悟した作家もいたという。

谷萩が続けた。

「宿舎、移動手段、すべてにおいて、陸軍が責任を持ってお世話致します。その代わり、報酬は何とか皆様方ご自身で所属を作って頂きます。アゴと足は軍が保証しますから、給料は出版社なり、新聞社なりから、各自貰《もら》って頂きたい、ということであります。そして、女流作家の柔らかな目で現地をじっくり見て頂きたい。無事、内地に帰還されてからは、ご覧になったものを是非、原稿に書き、講演され、大いに喧伝《けんでん》して、国民の戦意昂揚の糧《かて》となるものを差し出して頂きたいと願うものでございます」

つまり、「ペン部隊」のようなものではあるまいか。経験者の私は、即座に理解した。

谷萩は、窪川の隣に座っている美川きよに目を向けた。窪川も美しいが、美川はとりわけ美人作家として有名だった。その日も、白い長袖《ながそで》ブラウスに模造真珠のネックレスを付け、楚々《そそ》とした美しさで他の女流作家を圧倒していた。

「詳しい説明は、発案者である平櫛《ひらくし》から致します」

谷萩の話は終わり、隣に座っていた厳《いか》つい男が立ち上がった。平櫛孝《たかし》少佐と名乗った。

「この度の要請に関しまして、私から申し上げます。まず発案の意図でございますが、十二月八日の大東亜戦争開戦記念日を祝しまして、国民に向けての戦地報告をしたい、ということが第一義にございます。皆様方には、その宣伝材料を取材し、報告して頂けたら、と思うのであります」

女流作家のほとんどがさらさらと手帳にペンを走らせていた。平櫛は、皆のペンの動きが止まるまで、少し待っていた。

「現地での任務をご説明申し上げます。一、戦跡の見学。二、現地要人との会見。これは、軍司令官、参謀らであります。三、私どもの軍政がいかに現地で浸透しておるかの見学、であります。なお、今回は、女流作家の皆様方の他に、新聞社、出版社の編集長たちにも軍嘱託として同行されるよう強く要請しております。これらの方々が承知されれば、一緒に行動することになっておりますので、ご了承ください」

聞きながら私は、これは「ペン部隊」の時よりも厄介だ、と感じた。「ペン部隊」では、あれを書くな、これを書くな、の規制はあったものの、作家は新聞社や出版社の者と一緒に行動してルポを書けばよかった。

しかし、陸軍報道部の依頼には報告という「任務」がある。とりわけ三番目の、軍政を見る、という任務では、絶対に軍批判は許されないだろう。

しかも、「ペン部隊」が結成された時と劇的に状況が変わっていた。これは、米田から聞いたのだが、陸軍報道部が紙の統制に関わるようになっていたのである。

漢口に従軍した頃は、毎日対朝日、という新聞社同士の激闘があった。が今は、紙の配給も販売地域も、軍の送りこんだ内閣情報局の委員が決めている。それは、この報道部にいる秋山邦雄中佐の考えだった。秋山は樺太《からふと》に行ってパルプを確保し、紙を統制することによって、新聞雑誌共に、完全に報道部の支配下に置いたのである。そして、検閲を始めたのだ。

「ひと言、申し添えておきます。先ほど、谷萩部長から、徴用ではないので強制力はないと申し上げましたが、今回は限りなく徴用に近い嘱託だとお考え頂きたい。病気でもない限り、辞退はなさらないで頂きたいと思います」

すると、黙って聞いていた宇野千代が細い手を挙げた。平櫛が向き直ると、宇野が言った。

「あいにくですが、宅は主人の北原が徴用でジャワに参っております。一家に二人もいなくなりますと、家庭経営が立ちゆかなくなりますので、私は今回は遠慮させて頂きとうございます」

「わかりました」

平櫛は重々しく頷《うなず》いた。谷萩は憮然《ぶぜん》として不快そうである。ということは、任意と言いながらも強制力は強いのだろう。

「今のところ、お断りになったのは、宇野千代さんだけです。他にいらっしゃいませんか」

誰も手を挙げなかった。私たちは、その場で参加の内諾をしたのだった。私は第一班に入れられた。当然のことながら朝日新聞から給料を貰い、ジャワへの派遣である。

第一班は、十月三十一日に広島宇品《うじな》港を出るという。

紙と同様、新聞の販売地域も報道部によって、あらかじめ決められていたから、朝日新聞が付いた私は、当然のようにジャワと南ボルネオに行くことになった。毎日新聞はフィリピン。読売新聞はビルマ。同盟通信はマレーであった。戦争に勝てば、これらの地域を独占できるのだから、各紙は、すでにそれぞれの占領地域で新聞を作り始めているのだ。軍政と報道が絡《から》み合う、うまいやり方ではあった。こうして、新聞は骨抜きにされていたのだった。そして、私たち作家も。

念のために、第一班の女流作家がどこに行ったか記しておく。

マレー（同盟通信社）窪川稲子

ジャワ・南ボルネオ（朝日新聞社）　美川きよ、　私
ビルマ（読売新聞社）　水木洋子、　小山いと子

この時の私が、フィリピンに派遣されたいと願ったのは、無理からぬことであろう。フィリピンは、毎日新聞の販売地域。記者の謙太郎が来る可能性が、最も高い地域だったからである。

2

昭和十八年六月二十日

朝九時。一週間降り続いた雨が、昨夜ようやく上がった。私はコップに満たした清酒をちびちび飲みながら、縁側から庭を眺めていた。気分がいいと、朝食後に酒を一杯だけ飲むことがある。

久しぶりの太陽を拝もうと縁側に座り込んだのはいいが、急激に気温が上がったせいか、湿り気を帯びた土の臭《にお》いが迫ってきて、息苦しさを覚えた。悪阻《つわり》の時期はとうに終わったはずなのに、地面から瘴気《しょうき》が上ってくるようで、気持ちが悪くなった。

これには理由があった。南方に派遣された時、昭南の市内見物で聞いた話だ。

「林さん、これは内緒ですが、この辺り一面に処刑された華僑《かきょう》の死体が埋まっていると言われています」

案内を買って出た徴用員の元貿易商が、とある広場で私に囁《ささや》いたのだった。

「どういうことですの」

私の顔色は変わっていた。

「ご存じないのですね」

五十歳を越えているであろう元貿易商は、溜息《ためいき》を吐《つ》いた。長年マレーにいて先年帰国したところ、マレー語に堪能《たんのう》なのを買われて、海軍に徴用されたのだという。

「知りませんとも。いったい誰が処刑したのです」

男は、しっと唇に指を当てた後、本当に何も知らないのか、と諦《あきら》め顔で私を見下ろした。そして、広場を指差した。

「ほら、よくご覧なさい。まるで土饅頭《どまんじゅう》のように、地面がうねっているでしょう。掘り返したからです。あと、こうも言いますよ。死体の埋まっているところはいっそう緑が濃いとね。あの辺は特にオジギソウが咲いているでしょう」

オジギソウとは、薄紅色の可憐《かれん》な花を咲かせるマメ科の植物だった。オジギという名が付いているのは、葉に触れると、合歓《ねむ》の木のように閉じるからしい。徴用員は続けた。

「処刑場所は海辺だったとも、この広場だったとも言われているのですが、実はそういう場所は幾つもあるのですよ。人知れずいなくなった人は、ここにはたくさんいるのです。あなたも作家なら、覚えておいた方がいいですよ」

水菓子やソバの屋台も目立つ街中の広場だった。しかも、そう広くはない。だからこそ、いっそう恐怖も募った。広場は土の臭いで噎《む》せ返るようだった。

「いつのことですか」

「今年の初め」

徴用員は小さな声で言って、素知らぬ顔で前を向いた。私たちを引率している平櫛少佐が、こちらを振り向いたからだった。

「きっと少佐だとて、何も知ってはいませんよ。軍隊って案外横の繋《つな》がりがないですからね」

「司令官が命じたんですか」

徴用員は横を向いて首を捻《ひね》った。

「そうでしょう」

誰が命じて、いったい何が起きたのだろう。なぜ私たちは何も知らないのか。私は、広場に立っている間中、幾人もの頭を土足で踏み付けているような気分になって居たたまれず、走りだしそうになった。もし人が埋まっているのが本当ならば、誰も正気で広場に立つことなどはできまい。

「数はどのくらいだと思いますか」

再び、徴用員が私を試すように聞いた。何も知らずに、陸軍報道部の嘱託という身分で来ている女流作家に呆《あき》れているのだろう。私は青ざめながら首を振った。

「数千という説もあるし、数万という説もあります。十八歳から五十歳までの華僑に号令をかけて集めたんですから」

「どうしてですか」

「共産ゲリラ狩りです」

陸軍報道部の連中は、誰も本当のことを言わない。いや、報道部にいても、戦争の真実は誰にもわからなくなっている。本当のところ、戦局がどうなっているのか、日本国民は誰も知らされていないのだった。

銀座からの帰り道、今にも空が破けてとんでもないことが起きるのではないかと感じた不安も、この漠然とした怖《おそ》れからきている。こんなことをして、何も起きずに済むはずがなかった。地中に埋められた人々の怨嗟《えんさ》の声が、大きな火の玉となって私たちに降り注ぐのではあるまいかという恐怖。そんな時に私は身籠《みご》もっている。

気が付くと、「あっ」と小さな叫び声を上げていた。庭掃除に出て来た女中が竹箒《たけぼうき》を持ったまま、びっくりした顔でこちらを窺《うかが》っている。

「何でもないよ。悪いけど、片付けといてね」

私は女中に頼んで、酒の入ったコップを縁側に置いたまま、書斎に入った。しかし、何もする気がせず、書き物机の横に敷きっ放しの布団《ふとん》に横たわって天井を眺めた。南方から帰って以来、ずっと気分が塞《ふさ》いでいた。本当に私は子を産めるのだろうか。信じられない思いで腹を撫《な》でさする。

陸軍嘱託という身分になった私たち女流作家が、正式に辞令を貰《もら》ったのが九月十四日。広島宇品港から発つ日にちは、十月三十一日と決められた。そのひと月半の猶予《ゆうよ》の間に、私は仕事を片付けたり、携行品の準備などに追われた。

しかし、私の心の中には、謙太郎から、何の連絡もないことが何とも解《げ》せないものとして硬いしこりになっていた。何があったのだろう。どうして会いに来てくれないのだろう。私は、謙太郎と話し合えないまま南方に出掛けるのが、何とも心残りでならなかった。

謙太郎が第一次日米交換船で帰国することになった、と教えてくれたのは、やはり米田だった。交換船について何も知らなかった私は、米田に聞いた。

「交換船って何なの」

「アメリカや南米にいる邦人と、こちらにいるアメリカ人を交換する船です。ほぼ同じ人数を乗せた船が日米双方から同時に発って、喜望峰を回り、ポルトガル領のロレンソ・マルケスで落ち合うんだそうです。そして、互いに乗員を交換して戻って来る。アメリカからはグリップスホルム号という船が出て、斎藤はそれに乗っているはずです。日本からは浅間丸が出航しました」

「斎藤さんが、それに乗っているってどうしてご存じなんです」

「社に連絡があったそうです」

米田はのんびりと答えた。

「いつ頃日本に着くのかしら」

「八月の下旬頃らしいです。着いたら、お芙美さんに連絡させますよ」

謙太郎は、昭和十四年の中国を皮切りに、ロンドン、ニューヨークと特派員生活に入っていた。中国へは、昭和十四年一月から七月までの半年間。それから二カ月後には、ロンドンである。

その間、会うことはほとんどできなかったが、手紙や電報で互いの愛情を確かめ合った。発案したのは、謙太郎である。符帳は、「原稿」だった。「原稿できましたか」「原稿できました」。それは、「好きだ、会いたい」という意味だった。大海に隔てられても、恋人同士は、たった十文字程度の言葉だけで満足して生きられたのである。

謙太郎がロンドンから帰国したのが昭和十五年秋。それから昭和十六年秋にニューヨーク特派員となるまでの一年間、私たちはようやく東京で会うことができた。しかし、長い戦争は、大きな窮乏をもたらしていた、物も心も。東京には最早、落ち着いて語り合える場所などなかったし、それに何があったのか、謙太郎はいつも沈んでいた。飲酒癖は深く進行していたし、会話は弾まなかった。それでも、私たちを繋げていたのは、やはりあの電報だった。日本にいても、月に一度は互いの家を往復する電文。

会えても会えなくても、こうして繋がってさえいれば、いつの日か戦争も終わり、またゆっくり語り合える日もくるだろうという希望があった。しかし、謙太郎がニューヨークに渡った途端、事態は変わった。電報も手紙も、何の連絡も来なくなったのだ。そして米英との開戦。敵国にいるのだから連絡は無理としても、交換船で無事に帰国できたのなら、なぜ連絡を寄越さないのだろうか。私はそのことが不安で、不満だったのだ。

謙太郎の乗った日米交換船、浅間丸が帰国したのは、八月二十日。私が、陸軍報道部から南方視察を打診される、ほんの数日前のことである。謙太郎がようやく帰国できたのに、皮肉なことに、今度は私が南方に派遣されるのだ。

当時よく言われたのは、「ジャワの極楽、ビルマの地獄、生きて帰れぬニューギニア」という言葉だった。ジャワは比較的安全と言われてはいたが、戦地であることに変わりない。また、長い航海の間、潜水艦に撃沈される可能性は大いにあった。何かが起きれば、二人が相見《あいまみ》えることは二度と適《かな》わなくなる。

私は思い切って謙太郎の自宅に電報を打った。

「ゲンコウノケンデ　シキユウ　アイタシ」

だが、返答はなかった。もし、会えないなら、私は心を残したまま南方に行くことになる。それだけはできない。私は思い余って、謙太郎の自宅まで様子を見に行くことにした。

謙太郎の家は、世田谷の豪徳寺にある。ミンミン蝉《ぜみ》の鳴く中、私は葡萄酒《ぶどうしゅ》の入った四合瓶を土産に持って、勤め人が住んでいそうな小さな家の並ぶ住宅街を歩いていた。葡萄酒は、緑敏の田舎で採れた山葡萄から作った自家製の酒だった。

私はすでに汗だくで、白いブラウスは膚《はだ》にまとわり付き、黒いヒールは土埃《つちぼこり》で白くなっていた。手にした葡萄酒の瓶は、掌《てのひら》の汗でぬるぬると滑り、何度も取り落としそうになっている。

勿論《もちろん》、謙太郎の自宅に行くのは、初めてだった。聞いた話では、奥さんや子供だけでなく、自分の両親や弟妹たちも同居だという。誰か人に頼んで謙太郎だけを呼び出して貰おうかという気遣いもなくはなかったが、この目で謙太郎の家族を見たいと思う気持ちも強かった。

やがて、メモの住所と一致する二階家をようやく見付けた。門柱があって、そのすぐ後ろに玄関が迫っているような質素な住宅である。素人下宿《しろうと》でもしてそうな佇《たたず》まいだった。表札には「斎藤」と素っ気ない文字で書いてある。間違いない。私は服装を整えた後、呼び鈴を押した。

「はい、どちら様」

元気のいい声がして、玄関の戸が勢いよく開いた。面長の女性だった。眼鏡を掛けて、藍染《あいぞ》めの着物を直したような夏服を着ている。妻だろうか。思ったより若く活発で、どこか謙太郎と雰囲気が似ているのが切なかった。言い淀《よど》んでいると、女の方から聞いた。

「あのう、もしかして林先生でいらっしゃいますか」

「そうです」

「ちょっとお待ちください。兄を呼んで参ります」

女が弾むような仕種《しぐさ》で家の中に入って行った。妹だったのか。私は緊張が緩んで、ふっと放心した。ひどい暑さの中、そのまま軒下に蹲《うずくま》りたいほどの疲れを感じていた。私は手で胸元に風を送りながら、ぼんやり周囲を見回した。夏の夕暮れ時、通りを歩いている者は誰もいない。すると、奥から謙太郎が現れた。

「やあ、どうしたの」

謙太郎は浴衣《ゆかた》姿だった。兵児帯《へこおび》が緩み、くだけた格好をしているので子供っぽく見えた。頬が赤らんでいるのは、家族と酒でも飲みながら寛《くつろ》いでいたのだろう。謙太郎は私より七歳も若い。謙太郎の若さも冷酷さも浮かれぶりも暑さも、私には何もかもが恨めしかった。

「これ」と、私はぶっきらぼうに葡萄酒を差し出した。

「どうも」

謙太郎はラベルを見ようとした。海外が長く、洋酒や葡萄酒にもうるさい謙太郎らしい行動だった。ラベルがないので面食らっている。

「ごめんね、自家製なの」

「ありがとう、嬉《うれ》しいよ」

謙太郎は、私の汗ばんだ顔を観察するように眺めた。

「久しぶりね」

それには答えず、謙太郎は妹そっくりの眼差《まなざ》しで、眼鏡に手をやった。

「どうしたの、急に」

「電報見なかったの？」

「見たけど、今日は家族の集まりなもので、すまない」

「お帰りになったと聞いて、会いたくなったの。どうして連絡くれないの」

「交換船に乗ったから、いろいろあってね」

謙太郎は、葡萄酒の瓶を腕に抱えて言った。「いろいろ」とは何か、もう少し突っ込んだ話をしたかったが、謙太郎の目には拒絶の色が浮かんでいて、私はなぜかうろたえた。

「あたし、陸軍の仕事で南方に行くので、しばらくお会いできないと思って来たの」

「南方のどこだい」

謙太郎がたいして気のない様子で尋ねたのがこたえた。

「ジャワよ」

「いいね。いつ行くの」

「十月の終わり」

それまで時間があるから是非会おう、と謙太郎が言うのを、私は待っている。だが、謙太郎は何も言わなかった。

「それまでに一度会ってくれない？　謙さんと話がしたいわ」

「そうだね。じゃ、連絡するから」

謙太郎は軽く手を挙げて、私の目を一瞬見た後、家の中に入って行った。水の一杯でも飲ませてくれるかと思ったのに、謙太郎は振り向かない。何か見たくないものを見て思い出してしまったことを後悔しているように拒否する背中。戸が閉められる。何と冷たい男なのだろう。暑さと裏腹に、私の心は寒々としていた。

結局、その日を最後に、十月三十一日の出発日まで、何の連絡もなかったのだった。

出航する十月三十一日の前日、私は広島宇品港に近い宿に泊まった。私の他に、女流作家は小山いと子、美川きよ、窪川稲子、ラジオ作家の水木洋子、の四人である。他に、新聞記者や各出版社の編集長たちが集められていた。ざっと記しておく。

講談社「キング」編集長の橋本求《もとめ》、「陣中倶楽部《クラブ》」編集長の木村喜市、毎日新聞社「時局情報」編集長の馬場秀夫、朝日新聞社「週刊朝日」編集部員の渡辺綱雄、実業之日本社「少女の友」編集長の内山基《もとい》、同じく「新女苑」編集長の神山裕一、第一公論社「公論」編集長の下村亮一、博文館「新青年」編集部員の相沢正己、旺文社編集局長の池田克己、小学館の学習雑誌編集長の川村英一、誠文堂新光社の副社長・小川誠一郎、中央公論社「婦人公論」編集長の清水一継、同じく「中央公論」編集部員の黒田秀俊、という顔触れだった。

「林さん、どうぞよろしくお願いします」

水木洋子に挨拶《あいさつ》された。水木は、私より七歳も若い三十二歳。ビルマにやられるというので、不安がっていた。

水木によると、病院船の振りをして航海するのだとか。驚いて船体を見ると、確かに赤ペンキで大きく赤い十字が書き付けてあった。船室の外へ出るのは禁じられていて、甲板上にあるトイレットに行く時は、白衣を着なければならないのだとか。

病院船の偽装は、国際法上違法だ、と編集長の誰かが言った。そんな姑息《こそく》な手段で太平洋上を長く旅するのかと思うと不安でならなかった。しかし、謙太郎の変容がこたえていた私には、この南方への旅が、現実からの唯一《ゆいいつ》の逃避法にも思えた。

3

十月三十一日、まず軍隊にくっ付いて行ってひと旗あげようとする民間人の乗船が始まった。千人ほどいる。

だが、我々一行は港湾事務室に集められ、平櫛少佐から訓辞を聞かされた。

「諸君は、これより報国の任務に旅立ちます。マレー、ジャワ、ビルマ、フィリピン。南方は、皇軍の力によって、米・英・蘭の勢力を完全に払拭《ふっしょく》して得た、大東亜戦争の輝かしい戦果であります。従って、解放されたアジアの民の明るい表情、日本人の優秀なる指導の下で発展する現地の姿、を著名な女流作家であり、優秀な出版人である諸君の手によって、つまびらかに報じて貰《もら》いたい。

さらに言えば、諸君は言葉の専門家であります。是非とも、この機会に、現地の人間に正しい日本語を広めること、そして現地の邦人、日本語を学習する気概に燃えた現地の人向けに、直ちに出版物の準備をすることも諸君の責務、と考えるものであります。

ここで、諸君に注意事項を告げます。よく聞くように。航海に際しまして、守って貰わなくてはならんことがあります。諸君の乗る船は、谷萩報道部長からあったように、軍として万全の手段を講じております。つまり、潜水艦の攻撃を避けるために病院船に偽装しておるのです。ために、三つのことだけは、絶対に遵守《じゅんしゅ》してほしい。ひとつ、みだりに甲板に出てはならない。ふたつ、用便で甲板に出る際は、白衣を着用すること。三つ、病院船に乗って来たことは、生涯口にしてはならない。この三つの約束が守れない場合は、軍としても安全を保証できないので、そのつもりで」

水木が言った通りだった。しかも、注意事項と言っても、最後は脅しに近い。私は、振り返って同行者の表情を窺《うかが》った。男たちは熱心に聞いている振りをしているが、あたかも我々の命を守るために病院船に偽装した、と言わんばかりの高圧的な態度に、浮かぬ顔をしていた。

平櫛は気付かぬ様子で咳払《せきばら》いをし、続けた。

「諸君、敵潜水艦の脅威は日々高まっております。くれぐれも紙屑《かみくず》、野菜屑、果物の皮などは海中に投じないこと。また船中では、救命具の付け方の訓練もすることになります。婦人には酷かもしれないが、国家の非常時でありますから、一億火の玉となって総力を結集し、聖戦完遂に必死の努力を捧《ささ》げて貰いたい」

平櫛は、最後は私の顔を見ながら締め括《くく》った。仕方なしに頷《うなず》いたが、大袈裟《おおげさ》な結びの句は聞いていなかった。むしろ、船から棄《す》てたゴミが敵艦を呼び寄せる、という注意に、背筋が薄ら寒くなっていた。宇品港から昭南まで、二週間は優にかかると聞いた。その間、何も起きないように祈るしかない。

平櫛から解放されて、やっと我々の乗船の番になった。大阪商船から徴用された船であること以外は、船名も大きさも、すべて機密だという。タラップを昇っていると、後ろで男たちがひそひそ声で喋《しゃべ》っているのが風に乗って聞こえてきた。

「病院船に偽装してるってことは、こっそり兵隊や物資も運んでいるのかな」

「そりゃそうだろう」

「ばれたらどうなるんだ」

「即撃沈だよ」

私は顔が強張《こわば》るのがわかった。覚悟の上とはいえ、やはり命懸けの南方行だった。しかし、海の藻屑となって消えるなら、それもいいではないか、という自棄《やけ》な気持ちもあるのだった。誓い合った謙太郎が変心したのなら、私がこの戦争の世に一人生きていても仕方がないのだ。

私の前でタラップを昇る水木洋子の脹《ふく》ら脛《はぎ》に目が行った。カーキ色の長いスカートから、肌色のストッキングに包まれた若い足が見える。不意に、水木が私の七歳年下であることを思い出して、目眩《めまい》がしそうになった。謙太郎も、私の七歳下。顔を上げて、水木の後ろ姿を眺める。肩までの髪を結い上げているために、白いうなじが覗《のぞ》けていた。シミひとつない若い膚《はだ》だった。謙太郎も、水木と同じく白いうなじを持っているのだろうか。謙太郎は、まだたった三十二歳でしかないのかと思うと、変心も無理はないと私の肩が落ちる。南方に行く前に死んでも、南方で死んでもどちらでも構わない、と港を振り返った。見送りの人々が手を振って寄越したが、私はその向こうの祖国の秋空を見遣《みや》った。帰って来られるのだろうか。

「船底に降りよ」

甲板で乗員が叫んでいる。人影を一切見せないために、全員が船底に息を潜めて航海するのだそうだ。私たちは仕方なく階段を降りて船底に向かった。重い扉を開けると、畳を敷き詰めた船底から、様々な人々が、一斉に顔を上げて私たちを見た。各集団ごとに陣取って、声高に喋ったり、弁当を広げたりしているが、昂揚《こうよう》しているのか、どこか落ち着かない風情《ふぜい》でもある。

戦時慰問団の連中だけは、ひと目でわかった。目立つのは、噺家《はなしか》や漫才師、手品師などの一団だった。十人足らずで、派手な帽子やチョッキなどを身に纏《まと》っている者が多い。この一行には有名な漫談師がいるらしく、船客がちらちらと見ている。だが、彼らは陰鬱《いんうつ》な顔でぼそぼそと何ごとか相談しており、盛り上がらない様子だった。

もうひとつはどこかの楽団で、ベレー帽を被《かぶ》った中年男を真ん中に、赤い口紅を塗った若い女や、楽器のケースを大事そうに胸に抱いた男たちなど、十数人が車座になっていた。輪の中心に一升瓶が数本置かれ、若い男が二人、皆の茶碗《ちゃわん》に酒を注いで回っていた。やがて、「壮行会、壮行会」と手拍子を打って大騒ぎになった。

慰問団を遠巻きにしている、どこか洒脱《しゃだつ》な洋服を着た男たちや、粋《いき》な着物姿の中年女たちは、昭南やジャワで、料理屋かカフェでも開こうとしている経営者や女将《おかみ》らしい。

占領地で日本家屋を建てるために乗っている大工や畳屋、建具職人たち。一人で乗船している男たちは、技術畑や職人、板前、運転手などが多いようだった。

修学旅行の女生徒のように、ひと際《きわ》明るい声で無邪気に喋っている若い女たちの集団もよく目立っていた。全部で三十人以上はいるだろうか。軍の事務関係、経理やタイピスト、酒保などの仕事に就くつもりで来たのだろう。女たちは、隅っこにいるお女郎さんらしき女たちを意識して、しばしば振り返っている。しかし、お女郎さんたちはまったく人の目を気にする様子もなく、人いきれで蒸す船底で、着物の胸元をはだけて小さな扇で風を送っているのだった。

戦争は大量の兵隊や物資が動くから、兵隊が駐屯しているところには、このように商売目当ての「ひと旗組」が集まる。これらの人々を、露骨な金儲《かねもう》け集団だと敬遠する人間もいるようだが、私は嫌いではなかった。自分たち親子だとて、世が世なら、こうして偽装した病院船でひと旗揚げようと軍隊にくっ付いて歩いていたかもしれないのだ。炭鉱で働く人々が引けるのを待ってアンパンを売るのと、兵隊たち相手に何かを売るのと、たいして変わりはないようにも思われた。私が母たちと放浪していた頃は、共同浴場でお女郎さんたちと始終一緒になっていたし、珍しいことではなかった。

また、四年前には九江へ行く「ぜのあ丸」の船底で、石川と共にごろ寝しながら航行したではないか、軍用馬と一緒に。私は懐《なつ》かしさというよりも、皆がたった今「生きてゐる」、という戦地での実感を思い出しながら、暗い船底に一人立っていた。

「林さん、ちょっと」

ぎっしりと船底を埋めた人の群れを、半ば唖然《あぜん》とした表情で眺めていた窪川稲子が、我に返ったように私の名を呼んだ。窪川稲子とは、昭和十六年、満州国境に一緒に慰問に行ったから、気心が知れている。

「林さん、これでは谷萩さんの話と違いますよね。どう思われて？」

稲子は上品な顔を曇らせていた。私は、谷萩が何と言ったか思い出そうとした。美川きよが口を挟んだ。

「本当に困りますわ。仕切も何もないんですもの。お着替えの時とか、どうするんでしょうか」

「そうですよ。この扱いはないわよ。だって、谷萩さんは将校並みに、と仰《おつしや》いましたことよ」と稲子。

「あたし、直談判《じかだんぱん》してきましょうか」

若い水木洋子がきっぱり言ったので、「えっ」と稲子が怖《お》じたのが可笑《おか》しかった。私は、ラジオという新しい職場で、男に混じって働いている行動的な水木が気に入り始めていた。水木が謙太郎と同じ歳《とし》、という理由も少しあった。

だが、美川が慌《あわ》てて止めに入った。

「ちょっと待って、水木さん。いきなり行ったら、我《わ》が儘《まま》言ってるように見えないかしら。皆、外に出ちゃいけないって言うんだから、私たちだけ特別扱いもできないのではなくて？　無理じゃないの」

「じゃ、言わなくてもいいんですか」

水木に逆に聞かれて、美川と稲子は顔を見合わせている。

「編集長さんたちにも相談してみましょうよ」

私の提案に、水木洋子が頷いた。

「あの人たちは艦長さんに挨拶《あいさつ》しているところですので、ちょうどいいです。私が行って相談して来ます」

そう言って、走りだして行く。その後ろ姿を、他の女流作家が呆《あき》れ顔で眺めている。台本作家の水木は、女流の物書きとは毛色が違う。それで他の作家たちは、水木をやや軽侮し、敬遠しているのだった。

初めて会った時、私は水木をあまり気に入らなかった。水木は、私が南方行きを内諾した時、「ああ、林さんも行くんですか」と言った。

私は若い水木に、「林さんも」と言われたことが癇《かん》に障《さわ》った。水木は若いが故《ゆえ》に、誰よりも愛国心に燃えていて、従軍記者に選ばれたことを意気に感じていたらしい。その水木が、従軍経験もあって『北岸部隊』や『戦線』などのベストセラーも出している私のことを、「林さんも」と言ったのだ。言うなれば、従軍に関しては私が先輩ではないか、と思ったのだ。

しかし、よくよく考えてみれば、小さなことだった。私が従軍して、戦争の真の姿をこの目で見たいと願ったのも、すでに五年前。今の私は、満州ルポの題名を軍部に注意され、『放浪記』も事実上の発禁状態になっていた。

ラジオで戦意を鼓舞する番組を作っている水木からすれば、私でさえも、戦争に懐疑的な作家に映ったのかもしれない。かように、時代の移り変わりは、激しいのだった。

十分後、水木は意気揚々と戻って来た。

「黒田さんたちが平櫛少佐に交渉してくださいまして、上甲板に部屋をいただけることになりました。そこを使っていいそうです」

上甲板の部屋は、船底のように暗くはないが、灯りが漏れないように小さな窓に黒い紙で目張りされていた。広さは二十畳ほどで、古ぼけた畳が敷いてある。私たちはシーツをカーテン代わりに吊《つ》り下げ、荷物で簡単な仕切を作って、三分の一ほどを使わせて貰うことにした。稲子や美川はたいそう喜んでいたが、私は船底で雑多な人々と暮らす方が向いていたかもしれない、とやや残念に思ったのだった。

「林さん、ご一緒にジャワに行くのですね。何卒《なにとぞ》よろしくお願いします」

美川きよが、わざわざ畳に正座して、丁寧にお辞儀したので、私は面食らった。

「こちらこそ」

「ねえ、林さん。あなたと私は共通点がありましてよ。何だと思う」

美川きよは微笑《ほほえ》んで言ったが、私はぎょっとした。慌てて聞き返す。

「わからないわ。何かしら」

「いや、そんなたいしたことじゃないんですよ」美川は私の反応に驚いたのか、口籠《くちご》もった。「お互いに亭主が絵描きってことですよ。御主人様、春陽会でしょう？　宅もそうなんです」

美川は、口許《くちもと》を小さな手で覆《おお》って笑ってみせた。だが、私の態度が腑《ふ》に落ちないという顔をしているのは、よくわかるのだった。

実は、私は美川が密《ひそ》かに小島政二郎と付き合っていたのを知っていた。謙太郎が毎日新聞の学芸部に在籍していた時に教えてくれたのだ。

『美川さんは、小島さんの愛人なんだよ』

男の編集者や作家の間では、有名な話だという。だから私は、美川が自分と同じく、夫以外の男と付き合っているという共通点を指摘したのか、とぎくりとしたのである。美川とは、まだそれほど親しくはない。だから、そんなくだけたことを言うわけはなかった。それほどまでに、この時の私は、謙太郎のことに囚《とら》われていたのだった。だが、この些細《ささい》な、齟齬《そご》とも言えないほどのいき違いに懲《こ》りてか、以来、美川は何となく私のところに寄って来なくなった。

夕食は、船底の片隅にある食堂で、交替で食べることになっている。その夜の食事は、黄色みを帯びた米の飯と、乾燥野菜の入った薄い味噌汁《みそしる》、蓮《はす》と竹輪の煮物、白菜の漬け物だった。まだ日本にいるというのに、航海の行く末に不安を覚えるような貧弱な食事。一気に、不満が噴き出した。

「待遇は将校並みって言われなかったかい。これがそうか」

今度は男たちが文句を言っている。しかし、こればかりは平櫛もどうにもできないらしく、憮然《ぶぜん》としていた。

その夜は、門司港内の大阪商船の桟橋に停泊するという。いよいよ明日からは外海である。私は一計を案じて無線室に電話を頼みに行った。門司には、黒川良子《りようこ》が住んでいる。

良子は、私が若松の家にいた時、一緒に遊んでいた幼馴染《おさななじ》みだった。その後、母と私は家を出て放浪生活に入ったため、良子と会うことはなかった。が、私が作家として名を成してから再会したのである。以来、子供の頃に遊んだだけの縁だというのに、黒川の家では、ことあるごとに私を助けてくれるのだった。その良子に、何とか食料の調達を頼んでみようと思ったのである。

果たして、良子はふたつ返事で承知してくれた。時間だけ決めて、甲板で待っていると、灯火管制の闇《やみ》の中、一艘《そう》のサンパンが桟橋に近付いて来た。

「芙美子さん、芙美子さん」

小さな声で呼んでいる。良子だった。私は闇の中、おそるおそる船のタラップを降りた。サンパンに危なかしく立ち上がって荷物を差し出しているのは、紛れもない良子だ。私は荷物を受け取って、良子の手を握ったが、船の揺れですぐに離さざるを得なかった。

「ありがとう」

「気を付けて行って来てね」

互いに闇の中で手を振り合う。船室に戻って包みを開けてみると、闇で買ったらしい、半紙ほどの大きさの蒲鉾《かまぼこ》と、松茸《まつたけ》と橙《だいだい》がたくさん入っていた。私は何と我が儘なことを言ったのだろう、と目頭が熱くなった。

4

十一月一日早朝、門司港に別れを告げ、とうとう昭南に向けての航海が始まった。

左手にしばらく見えていた九州が遠く霞《かす》んでいく。途端に、波が荒くなった。船はゆっくりと右に左に傾《かし》いだ。

幅二十メートルに満たず、長さも百メートルと少しほどの、そう大きくもない船で東シナ海を進むのが、頼りなく思えてくる。いくら病院船に偽装したところで、潜水艦の目を眩《くら》ましながら行くのだから、不測の事態は十分に起こり得るはずだった。そんなことを考えだすと、不安でならなかった。海の藻屑《もくず》となって消えてもいいと覚悟したのに、実際の海は遥《はる》かに怖《おそ》ろしい。

「林さん、板子《いたご》一枚下は地獄って本当ですわね」

畳の上に正座した水木が、心細げに言った。

「でも、板じゃないわ。鋼鉄の塊じゃないの」

私は自分の怖れを抑え、元気な振りをした。

「鋼鉄が海に浮いてるってのが、これまた嫌なんですの」

二人で思わず噴き出すと、船酔いに苦しめられて寝ている美川が振り向いて、美しい眉根《まゆね》を寄せた。

「さすがに林さんは肝が据わっていらっしゃるわ。羨《うらや》ましいこと」

「歴戦の勇士でらっしゃるから」小山いと子が快活に口を挟んだが、厭味《いやみ》な感じはまったくなかった。「だって、お一人で船に乗って戦地に乗り込まれたじゃないですか。誰でもできることじゃありません」

「長江に潜水艦はいないものね」

私がまぜっ返すと、皆どっと笑った。長江は流れの速い大河ではあるが、岸辺はすぐ側《そば》にあったのだから、海の恐怖とは比較にならない。

昭南まではどこにも寄港せず南下するが、それでも十六日間の船旅である。とりあえず、船中ではなるべく居心地よく、喧嘩《けんか》などせずに暮らしていかねばならない。私は我が儘なことを言うまい、と心に決めた。

船の空間に慣れるに従って、恐怖はなくなった。船上の狭い部屋だけが自分の世界に思えて、人間はそれなりにちまちまと生きる。が、勿論《もちろん》、船上生活は退屈この上なかった。判で押したように、同じ日課をこなす日々が続いた。

朝六時半起床、すぐさま点呼。その後、洗面。食事に呼ばれるのを、部屋でじっと待つ。みだりに甲板に出るのを禁じられている上に、窓も目張りしてあるため、外の天気もよくわからなかった。

船尾にあるトイレットに向かうのにも、一枚きりしかない白衣を、交替で着て行くのである。白衣は次第に汚れ、波のしぶきと手垢《てあか》とで、白衣と呼ぶのが憚《はばか》られるほど、どろどろに黒ずんできた。トイレットは男女それぞれに別れて、船尾楼に設《しつら》えられていた。その隣には、立派なタイル貼《ば》りの風呂《ふろ》もある。

風呂は一日おきに二人ずつで入る。私は仲良くなった水木と一緒に行った。二人で愚にもつかない世間話をしながら背中を流し合うのだが、水木の若い背中を見ると、反射的に謙太郎の締まった肉体を思い出した。細身に見えても、筋肉の詰まった若い体を。

私はそんな時決まって、謙太郎は今頃何をしているのだろうと思いを巡らせ、ジャワまで会いに来てくれないだろうか、と密《ひそ》かに熱望した。謙太郎とジャワのどこかで密会できたら、と想像すると、南方の熱帯の島が俄《にわか》に妖《あや》しいものに思えてきて、私は航海が楽しみになるのだった。そんな時は、魚雷など怖ろしくも何ともなかった。

十二時に昼食。夕食は午後五時で、就寝は午後九時半であった。夜になると、病院船であることを示す赤い十字に、イルミネーションが点《とも》った。

点呼は就寝前の九時にも行われた。私たちの部屋には平櫛少佐が現れて、大声で点呼した。

平櫛少佐は、出発前は丁重だったのに、次第に命令じみた物言いが多くなった。いつの間にか、一同直立不動で返答せざるを得なくなったのが気に入らない、と男たちの中には、点呼の度に憮然とする者もいた。平櫛少佐は、当時まだ三十四歳くらい。青二才が威張りくさって、と内心腹立たしく思った向きも多かったのだろう。

船中では、食事が楽しみだった。最初、船底の混み合った食堂で、集団ごとに食べるように言われていたが、誰かが抗議したと見えて、数日後には高級船員と同じ食堂で食べられることになった。その食堂は同じく上甲板にあって、テーブルが横に並べられ、一度に三十人ほどが同席できる。だから、我々は船員たちからさまざまな話を聞いて楽しい思いをした。

船底組も上甲板組も、献立に優劣はなかった。毎食、決まって蓮と竹輪の煮物が出るのには閉口した。それも、日が経《た》つに従い、竹輪が減っていった。良子から貰《もら》った松茸も蒲鉾もすぐになくなり、手持ちの食料も尽きたため、我慢して食べるより他はなかった。美川きよが缶入りビスケットを供出してくれたので、時折、分け前に与《あずか》っては、「出涸《でが》らしの渋茶じゃなくて、たまには、レモンを浮かべた紅茶が飲みたいわねえ」などと、愚痴をこぼし合った。

男の記者や編集者たちは、囲碁や将棋をやったり、時局について討論をしたり、酒を運んでいる業者と話を付けて買った酒を飲んだり、航海をそれなりに楽しんでいる様子だった。

私たち五人の女流作家は、持って来た本を貸し借りしたり、編み物などをして退屈を凌《しの》いだ。しかし、台湾に近くなると急に暑くなり、編み物どころではなくなった。皆、昼間から船室でごろごろ横になることが多くなった。

私は書き物をしたかったが、記録を残すことは、出発前に禁じられた事項のひとつだった。万が一、発覚した時は、その場で破棄されることになっている。昭和十二年の南京《ナンキン》視察、十三年の漢口従軍の際は、毎日日記を付けるのが生き甲斐《がい》だっただけに残念だったが、集団でひとつ部屋に寝起きする今度の航海では、禁忌を破るのは絶対に不可能だった。

もっとも、私が一番書きたかったのは小説でも紀行文でもなく、謙太郎への手紙だった。取り上げられて謙太郎への思いを衆目に晒《さら》すわけにはいかないし、手紙を他人に廃棄されるのは、目に見えない疵《きず》を負うことでもあった。また、同じ物書き同士、出版業界にいる者とて、誰がどんな考えを持っているのかわからない不安もあった。

ちなみに、窪川稲子はプロレタリア作家として有名だったから、まさか稲子が満州慰問や今回の陸軍派遣に応じるとは誰も思っていなかったはずである。軍部と何かあったのか、とか、仲間に裏切り者扱いされていないか、などと様々な噂《うわさ》や憶測が流れていたのも事実だった。

十年前、私は困っている友人に金を貸したというだけで、中野署に十日近く勾留《こうりゅう》されたことがあった。その友人が共産党員だったために、カンパしたと疑われたのである。着の身着のままでぶちこまれ、態度が生意気だと平手打ちを喰らった。自由を奪われて閉じ込められ、悪意や思惑によって好きなようにされる恐怖は、二度と味わいたくなかった。

ために、私は窪川稲子の境遇に関心があった。しかし、どう話を向けても、稲子は本音を漏らさず、警戒してか、私にもあまり話しかけてはこなかった。そんなわけで、女流作家の一行のうち、私は水木洋子とだけ常に助け合って過ごしていたのだった。

水木の他に、親しくなった人間もいた。偽装病院船ということで、一応、本物の医者や医者の見習いなど、軍人臭くない連中も多く乗っていたのである。彼らは皆インテリで、本もよく読んでおり、私たちと喋《しゃべ》りたがっていた。

とりわけ、船の事務長の酒井は、大阪商船の社員で、船乗りでも兵隊でもなく、派遣された私たちと同様、船の徴用によって仕方なく南方に向かっていた。

酒井は、私たちの部屋にも気軽に遊びに来て、知っていることは何でも喋ってくれたので人気があった。四十半ばくらいだったろうか。色白の賢そうな顔をしているので、船内では目立った。面長で眼鏡を掛けているところが、謙太郎に少し似ているので、私には気になった男だった。

その酒井に、ファンだと言われた時は、さすがに嬉《うれ》しかった。

「林さん、僕、『放浪記』を愛読していましたよ。尾道《おのみち》には何度も行きましたし、まさかこんなところで林さんに会えるとは思わなかったな」

部屋に遊びに来た酒井が、しみじみと言ったのだった。

「ありがとう。あなたはどこの人」

「岡山です。慶應《けいおう》に行って大阪商船に就職しました」

「へえ、慶應。お坊ちゃんなんだ」

私が感嘆すると、女たちが好意的に微笑《ほほえ》んだ。酒井は清潔で綺麗《きれい》な指をしていた。その手で額の汗を拭《ぬぐ》う振りをして照れた。

「いや、お坊ちゃんなんかじゃないですよ。余計なことを言っちゃったな」と言ってから、酒井は真面目《まじめ》な顔になった。「僕は『放浪記』でよく覚えているところがあります。林さんは上京して一年で、震災に遭われたでしょう。その後、酒荷船で大阪に帰る、という記述がありますよね。実は、この船は『志《し》かご丸』と言いまして、タコマ行きの船だったのですが、戦前はブラジル移民船でした。震災の時は、被災者や物資を無料で運ぶ奉仕をしていたんです。それが僕が船に乗った初仕事だったんですよ。だから、あのシーンはすごく覚えているんだ」

「そうですか。もう二十年近く前になるかしらね」

私が関東大震災に遭ったのは、十九歳の時だった。私は灘《なだ》の酒造家が得意客のために仕立てた酒荷船にむりやり乗せて貰って尾道へ帰ったのだった。「富久娘《ふくむすめ》」のレッテルの裏に、名前を書いた乗船証を持って。船は酒臭くて酔いそうだった。

「あそこを読んだ時、林さんは本物だと思いましたよ」

「本物のルンペンだってことね」

私の言葉に、皆が遠慮がちに笑った。酒井も一緒になって笑ったが、何か言いたそうに唇を尖《とが》らせたのが気になった。私たちの話を横で聞いていた記者が、酒井に尋ねた。

「酒井さん。この船、何トンくらいあるの」

酒井はすらすらと答えた。

「六一八二トンです」

初めて知ったよ、と笑う声があちこちから聞こえた。

「そんなことも教えてくれないんだから、息苦しいやね」

「嫌ですよね。僕も生まれた時を間違えましたよ。こんな目に遭って」

酒井が明るく言ったので、誰かが「しっ」と注意した。平櫛がいきなり入って来ないとも限らない。徴用されなければ、酒井は太平洋を行き来する「志かご丸」に乗っていたのだろう。日米交換船で帰って来た謙太郎と似ていないか。私は急に胸が痛くなった。夏の夕暮れ時の、男の冷酷さが胸に迫り、いっそ、ここにいる男の誰かと好き勝手したって誰にもわかりゃしないのだ、と自棄《やけ》な気持ちになる。その相手は、絶対に酒井だった。私が酒井を見遣《みや》ると、酒井には何か感じられたのか、私の方をちらりと振り返った。

翌日の夜は、よほど空が晴れているのか、怖ろしいほどに月の光が白く降り注ぐ晩だった。じきに就寝前の点呼がある。私は用を足して船室に戻ろうとしていた。懐中電灯など要らぬほど、甲板は真っ白な月光が降り注いで輝いている。暗がりから、糊《のり》の利《き》いた白衣を着て、白い帽子を被《かぶ》っている男が現れた。

「今晩は。暑くなってきましたね」酒井だった。「ジャワはこんなものではないでしようけれど」

私は思いがけず酒井に出会ったのが嬉しかった。

「あら、酒井さん。あなたの白衣は綺麗だこと。それにひきかえ、私たちのは汚いわ」

私は月光を照り返しそうな白衣に目を留めた。

「僕ら、しょっちゅう甲板を行き来するので、あまり汚いとばれるそうです。だから、洗濯してるんですよ」

酒井も私と会ったのが嬉しそうだった。しかし、甲板で立ち話をするわけにはいかない。今にも平櫛が点呼を取りに現れそうで、気が気でない。立ち去ろうとすると、酒井が早口に言った。

「そうだ、林さん。この間、言いかけたこと、ちゃんと言っておきますよ。あなたは本物のルンペンだなんて仰《おつしや》ったけど、僕は本物の作家だ、と言おうと思ったのです」

「あら、皆、本物ですよ」

「わかってます。でも、僕にはあなたが本物なんです。あなたの『放浪記』には、震災で古い物が全部壊れ去ったという若い人の解放感があった。すごく共感しましたよ。こういう読者がいるのを覚えておいてください」

「ありがとうございます」

謙太郎が変心したかもしれないという怯《おび》えの中で生きている私には、酒井の言葉は強く心に響いた。思わず、涙ぐみそうになると、酒井が私の手を取った。反射的に引っ込めかけると、酒井は強く握ってきた。私は突然、切迫した気持ちになって、立ち竦《すく》んだ。わけのわからない強い衝動に襲われたのだった。自分の虚《うつ》ろを埋めてほしい欲求が強まって動悸《どうき》がする。足りな過ぎる。切な過ぎる。すると、素早く酒井の唇が降りてきて、私の唇を掠《かす》った。私は、そのまま酒井の舌を吸いたかった。思わず指を伸ばして酒井の白衣を摑《つか》んだ。

「お休みなさい」

酒井が囁《ささや》いて、私の指をそっと剝《は》がし、背をそっと優しく押した。私は拒絶するように、無言でもう一度強く摑み直した。酒井が慌《あわ》てた風に、周囲を見回すのがわかった。酒井にも、切迫した思いがあるのだ。

私は、漢口で渡辺記者に同じような思いを抱いたことを思い出している。戦地で見知らぬ男と女が出会い、禁じられた時に燃え上がるのはいけないことなのだろうか。私は自分の欲望が怖かった。

「今は駄目です」

「いつならいいの」

「午前二時に事務室で」

事務室は、食堂の横の酒井がいつも詰めている部屋だった。私は頷《うなず》いて部屋に戻った。その数分後に平櫛が点呼を取りに来た。点呼の後、布団《ふとん》を皆で延べていると、水木が布団に横たわり、のんびりと言った。

「遅かったですね」

「物凄《ものすご》い月だから見惚《みと》れていたの」

「南方に来れば来るほど、月は綺麗ですよね。ビルマはどうかしら。心配だな」

そうね、と私は生返事をした。水木が不満そうな顔でこちらを見たが、私にはコチコチと鳴る時計の音が気になって仕方がなかった。

私は眠らずに、約束の時がくるのを待った。翻意する時間は充分にある、と思いながら。

十二時頃まで、ぼそぼそと男たちが何か話し込んでいた。くぐもった笑いも聞こえる。やがて消えて、舷側《げんそく》に当たって砕ける波の音や、低い鼾《いびき》が聞こえるのみとなった。時間が近付くにつれて、動揺してくる。狭い船中のことだ。万が一、誰かに見られたら、赤恥を掻《か》くのは必至だった。どころか、南方派遣の最中にふしだらな、と非国民呼ばわりされかねない。

悪い方に考え始めると、震えがくるほどだった。私は何と大それたことをするつもりなのだろう。中国で、前線に行こうと覚悟した時よりも、怖《おそ》ろしい行為ではないか。だが、それでもなお、私は酒井と抱き合いたかった。この船を下りたら、もう二度と会うことはない男との一夜限りの交情。それがあれば、私は謙太郎との辛《つら》い恋も堪えられる、と思ったのだ。

私は酒井をそう好きではない。男がなくてはいられない質《たち》でもなかった。おそらく、酒井もそうだろう。そんな男に、今すぐ会ってむしゃぶり付きたい、と願う激しさは何なのか。しかし、この途轍《とてつ》もなく馬鹿《ばか》な行為をさせる衝動が、今の私には絶対に必要だった。

私は咄嗟《とっさ》にブラウスの襟元から右手を入れて、左の乳房を掴んだ。この胸に触れ、顔を埋《うず》める男は、誰でもいいのだ。私が誰かを欲しているのだから。

私の乳房は、掴もうとすれば、どこまでも逃げていく暖かな肉の塊となった。日々、緩んでいく私の肉体。謙太郎との歳《とし》の差を思って、私は呻《うめ》いた。あの人は私に飽いているのではあるまいか。だったら、どんな危険を冒しても、酒井と抱き合いたい、と決心が固まるのだった。でなければ、生きていけっこない。

そろそろ時間だ。私は薄い布団に潜って、懐中電灯で時刻を確かめた。午前一時四十五分。

静かに起き上がって、周囲を見回す。女流作家たちは皆、健やかな寝息を立てていた。窪川稲子が子供のように手足を大の字に広げて熟睡していた。常に岩波文庫を離さずに読んでいる、インテリゲンチャの窪川稲子。あまりの可愛《かわい》さに、思わず笑いが洩《も》れた。

すると、恋人に会いに行く娘のように心が弾みだした。私は手探りで身支度を始めた。あらかじめ布団の中に入れておいたスカートを穿《は》き、そっとチャックを上げる。船室には、ぼやけた橙色《だいだいいろ》の光を放つ小さな常夜灯が点《とも》っている。勿論《もちろん》、目張りしてあるから、外に灯りは洩れ出ない。私はそのあえかな光を頼りに、寝ている人の足を踏まないように、注意深く扉まで進んだ。海は凪《な》いでいて、船は岩盤のように微動だにしない。

もし、誰かが起きだして来たら、トイレットに行く、と言うしかなかった。逢《あ》い引きするのに、薄汚れた白衣を着たくはないが、思い切って羽織った。平櫛や兵隊に見付かった場合、言い訳できるからだ。

静かに扉を開けて、上甲板に出た。大気に南洋の海の匂《にお》いがする。強い潮気と濃い緑の気配。病院船を表す赤い十字に点ったイルミネーションが、甲板を赤く染め上げている。

人影が横に立った。見付かった。怖ろしさに、悲鳴を洩らしそうになる。すると、その人影が私の肩を押さえた。酒井がわざわざ迎えに来てくれたのだった。嬉《うれ》しくなって呼びかけようとした途端、掌《てのひら》で口を押さえられた。男の分厚い手。ああ、このまま私を蹂躙《じゅうりん》してほしい。私は、厚い胸に倒れかかりたくなる自分を必死に抑えた。たちまち酒井との密会に酔い始めたのだろうか。下から見上げる酒井の顔が、イルミネーションで赤く染まり、まったく違う男に見える。

私は酒井に手を取られて、事務室に走り込んだ。事務室にも小さな常夜灯が点っている。机と椅子《いす》がひとつずつ。壁にキャビネットが備え付けられている。机の上には、わざとらしく書類が出ていた。誰かに見付かったら、仕事をしていた、と言い訳するつもりなのだろう。

「これ飲んで」

酒井が、私の口許《くちもと》にコップを当てた。強い酒の匂いがした。反射的に飲み込んだ。上等なウィスキーだった。生《き》のまま口に含んで、しばらく舌の上に載せていた。ごくりと嚥下《えんげ》して、早く酔え、と脳に命ずる。酒井もひと口飲んだ。もう一度、私に飲ませてくれる。

「いい匂い」

「スコッチだよ」

「酔わないわね」

「今に効くから」

薄闇《うすやみ》の中で額を突き合わせてこそこそ話す私たちは、昔からの恋人同士のように思えてくる。謙太郎は、ロンドン時代に覚えたスコッチをこよなく愛していた。そんなことを思い出していると、酒井に抱き寄せられた。

「よく来てくれたね」

いきなり接吻《せっぷん》する。私もこたえて、酒井の顔を両手で引き寄せ、舌を絡《から》ませた。しまいには、互いにはあはあと喘《あえ》ぎながら唇を貪《むさぼ》った。どうしてこんなに飢《かつ》えているのだろう。恥ずかしく思う前に、我が身が不思議で仕方がなかった。

酒井が私のブラウスの襟元から強引に手を入れて、乳房を掴んだ。強く揉《も》みしだく。ああ、やはり男の手は熱い。恍惚《こうこつ》となる。酒井は謙太郎よりも骨太で、やることも小気味よく男らしかった。頭の隅で、二人の男を比べる私がいる。

「林さん」

酒井が耳許で囁いた。私は何度も頷いた。二人同時に白衣を脱ぎ捨てる。私はスカートをたくし上げて、下着を脱いだ。背の高い酒井が、私を事務机の上に乗せた。私たちは机の上で交わった。迫り上がる私の背で押され、書類が床に落ちた。その音にはっとして、酒井が行為を止めた。何ごともないのを確め、再開する。そして、同時に果てた。

初めての経験だったが、素晴らしくよかった。私たちは何度も強く抱き締め合って長い接吻をした。ウィスキーなど必要なかった。秘密に優《まさ》る媚薬《びやく》はないのだ。

「嬉しかったです。ありがとう」

身繕いをする私に酒井が言った。

「私も」

言葉を続けようとすると、酒井が緊張した様子で私の腕を摑んだ。男が話す声が近付いて来る。上甲板を歩哨《ほしよう》が歩いているらしい。私たちは手を握り合って、息を潜めていた。

万が一、事務室に異変を感じて入って来たら、机の下に隠れるしかない。が、歩哨はすぐ去ってしまった。ざざっ、ざざっ、と東シナ海の波が砕ける音だけが遠く響いている。私たちは抱き合ったまま、その音を聞いていた。

「あたしたち非国民ね」

「その方がいいさ」

酒井が吐き捨てて、私たちは静かに顔を見合わせて笑った。

「忘れないわ」

「僕も忘れません。送りますから」

私たちはまた小走りに甲板上を駆けた。船室の前で酒井がささやく。

「手洗いに行って、帰って来た振りをして」

私は頷いて、酒井に小さく手を振った。まるで十九歳の乙女のように密会に息を切らしている。だが、私の苦笑は、大人の満足に裏打ちされている。

白衣を入口のフックに掛け、自分の布団に戻った。どこからも穏やかな寝息が聞こえる。誰も起きた形跡はなかった。私は安心して目を閉じた。しかし、まだ昂奮《こうふん》が治まらなかった。私は謙太郎へ手紙を書きたくて堪《たま》らなくなった。仕方がないので、頭の中で書いた。

謙太郎様

あなたに抱かれた夢を見て、はっとして起きました。何と生々しい夢でしょうか。あなたの熱い感触が、まだ私の中に残っている気が致します。あなたが嚙んだ肉、撓《しな》らせた骨。すべてがまだ私の肉体に刻まれている気が致します。まるで終わりなく続く情事の余韻のような、火照る夢から醒めて、私は八月の終わりのことを思い出しております。

そう、あなたが帰朝されたと聞いて、いそいそと会いに行った時の自分を思い出しているのです。あなたは冷たかった。何の用で来たと言わんばかりに、ほぼ一年ぶりで会う私をご覧になった。あなたの目の奥にあった冷たい湖は消えましたでしょうか。

今、書いていて、ヘディンのロプ・ノールを思い出しました。あなたの愛の湖は、消失したり、思いがけないところに現れたりして、私を長く苦しめました。今は乾いて、砂漠と化してしまったのでしょうか。

私たちはもう二度と相見えることはないのでしょうか。肉の歓びならば、誰からも容易に得られます。でも、それだけでは嫌。何卒、あなたのお心を再び深い湖にして、私という船を浮かばせてくださいませ。

芙美子

頭の中で推敲《すいこう》を繰り返しているうちに疲れ、私の瞼《まぶた》はやっと落ちた。頭の中で書く手紙のよさは、朝、読み返して、汗顔にならないことだった。すぐ忘れる。

翌朝、目が覚めたのは、点呼のために訪れた平櫛少佐の咳払《せきばら》いでだった。私は慌《あわ》てて起きて、「はい」と返事をした。私が寝坊したと気付いた平櫛は、おやという表情でこちらを見遣《みや》った。が、私は俯《うつむ》いていた。輝きが表れているのではないかと怖れたのだ。謙太郎と会った翌日の膚《はだ》は輝きを帯びて、自分でも怖ろしいほどわかるのだった。それと同じ。いや、もっと。私は酒井に会いに行こうと、急いで身支度をした。

一人遅れて食堂に行くと、白い開襟《かいきん》シャツを着た酒井が、すでに朝食を終えて、茶を飲んでいた。

「おはようございます、林さん」

酒井は、何気ない顔で頭を下げた。昨夜と同じ男か、と疑いたくなるほど、穏やかに見える。だが、嬉しく思っているのが、私にだけは伝わるのだった。

「おはようございます。さすがに暑くなってきましたわね」

何食わぬ顔で挨拶《あいさつ》を交わし合う。

「台湾を過ぎましたからね。船はこの辺ですよ」

酒井は、手にしていた海図を見せてくれた。台湾と中国大陸との間に、一直線に航路が描かれていた。船は、南シナ海に入ったところだった。私の顔に、酒井の息がかかる。私が身を硬くすると、酒井が意識するのがわかった。

「どれどれ」

編集者が身を乗り出して、海図を覗《のぞ》き込んだので、酒井が離れた。

「やっと半分ってとこですかね」と、中央公論社の黒田。

「そうですね。あと八日の船旅です」

私には、あと八日間会える、と誘っているように聞こえるのだった。

「あとでビールでも持って船室に遊びに行きますよ」

酒井が黒田に言った。

「いいですね、皆で楽しみに待ってますよ」

「あなたに会いに行きます」

誰にも聞こえない声で酒井が言った。私は顔が赤くなった。思わず心配になって、誰か聞いてやしないかと見回した。食事を終えた連中は、そのまま居残ってお喋《しゃべ》りしていたが、私と酒井の会話に気付いた者は誰もいなかった。

食事の後、手洗いに行くため白衣を羽織ろうとしたが、誰かが使っていると見えてなかった。所在なく、扉の前で待っていると、窪川稲子が戻って来た。

「林さん、あなた具合悪いの？」

窪川に言われて、私は驚いた。

「何のこと」

「夜中にお手洗いに行ったでしょう。なかなか戻って来ないから、あたし心配しちゃったわ」

私は仰天した。熟睡していると思ったのに、目を覚ましていたとは気付かなかった。やはり、昨夜の冒険は危険だった。肝が冷える。

「お腹《なか》こわしちゃったのよ。あなた大丈夫？」

「私は大丈夫だけど」窪川は浮かぬ顔をする。「薬ならありますよ」

「私も持ってるから大丈夫よ」

やっとのことで取り繕った。今度部屋を出る時はどうしたらいいだろう。私は次の逢《あ》い引きを考えている自分に気付いて、嘆息した。昨夜は一度きりの交情と思っていたのに、輝かしければ輝かしいほど、そして秘めておく必要があればあるほど、情事はやめられなくなる。酒井も同じだろう。私は、私が食堂に入って行った時の、酒井の嬉しそうな色を思い出していた。

午前中に、救命胴衣を付ける訓練が行われ、私は水木とひとつの救命胴衣を交替で使った。昼食を取るために食堂に行くと、酒井が私の隣に座った。

「林さん、訓練しましたか」

「したけど、あれを付けるようになったらおしまいだわね」

「あたし、林さんと交替で付けましたけど、みんなの分はあるのですか」

水木が酒井に尋ねた。酒井が、まずいことを口にする時の癖で、ぐっと身を乗りだした。酒井の肩が私の胸を掠《かす》めた。二人とも意識している。

「ここだけの話ですよ、水木さん」

他の編集者も聞き耳を立てている。酒井の率直な曝露《ばくろ》話が、皆たいそう好きなのだった。

「救命胴衣は、船底の人たちの分まではありません」

酒井はきっぱり言った。

「本当ですか」

水木が私の顔を見た。私はおおかたそんなことだろうと思ったので、動じなかった。

「内緒ですよ。僕は別に軍属でも何でもないので、正直に申し上げますが、絶対に足りません。なぜなら、この船は定員オーバーしているからです。それでも、まだマシな方ですし、救命胴衣があるだけ高級です」

「足りなくてもかい？　やれやれ、奪い合いになるよ、これは」

そう言ったのは、講談社の橋本だった。

「いや、編集者の分は女流作家の皆さんに差し上げますから」

黒田が言ったので、一同爆笑した。

「私、ひとつで結構です。名前書いておこうかな」

水木が冗談めかして言うと、酒井が真面目《まじめ》な顔をした。

「僕はいろいろな港に行って、いろんな国籍の船を見ましたが、日本の輸送船の救命具が一番お粗末です。アメリカなんか、総員が乗れるだけのゴムボートを必ず艦載していますが、日本は竹製の筏《いかだ》。しかも、こんな立派な救命胴衣なんか行き渡らなくて、カポックで作った浮き具を使ったりしているのですよ。潜水艦にやられた時、一番の死因は何だと思います。溺死《できし》なんです」

私は酒井の顔を見つめた。酒井の仕事の危険さが伝わったのだった。

5

「皆さん、右舷《うげん》にシンガポールが見えてきましたよ」

一週間後、トイレットから戻った水木洋子が、白衣の裾《すそ》を風にはためかせて、船室に駆け込んで来た。

どよめきが一斉に起きた。男たちが我先にと小さな船窓に齧《かじ》り付いた。本来なら甲板に走り出て、海風に吹かれながら陸地を眺めたいところだが、それは禁じられている。皆、黒紙をめくって小窓から覗いた。

「ああ、見える見える」と歓声が上がった。

「ようやく着いたか」

誰かが嘆息混じりに呟《つぶや》いた。危険な航海がやっと終わり、緑の陸地はすぐそこにある。誰もが安堵《あんど》の念を抱いたはずだった。

「ね、見えるでしょう？」

水木が得意げに繰り返した。白衣の袖《そで》も通さずに、肩に引っ掛けているだけだ。心の緩みが、誰にもあった。

「水木さん、もうシンガポールって言っちゃいけないんだよ。昭南特別市だ」

水木に注意した者がいる。

「すみません、そうでした」水木は拳《こぶし》で自分の頭をこつりと打ってみせた。「でも、ここだけの話、やっぱりシンガポールと言わないと、気分が出ませんね」

全員、爆笑した。事務長の酒井が率直に真実を話す時の枕言葉《まくら》、「ここだけの話」という語が、船室内で密《ひそ》かに流行《はや》っていた。禁止事項だらけの船旅に誰もが飽いていたのだろう。

中央公論社の黒田が、水木を擁護した。

「水木さんの言う通りだよ。急に昭南特別市って言われても、ピンとこないよ」

シンガポールは、昭和十七年二月に陥落した。現在は軍政下にあり、昭南特別市という名称に変わった。街は戦争の傷跡から復興しつつあり、たいそう賑《にぎ》やからしい。石油、綿製品、ゴム製品、革製品などが豊富にあるという。日本で不足している物資がたくさんあると聞くだけで、心が躍った。南方という語への浮き立つ思いは、内地にはない豊かさへの憧憬《しょうけい》からも発している。それほど貧しくなった内地から、私たちは出立したのだ。

「ここだけの話、揺れない地面に立てると思うとほっとするよ」

誰かが伸びをして言った。

「俺は新鮮な肉や野菜が食べたい。ここだけの話、蓮《はす》の煮付けには飽き飽きした」

「美味《うま》いマレー料理が食いたいね」

「冷たいビールとさ」

「支那《しな》料理も美味いと聞いたぞ」

「全部食べたい。航海の反動だ。いや、ここだけの話、偽装の反動である」

「僕はここだけの話、少佐殿の点呼がなくてほっとするね」

誰が言ったのかわからないが、急に密かな笑い声が哄笑《こうしょう》に変わった。だが、声高に注意する者がいる。

「おい、不謹慎だぞ。戦時中なんだから仕方ないだろう」

「そうは言っても、ここだけの話、俺は軍人ではないからな」

笑い声が広がり、そうだそうだ、という声が高くなった。

赤道が近付くにつれ、蒸し暑さは日毎《ひごと》に増した。日中は暑さに耐えられず、ごろごろと畳に転がるだけだった男たちも、昭南が見えた途端、元気になって話を弾ませている。病院船に偽装までして南シナ海を渡って来させられたのだ。敵潜水艦の脅威が去った喜びと安堵は、殊《こと》の外《ほか》大きかった。雑談に加わらず、上陸に備えて荷物の整理を始めた、気の早い者もいる。

「ここだけの話ですけど、あたしは汚い白衣を着なくて済んで嬉しい」

美川きよが厭《いと》わしそうに眉《まゆ》を顰《ひそ》めて呟いたので、女たちは顔を見合わせて笑った。

男女共用の、薄汚くなった白衣を羽織ってトイレットに行くのが、つくづく嫌なのは皆同じだった。しかし、その白衣を着て、私は何度も酒井と逢い引きしたのだった。私は腕枕で横たわり、船室の天井を眺めながら、そんなことを考えていた。

「林さん、まだ具合が悪いの？」

船窓から外を覗《のぞ》いていた水木が振り返り、心配そうに私を見た。何もしないのも目立つ。仲間の目が気になる私は、やっと起き上がって、丸い船窓から外を覗いた。遥《はる》か向こう、緑の濃い大地に、ひと際《きわ》高い白い建物が見えた。丁寧に作られた四角い箱のように見える。緑の大地、空の青、海の青、建物の白。その対比の鮮やかさに、私は息を呑《の》んだ。なかなか景色を見る気にならなかった癖に、思わず感想が口を衝《つ》いて出た。

「ああ、何て美しいんでしょう。あの色は、日本にはない色だわねえ」

「ええ、日本のどこよりも美しいわ。でも、その街が日本のものになったんですから、誇らしいわ」

水木が昂奮《こうふん》した様子で語った。水木の単純さに呆《あき》れたのか、窪川稲子がちらりと横目で見遣《みや》った。私は、夫が共産党員だった稲子に、この風物がどう見えているか聞いてみたかった。が、稲子は言質《げんち》を取られるのを常に怖《おそ》れているから、闊達《かったつ》に喋《しゃべ》る女ではなかった。

「林さん。あの白い建物は何かしらね。よく見るととても瀟洒《しょうしゃ》ですよ」

隣の船窓から覗いていた美川きよが私に尋ねた。

「あれはキャセイホテルでしょう。地上十六階建て。確か第二十五軍が接収しているはずですよ」

私たちの会話を聞いていたらしい、男の編集者が代わって答えてくれた。

「立派だなあ。さすが山下奉文《ともゆき》だ」と、浮き浮きした声で言う者がいる。

「林さん、私、ここでお別れなのが残念ですわ。ずっと林さんと旅行したいです」

水木洋子が感極まったらしく、私の肩に手を置いて囁《ささや》いた。私はジャワに向かい、水木洋子はビルマに行くことになっていた。

「本当に残念ね。ご一緒だったら楽しいのに」

私も万感の思いを込めて言った。十六日間に及ぶ船旅がとうとう終わろうとしている。若く活発な水木との別れも寂しいが、酒井との訣別《けつべつ》がすぐそこにきている。昭南到着を目前にして、私が心底喜べない理由がそこにあった。

酒井と私は、あれからいろいろな場所で、抱き合った。船内は常に人の目が光っているから、時間はない。しかし、船の事務長である酒井は、船の中にある様々な死角や隠れ場所を知っていた。私たちは、ボイラー室の陰で、船尾楼の物入れで、倉庫の中で、ほんの数秒口づけを交わしたり、たった十分で交わったり、熱く語ったりもした、白衣を着て。誰にも知られていないはずだが、思い出せば冷や汗が出るような大胆な行いをしてきたのだった。

「お手洗いに行くわ」

私が突然立ち上がったので、水木が目を丸くした。

「林さんはずっと具合が悪いのよ」

窪川稲子が口添えしたので、私はどきりとした。当てこすりか、真の心配か。窪川の様子を窺《うかが》ったが、窪川は本に目を落として、私の視線には気付かない様子だった。

白衣を羽織るのもそろそろ最後だと思いながら、船室の扉を開けた。上甲板には人影がない。昭南が近付いているから、平櫛少佐や船の乗員たちは、船橋楼に上がっているのだろう。

私は船尾楼に向かう振りをして、周囲を見回した。私の姿に気付いて、酒井が事務室から出て来てくれないかと微《かす》かな望みを抱いて。

昭南島の岬がさらに近付いて、建物群もはっきりと見えた。滴《したた》るような熱帯の緑に囲まれた白亜の街。あそこでは、何が待っているのだろう。私は禁じられていることも忘れて、しばし景色を眺めていた。私もまた、航海の終わりに、心が緩んでいる。

志かご丸は、昭南港に一泊した後、ジャワのバタビアに向けて出航すると聞いた。バタビアまで五日。その後は、また物資や人を乗せて日本に戻る。ここで別れたら、酒井とは二度と会うことはないだろう。

トイレットに入り、手を洗って外に出た。すると、無帽で白衣を着た酒井が立っていた。やはり、私が現れるのを待っていてくれたのだ。私は嬉《うれ》しさに心が躍った。なのに、違うことを言う。

「シンガポールが見えますね」

酒井が微笑《ほほえ》んだ。その頰に剃《そ》り残しの髯《ひげ》がぽつぽつとある。酒井の髯が擦《こす》れると痛かった。私は頰と頰が擦れた時の感触を思い出している。

「戦火でどうなったかわかりませんけれど、シンガポールは美しい街でしたよ」

酒井が優しく言った。

「もう会えないわね」

私の言葉に、酒井は首を振った。その悲しそうな顔付きを見て、私は意味もなくほっとするのだった。男の疵《きず》は男で癒《いや》すしかない。酒井には、私を永遠に恋うていてほしかった。私が謙太郎を恋うように。

「あなたとはもう一生会えないでしょうね」

私は酒井が悲しんでいるのを知って、わざと酷《むご》い言葉を投げ付けた。

「あなたは残酷だ」

酒井は俯《うつむ》く。

「だって、昭南でもご一緒できないんでしょう?」

私が拗《す》ねると、酒井は唇を嚙《か》んだ。

「外出できると思うのですが、まだわかりません。一応、これを」

酒井が小さく折り畳んだ紙を、私の手に握らせてくれた。開こうとすると、酒井が止めた。

「後で見てください。これから上陸まではごたごたしてるから、会えないかもしれません」

兵隊が一人、上甲板を歩いて来た。酒井が目配せしてトイレットに入った。私は立ち話をしていた風を装《よそお》って、自分の船室に戻った。

自分の荷物を整理しながら、酒井が渡してくれた紙片をそっと開いた。酒井の名前と大阪の住所が書いてあった。内地で会うことはないだろうと思ったが、わざわざ連絡先を書いてくれた酒井の心が愛《いと》おしかった。私は大好きなシェリーの詩集の間に挟んでおいた。

船室内の昂奮は続いていた。男たちが残った酒を全部飲もうと、酒盛りの準備をしている。

「おい、『ここだけの話』も呼んでやろうよ」

動悸《どうき》がした。酒井と仲のいい黒田が早速呼びに行ったが、上陸準備で忙しいと断られたと帰って来た。会いたいけれども、衆目の中で何もできないのは辛《つら》い。だから、私はほっとして畳に寝転び、次第に近付く酒井との別れを思って悲しくなっていた。

夕刻、船はゆっくりと緑の岬の奥深くにある昭南港に入って行った。だが、すぐには上陸できなかった。平櫛によると、憲兵隊による所持品検査と訓辞があるから、指示があるまで待て、と言う。

命ぜられた通り、各々《おのおの》荷物を前にして座って待っていると、昭南軍政監部から憲兵伍長《ごちょう》が部下を連れてやって来た。三十がらみの若禿《わかは》げの男だった。

「憲兵伍長の山田である。これより所持品検査を始める。それぞれリュックや鞄《かばん》からすべての携行品を出し、見やすいよう並べること。一番上に、旅行券を載せておくように」

折角荷造りしたのに、という小さな嘆息が聞こえたが、憲兵には逆らえない。私も衣類と本と洗面用具などをそれぞれ纏《まと》めて前に置いた。

男の編集者と記者から検査が始まった。旅行券と乗船者リストとを見比べながら、所持品を丁寧に検査している。メモが取り上げられたり、棄《す》てられたりした。

「あっ」

水木の番になり、水木が大きな声を上げた。

「これは何だ」

山田がメモ帳を水木の眼前に突き付けている。

「作品のための書き付けです」

「船の中の情景、と書いてあるではないか。禁止事項に違反」

廃棄、と山田が目の前で破り捨てた。次は私の番だった。私は何もメモを取っていない。堂々と待っていたが、本をぱらぱらめくっていた山田の手が止まった。一枚の紙が落ちる。酒井のくれた住所の紙だった。私ははっとして拾おうとしたが、山田がいち早く拾い上げて読んだ。

「酒井とは誰か」

「この船の事務長です。お世話になったので礼状を書こうと思い、住所を書いてくれるように、私が頼みました」

嘘《うそ》を言うと、山田が尋ねた。

「あなたも渡したのか?」

「いいえ」と首を横に振る。山田は疑わしげに私を眺めていた。おそらく、酒井も同じ質問をされるのだろう。

「乗員は誰にも住所氏名を教えてはならない」

廃棄、と山田は私の眼前で酒井の住所を破り捨てた。破った紙は、兵長が両手で拾い集めて紙袋に入れて回った。どこかで焼くなりして処分するのだろう。

山田が出て行った後、私は破られた紙の小さな欠片《かけら》を拾った。酒井と私とを繋《つな》ぐ唯《ゆい》一《いつ》の物。これは、すべてが終わったという暗示ではあるまいか。私は掌《てのひら》の上でしばらく迷っていたが、小さな紙片をふっと吹き飛ばした。

検査の後は、憲兵中尉《ちゆうい》の話があるから、船底に集まるように言われ、一同打ち揃《そろ》って船底に降りた。中尉の話が終わってから、やっと上陸だという。

中尉の話は、病院船と偽装した船で来たことを口外してはならぬ、口外した場合は命の保証もない、という脅しに近いものだった。出発前は平櫛、今度は憲兵中尉である。誰が口外するものか、と皆で頷《うなず》き合う。

夜十時頃、やっと上陸となった。港は、荷物の揚陸作業で、大勢の兵隊がうろうろしていた。

とうとう昭南の地を踏む。タラップを降りた途端、ぐらりと大地が揺れた。思わず手すりに摑《つか》まる。長い航海を終えて陸地を歩くと、陸地が揺れているような気がして、しばらくまっすぐには歩けないと聞いた。意識はしていなくても、船の揺れに体が合わせていたのだろう。そして、私の心も。

「林さん、元気で」

男の声が降ってきた。振り返ると、甲板から酒井が見下ろしている。

「僕は上陸禁止です。残念です」

あのメモのせいかもしれない。だが、声に出しては聞けなかった。

「そうですか。どうぞお元気でね」

私は微笑んで手を振った。

「ご無事を祈ってます」

私は背を向けて、ぐらぐら揺れる地面を踏みしめて歩き始めた。背中に酒井の熱い視線を感じる。

酒井との思い出は、すべて志かご丸に置いてきた。志かご丸が沈んだら、その時は泣くだろう。でも、新しい土地には新しい経験が待っている。私は振り向かなかった。

6

昭南特別市の最初の夜は、まるで捕虜収容所のような軍施設に泊まらされた。男女別棟で、私たちは男たちよりは少しましな建物の三階。仕切のない大きな板張りの部屋に集められ、蚊帳《かや》と一枚の毛布で、ただ眠るしかなかった。

街は兵隊でいっぱいで、ホテルも旅館も空いていないという。船から見えた白亜のキャセイホテルの威容と比較すると、惨《みじ》めとしか言いようのない旅の始まりだった。

皆で蚊帳を吊《つ》ろうと立ち上がった時、美川きよが弱音を吐いた。

「まるで囚人じゃないですか。せめて敷き布団《ぶとん》だけでも欲しいわ。こんなことが続くようじゃ、やっていけるかどうか自信がありませんよ」

美川は窮乏生活に慣れていないと見えて、途方に暮れた顔付きだった。

「大丈夫ですよ。今日だけ今日だけ」

水木洋子は根が楽天的なのか、平気な顔だ。

「布団があるだけ病院船の方がなんぼかましだったわね」

窪川稲子も、うんざり顔で蚊帳に出来た大きな穴に指を突っ込んでいる。

「あたしは船はもう嫌です。いつ撃沈されるかわからない恐怖は味わいたくないです」

水木が窪川に突っかかった。

「そんなこと言ったって、水木さん、帰る時はまた命懸けで、船に乗るっきゃないのよ」

「水木さん、飛行機がいいですよ。何とか無理を言って、朝日の飛行機に乗せて貰《もら》いましょう。凄《すご》い新鋭機が出来たそうじゃないですか」

美川が笑いながら言った。だが、読売新聞社派遣の水木は不安そうに首を振った。

「美川さんと林さんは朝日の特派だから大丈夫でしょうけど、あたしたちはきっと乗せて貰えませんよ」

新聞社はそれぞれ社機を保有していた。社有機の一番多いのが朝日新聞社で百機ほどあると聞いていた。次いで毎日、読売という順だ。朝日新聞社が圧倒的に保有数が多いのは、私が漢口一番乗りを果たして、購読者数を飛躍的に伸ばしたことと無関係ではない。晴れがましいような、空恐ろしいような不思議な心持ちがした。戦争の真実を見たいと意気込んで書いた物が、このような膨張を生むということが信じられないのだった。

「新鋭機って、Ａ二六のことですか？」

水木洋子が美川に尋ねた。そうそう、それですよ、と美川が頷く。

「Ａ二六」なら、私も知っていた。航続距離が飛躍的に長い新鋭機だそうだ。当初、計画だけあって頓挫《とんざ》していたが、陸軍が目を付けて製造を促したのだ。目下、二号機も製造中だという。陸軍は、パイロットごと朝日から借り受けているのだから、朝日新聞社派遣の私と美川きよは、確かにここの誰よりも新鋭機に乗れる確率は高い。

ちなみに「Ａ」とは朝日のイニシャル。「二六」は、皇紀二千六百年の記念事業の一環として製作されたからだと発表された。

「船で二週間以上かかるところが、Ａ二六なら、たったの一日。素晴らしいですわね」

美川が感に堪えない様子で言う。

「あなたたち、もう帰ることを考えているの？」

私の言葉に、美川がはっとしたように振り向いた。その美しい顔に、嫌悪《けんお》の色があるのを認めながらも、私は止めることができなかった。

「ここだって、屋根があるだけいいじゃないですか。私はもっと酷《ひど》いところで寝たから、全然平気よ。弾丸が飛んで来ないだけマシってもんですよ」

私はリュックサックを板の間に置いて、寄りかかった。懐《ふところ》から煙草《たばこ》を出してくわえ、マッチを探す。

「それは漢口従軍の時ですね」

窪川稲子も、煙草をくわえて冷静な口調で尋ねた。私は稲子の質問を無視した。

「前線に行けば、寝るところがあるだけでどんなに幸せ、と思ったか。だいたい、ご不浄はないし、井戸もないし、食べ物もないんですから。ずっと前に汲《く》んだ水を入れた、自分の水筒だけが命綱。その水が尽きたら、どんなに喉《のど》が渇いても誰も分けてくれないし、煮炊《にた》きもできない。死体が浮かぶ水だって飲まないと生きていけない。戦地はそういう場所なんですよ。皆さんの覚悟は、その程度なんですか」

私は喋《しゃべ》りながら昂奮《こうふん》して、思わず声高になった。皆、黙って目を伏せている。私は、ついつい余計なことまで言ってしまう自分に気付いて、唇を嚙《か》んだ。だが、恥ずかしいとは思わなかった。

上品で気位の高い女流作家たちに対する反感が心の底にある。彼女たちも、特別な経験をしてきた私と、最初から交わるのを避けている節があった。

実は、私は窪川稲子が苦手だった。常に微笑を湛《たた》えて、静かに控えている稲子。理由はよくわからなかった。文壇ではよく知っている間柄だし、昨年は一緒に満州へ慰問にも行った。しかも、貧しさという点で、私と稲子の境遇は似ていた。

稲子は、私より一歳年下の三十八歳。稲子の父親は、十八歳の時に十四歳の少女に稲子を産ませた。まるで、ままごとのような生活だったそうだが、不幸なことに母親は早く亡《な》くなり、稲子は無計画で幼い父親に振り回されるようにして育った。まだ小学生の時分から、キャラメル工場、支那《しな》そば屋、メリヤス工場に次々と働きに出された。関東大震災の翌年、資産家の跡取りと結婚してほっとしたのも束《つか》の間《ま》、夫の暴力に苦しめられ、長女を連れて離婚したという。窪川鶴次郎と結婚した後、小説を書くようになり、子供の時の体験を『キャラメル工場から』という小説に纏め、一躍、プロレタリア文学の第一人者となったのだった。

他方、私の母親は平仮名しか読めない無学な女で、あちこちに父親違いの子供を作って各地を放浪。二十歳も年下の義父と夫婦になり、私を連れて行商をしていたのである。私だとて、子供の頃からアンパンやら餅《もち》やらを売って、自分の小遣いは自分で稼いできた。

稲子と私の差異があるとしたら、私には母親、稲子には夫・窪川鶴次郎の存在が巨大、という点だろうか。が、私の母は私の真の庇護《ひご》者である。対して、窪川は次々と女に手を出して稲子を苦しめている。それは、よく新聞種になった。窪川が共産党員だったから、とかく揶揄《やゆ》の対象になったのである。窪川は稲子の夫、そしてプロレタリア文学の同志でありながら、稲子を根底から損なう者でもあったのだ。私の『放浪記』の連載が「女人藝術《にょにんげいじゅつ》」で始まったのが、昭和三年、二十四歳の時だった。奇《く》しくも、稲子の『キャラメル工場から』が、「プロレタリア藝術」に掲載されたのも同年である。プロレタリア文学が、プロレタリアによるプロレタリアのための文学だとしたら、私も稲子と同じ境遇ではあったのだ。ただ、『放浪記』は、爆発的に売れて一気に大金が入り、私がプロレタリアとは言えなくなってしまったのは皮肉だった。

そんなことを考えてぼんやりしていると、知ってか知らずか、稲子が微笑《ほほえ》んで言った。

「林さんが女流一番乗りをなさった時は、本当に肝が据わっている方だと感心しましたよ」

皆もしきりに頷いている。稲子が場を収めたのか、と私は少々不快だった。

「それはどうも」

私の素っ気ない礼を機に、皆白けたように黙った。

一度座り込むと、粘度の高い泥に摑まったように体が重い。早く蚊帳を吊って寝てしまいたかったが、長い航海の疲労が溜《た》まって、容易に動けなかった。

突然、若い女が三人、何ごとか叫びながら走り込んで来たので驚いた。女たちは、一番若い水木にしがみ付いて泣きだした。船底にいた若い女性たちらしい。

水木が困惑顔で尋ねた。

「いったいどうしたの」

「すみません。あたしたち、無事に着いて嬉《うれ》しいんです」

一人が泣き笑いをしながら、水木の肩に摑《つか》まり、ぽんぽんと飛び跳ねている。真っ先に私たちが上陸し、その後、船底の人々の番になったのだろう。

「いつ撃沈されるかと思うと、気が気じゃなくて怖かった」

三人とも、まるでヒステリーでも起こしたみたいに泣き喚《わめ》いている。若い女の爆発的な力に、木の床がみしみしと鳴った。水木が泣きじゃくる女たちの背中を、一人一人さすってやっている。

「もう大丈夫だから安心して」

稲子が同情した口調で言った。

「船底はさぞかし怖いでしょうね。沈没する時は閉じ込められたまま、溺《おぼ》れていくんですものね」

「救命具は船底の人の分までない」という酒井の言を思い出し、私たちは申し訳なくて下を向いた。が、船底組の女性たちは続々と入って来る。中には、お女郎さんらしき女たちもいる。殺風景な部屋に文句を言う者もおらず、一様にほっとした表情を隠さない。

「若いって面倒ね。生きる力が強いと、死の恐怖も強いのよ」

私は稲子に向かって呟《つぶや》き、空き缶の中に乱暴に灰を落とした。

「あら、林さんは死ぬのが怖くないの？」

稲子がさり気ない顔で聞き返す。

「怖いけど、戦地ですもの。仕方ないでしょう」

「さすがですね、林さん」稲子が嘆息して言葉を切った。「あなたにだけ言いますけどね。私は死ぬのが怖いわ。だって、子供が三人もいるんですもの。下の女の子はまだ十歳ですから、私が死ぬわけにいかないんですよ」

理由はわかっていたので、驚きはしなかった。三人の子供と女中。夫は放蕩《ほうとう》しているのだから、家計を支えているのは、稲子一人なのだった。

私は煙草を吸う手を止めて、稲子の美しい顔をしげしげと眺めた。目が大きく、鼻梁《びりょう》が高い。常に眼鏡を掛けているのは、端正な美貌《びぼう》を隠すためなのかもしれない。

私の視線を感じてか、稲子は照れ臭そうに眼鏡を外して、レンズに息を吹きかけ熱心に磨き始めた。癇性《かんしょう》らしく、きゅっきゅっと音を立ててレンズを拭《ふ》いている。

また、どやどやと若い女たちが入って来た。先に来て感激に咽《む》せている女たちを見て、自分たちも涙を浮かべながらしきりに喜び合っている。どの顔も無事に昭南の地を踏んだとて、晴れやかだった。稲子は、女たちを興味深そうに眺めてから、いきなり切り出した。

「林さん、私の家の話って、みんな面白くて仕方がないのでしょうね」

「そうかしら。どうして」

素知らぬ顔で聞き返したが、稲子の率直さに驚いていた。窪川鶴次郎の女関係は、誰もが知っている。特に、数年前は十九歳も年上の田村俊子《としこ》と恋愛沙汰《ざた》を起こした。苦楽を共にした夫に、面目を失わされている妻が、稲子なのだ。

稲子の明るい物言いの陰には何があるのだろうか。絶望の淵《ふち》に立つ者の、突き抜けた諦《あきら》めなのか。私は怖くて、稲子を正視できなかった。

「林さんもお聞きになりたいんでしょう。プロレタリア作家の私が、どうして戦地慰問や視察に来ているか、を」

稲子は、思想的には夫と同じく共産党に近いはず。私は思わず頷《うなず》いていた。

「いえね、こうでもしないと生きていけないんですのよ」

稲子は謎《なぞ》めいた言い方をした。私の煙草から、長くなった灰が膝《ひざ》に落ちた。私はゆっくりと払い除《の》けた。汚い木の床に煙草の灰が散らばる。

「どういう意味」

「今度ゆっくりお話ししますわよ」

稲子は唇の両端を引き上げて笑ってみせた。が、その切れ長の目は笑っていない。稲子が吐露する本心。稲子の急激な綻《ほころ》びもまた、長い航海の果ての心の緩みなのだろうか。私は何と答えていいかわからず、口を噤《つぐ》んだ。すると、稲子が反撃のように尋ねた。

「林さん、酒井さんと何かあった？」

鋭い。稲子には見透かされていると覚悟はしていたものの、はっきり口に出されると改めて衝撃があった。私は否定した。

「いいえ、寂しいから喋っていただけ」

稲子は微笑んで静かに頷いた。寂しい、という語に感応したのだろうと思ったのは、寝ようと目を閉じてからだった。

翌朝、鳥が鳴く声で目が覚めた。鳥は陸地にしかいない。洋上ではなく、無事に陸地にいる私。何て幸せなのだろう。私は多幸症のように、にこにこ笑いながら起きた。他の女たちにも笑いが目立つのは、同じ気持ちなのだろう。

部屋の大きな窓から、海沿いに建つキャセイホテルがはっきりと見えた。階段状の敷地に建つ、白い豪華な建物は、昭南が日本よりも遥《はる》かに豊かで、大金を投じて造られた街であることを示していた。この素敵な街が日本のものになったのだ。私の中で、密《ひそ》かに浮き立つものがある。が、これは夢ではないかと危ぶむ気持ちもあった。

ぐらりと床が揺れた。まだ船に乗っている感覚が続いている。酒井は今頃どうしているだろう。港の方向を眺めたが、山に隔てられて見えない。船上で出会ったからこそ、酒井と燃え上がったのだ。昭南だったら、酒井は魅力的に見えただろうか。まるでシーソーのように、片方が下がれば片方が上がる。今度は謙太郎と会いたくなってくる。

食事は下の階まで取りに行かねばならなかった。稲子は浮かぬ顔で本に目を落としている。急に稲子が哀れになり、私は声をかけた。

「窪川さん、ご飯に行きましょう」

「やめておくわ。どうせ美味《おい》しくないでしょうから」

稲子が首を振ると、周囲にいた若い女たちが少し嫌な顔をした。自分たちは不味《まず》かろうが美味《うま》かろうが、腹を満たしたくて仕方がない。何とお高い女だ、と思ったのだろう。

二階の食堂では、にこりともしないイギリス人捕虜が数人、大鍋《おおなべ》から汁を掬《すく》ったり、飯をよそったりしていた。さも嫌そうに機械的にやっているので、量に違いが出るし、不味く見えて仕方がなかった。

女たちは不快さを覚えている様子だったが、捕虜の不機嫌な体に気圧《けお》されて何も言えないのだった。しかし、男たちの中には、高慢なイギリス人を、このように使役できるのは皇軍の勝利のおかげだ、とはっきり言ったり、捕虜に対して不必要に威張る者もいた。それもまた不快だった。稲子はこの光景を見たくなかったのかもしれない。

飯碗《めしわん》に黄色い沢庵《たくあん》を載せて汁椀《しるわん》と一緒に持ち、部屋に戻って食べた。汁は、肉や野菜がごろごろ入った具沢山の豚汁風だったが、存外美味いのに驚いた。マレーは資源だけでなく、食べ物も豊富で美味い土地柄なのだろう。私は内地の貧しさを考えて憂《ゆう》鬱《うつ》になった。

英人捕虜たちの逞《たくま》しい肉体を思い出すと、顔が赤らむ。いや、惹《ひ》かれたのではない。ヨーロッパに遊んだ時の、圧倒された思いが蘇《よみがえ》ったせいだった。

パリでもロンドンでも、人々は堂々たる体躯《たいく》を持ち、まっすぐ前を向いて歩いていた。背の低い私は、底冷えのする石造りの街をせせこせこと歩き回り、時々嘆息しながら、建物の隙間《すきま》から覗《のぞ》く空を仰いだものだ。資源も何もない貧しい日本の象徴が、この私だと思いながら。

今、一階の食堂で、怒りと屈辱を露《あら》わにし続けている英人捕虜たちは、私の敗北の記憶を呼び覚ました。日本は、精神力だけで彼らに勝つことなどできるのだろうか。

しかし、とりあえずの勝利の成果は、ここ昭南にあった。私は飯碗を持ったまま、窓外を眺めた。小高い山の頂上に日章旗がはためいている。それが夢の中の出来事のように儚《はかな》く感じられてならなかった。

「あれは筑紫山っていうんですよ」

隅の方で、飯碗に顔を突っ込むようにして食べていた若い女が、舌っ足らずな口調で教えてくれた。派手な柄の着物からすると、お女郎さんの一人かもしれない。

「何で筑紫山なのかしら」

「第十八師団の牟田口《むたぐち》さんから付けられたって」

女は知識を自慢するような幼いところがあった。牟田口中将の師団が、福岡辺りで編成されたのだろうか。おおかたそんなところだろうと思ったが、興味のない私は敢《あ》えて聞かなかった。

「それと、もっと高い山があって、そっちは千代田山っていうんですよ。千代田城から付けたんだそうです。千代田山には、こんこんと水の湧《わ》くお池があって、そこに大きな神社を作ってるんだそうです」

おそらく、客にでも教わったのだろう。女ははしたなく、握った箸《はし》で山を指しながら、意気揚々と喋《しゃべ》っていた。私は女の甲高い声を聞きながら、むりやり日本の地名を付けるやり方に違和感を覚えていた。水木洋子ではないが、私の中では、シンガポールはシンガポールだった。

軍政地となって昭南と名を変えたのだから、欧州の植民地を解放する戦いのはずが、日本の植民地に作り替えただけだ、と非難されても仕方がないではないか。

「おはようございます。朝は凌《しの》ぎやすいので有難いですね」

第一公論社の下村亮一が、顔を出した。いつの間にか、糊《のり》の利《き》いた白いシャツとズボンを身に着けている。昭南到着第一日のために、大事に仕舞ってあったのだろう。

「涼しいのは朝だけでしょうけど、助かりますよね」

下村とほぼ同年の水木洋子が如才なく答えた。

「よくお寝《やす》みになれましたか」下村は女流作家たちの顔をひと渡り眺めて尋ねる。

「南京《ナンキン》虫は出ませんでしたか」

「嫌だわ、南京虫なんて。出たとしても気が付かないわよ。疲れて寝ちゃったもの」

水木洋子が下村を笑わせた。

「皆さんにお知らせに上がりました。午後、軍政監部の大久保中佐が会ってくださるそうです。黒田さん、馬場さんらが、今夜の宿を交渉しましょう、と仰《おつしや》ってます。どうぞよろしくお願いします」

下村は礼儀正しく挨拶《あいさつ》して帰って行った。皆で安堵《あんど》して顔を見合わせる。ともかく、ゆっくり風呂《ふろ》に浸《つ》かりたい、一人になれる寝床が欲しい、という願いでいっぱいである。だが、稲子は毛布にくるまって、空を眺め上げている。私は声をかけた。

「窪川さん、お腹空《なかす》かないの？ 結構美味しいわよ。あたしが貰《もら》って来てあげようか」

稲子が振り向いた。眼鏡を外して眠そうな顔をしていた。

「ありがとう。いいの。こうやって青空見てるわ。とっても綺麗《きれい》だから」

南国の光は強く、朝からすべてを照り輝かせている。筑紫山の日章旗も、鏡面のような青い海も、白いキャセイホテルも。

「林さん、これから何が待ってるのかしら。あんまり綺麗なところだと逆に怖くない？」

水木洋子が親しげに私の二の腕を取った。何もかもがうまくいっている危うさを、水木も感じ取っているのだろう。

「前線には絶対に行かせないだろうから、大丈夫よ」

私は水木を慰めた後、九月に渡された「南方派遣指導要領」を荷物から取り出して目を通した。

「新聞、雑誌記者、女流作家　南方派遣指導要領」　陸軍省報道部

方針

一、大東亜戦争一周年記念日ニ方《あた》リ対内宣伝資料ヲ収集セシム

二、現地ニ於《お》テ主トシテ左記事項ニツキ見学セシム

1、戦跡ノ見学

2、軍司令官、軍参謀、司政長官、司政官、現地要人トノ会見

3、軍政浸透状況ノ視察

三、現地ニ於ケル行動ノ細部ハ現地軍ニ計画ヲ依嘱ス

この要領によれば、私たち南方に派遣された者の仕事は、戦跡の見学、要人との面

会、軍政の視察の三点である。しかも、それらはすべて、軍部によって「指導」されるのだった。不意に、「筑紫山」「千代田山」という名詞が浮かんだ。軍政地や民政地の日本語化のため、作家や記者が徴用されている、と実感する。

四年前の漢口一番乗りの時とは、まったく状況が違ってきていた。あの時の私は、文字通り血を噴いていた。誰よりも早く戦争のすべてを見てやるのだ、何もかもを書き付けてやるのだ、と息が切れるほどに猛《たけ》っていた。次々と生まれる言葉は常に沸き立ち、体内を巡っていた。その戦《おのの》きを誰かに伝えたくても伝えられないもどかしさ。すべての命が愛《いと》おしい反面、死さえも甘美に感じられる恐怖と歓喜。まさに、生きている実感だった。

だが、今はどうだ。私は陸軍報道部の言いなりになって、現地軍政監部による、お膳《ぜん》立《だ》てされた視察をし、お仕着せの文章を書こうとしているのだ。こんなことのために、わざわざ偽装病院船に乗ってまで南シナ海を渡って来たのか。私は作家ではなかったのか。私は急に自分の役割の愚劣さを感じて、すべてを振り捨てて、どこかに彷徨《さまよ》い出たくなっているのだった。

ふと視線を感じて顔を上げると、横たわった稲子が私を凝視していた。私が話しかけようとすると、稲子は何も言わずに視線を逸《そ》らしてしまった。

昼食後、八階建てのフラトンビルにある昭南軍政監部に全員で出向いた。軍政監部は人が多かった。日本人兵士だけでなく、マレー人のボーイや、事務方らしい派手な身形《みなり》の若い邦人女性の姿もあった。そして、誰もが回遊魚のように、廊下をぐるぐると歩き回っていた。

「ラジオ局みたいなところですね」

水木が囁《ささや》く。

「どこが」

「何のためにいるのかわからない人だらけ、ってところがです」

水木の言に、女たちは誰にも気付かれないようにくすりと笑った。誰もが、軍政監部に流れる倨傲《きよごう》を感じ取っていた。

「早いお出ましですな」

大久保中佐は、いかにも美味い物を食い付けているような、太った色白の男だった。山下奉文を真似《まね》たのか、うっすら口髭《くちひげ》を生やしている。だが、手堅そうな眼差しが、兵児帯《へこおび》の似合う番頭を思い起こさせたりもするのだった。大久保中佐の隣に、同じく小太りの平櫛少佐が控えている様は、西洋漫才のようだ。

大久保中佐の話は、例によって訓辞から始まった。

「諸君、昭南特別市、軍政監部にようこそおいでくださった。南方への航海は、皇軍の活躍を知るという意味で、さぞかし、有意義かつ心躍るものであったことでしょう。諸君がはるばると渡ってきた海原は、すべて皇軍が敵の脅威を排除した後の日本の海域であります。昭和十六年十二月八日、我が軍は、マレー半島東海岸、コタバル、パタニ、シンゴラの三カ所に敵前上陸を果たしました。以後、三方向から破竹の勢いで南下し、紀元節を迎える前にシンガポールを総攻撃。そして、本年二月十五日、敵将パーシヴァルを降伏させたのであります。

諸君、言わずもがな、とお怒りになられるな。マレー半島の大きさをご存じか。徴用された報道班員の中には、ここは伊豆半島と同じくらいですか？　と質問をした間抜けもいると聞いた。馬鹿《ばか》を言っちゃいけない。九州、四国、北海道を合わせたほどの大きさはあります。故《ゆえ》に皇軍の進撃路は何と一千百キロにも及んでおります。道なき道を行き、ジャングルや湿地帯を飲まず食わずで切り開き、時には胸まで水に沈みながら砲身を運び、敵が落とした橋梁《きようりよう》を人力で支え上げて戦車を通し、二カ月でジョホールバルまで南進したのであります。この皇軍の雄々しさ、日本人の精神の美しさを諸君に是非知らしめて貰いたい。諸君はそのために軍政監部に来たと言っても過言ではない。

確かに、諸君は正式に徴用された報道班員ではない。だが、徴用と同等である、という意識は高く持つように願います。よく言われているように、徴用には懲罰的な意味合いもなくはない。それを応用されている不心得者も、確かにおります。戦争は甘くない。国家の非常時に当たって、文士は甘っちょろい恋愛など書いている場合ではないということを肝に銘じて頂きたいものであります。ことに、女流作家の諸君には、特別に申し上げたいことがある。諸君は、南方共栄圏の新生活を婦人の目で見て、その素晴らしさを諸君の筆で、内地に伝えて頂きたいと思うのです。また、兵隊の苦労を内地で待つ家族に知らせて頂きたい。そうすれば兵隊が内地を思う気持ちが、少しでも伝わるのではないかと考える次第であります」

名調子で続く大久保の話を聞きながら、私はどこかにうすら寒さも感じていた。「徴用は懲用」。その語は本当だったのだ。昭南には、大勢の作家や絵描き、カメラマン、放送局員らが徴用で蝟集《いしゅう》していると聞いた。知り合いも何人か来ているだろうから、街で誰かに会えたら、様子を聞いてみようと思う。

「ひとつ質問がございますの。よろしいでしょうか」

上品な口調で、美川きよが尋ねた。大久保中佐が慌《あわ》てて平櫛に何か聞いている。美川きよの名前と顔が一致しなかったと見える。

「私はジャワに派遣されることになっておりますが、こういうところを見たい、とこちらから申し上げてもよろしいのでしょうか」

「例えばどういうところですか」

大久保の小さな目に怒りが宿ったように見えた。

「具体的にはありません。つまり、現地の婦人がどんな暮らしをしているのか、とかですが。そういう現地の方の暮らしの実態を見たいと思っていますの」

「ならぬ」大久保が一喝したので、一同は驚いた。「諸君は物見遊山《ゆさん》で来たのではない。すべて諸君の視察場所は現地軍が企画します。諸君はそれに従うように」

「わかりました」

美川きよが固い口調で答えて、会見は終わった。

その後、平櫛少佐との、宿舎の交渉は恙無《つつがな》く終わった。私と美川きよの朝日新聞組は、支局の貴賓室に滞在することになり、窪川稲子は、中央公論社の黒田や、毎日新聞の馬場秀夫と共に、毎日の支局に世話を頼むことになったという。水木洋子は、しばらく昭南滞在の後、ビルマに発《た》つと聞いた。偽装船の仲間とも、遂《つい》に離ればなれになるのだ。

帰ろうとすると、大久保中佐が私と稲子を呼び止めた。美川きよに言い渡した時とは逆に、愛想がよかった。

「林さんはジャワ視察組だそうですね。ジャワに渡る前に、窪川さんとマレー半島の激戦地を視察しませんか」

私は大久保の怒りを怖《おそ》れながら、答えた。

「はあ。でも、頂いた行動要領には、速やかに配当地域に、とありましたが、よろしいんですか」

大久保は白い大きな歯を見せて笑うのだった。

「急ぐ旅じゃないでしょう。要領にはこうも書いてありませんか。現地軍の斡旋《あっせん》により、と。だから、斡旋しましょう。林さんと窪川さんには、特別に人を付けます。是非とも丹念に視察して、マレーでの皇軍の活躍を書いて頂きたい」

「中佐、マレー組の私はともかく、林さんがいらっしゃるのはなぜですの」

稲子が柔らかく微笑《ほほえ》んで尋ねる。稲子の微笑みは独特で、誰もが穏やかな心持ちになるのだった。大久保が短い頭髪に手で触れた。

「いや、特に理由はありません。林さんや窪川さんは、大物女流作家だと聞いておりますので、なるべく戦地を見て、書いて頂きたいだけであります」

詳細は平櫛が引き取った。すでに相談してあったのか、手の中のメモを見ながら言う。

「お二人をご案内したい場所は、バトパハ、マラッカ、セレンバン、イポー、ペナン、アロースター。いずれも、皇軍が激戦の後に占拠してきた基地であります。滞りなく、無事に視察が終わるように、私もお供しますし、専属の運転手と通訳、従卒を付けます。いかがですか」

私と稲子は互いに見つめ合った。何と答えていいのか、わからなかった。敢《あ》えて断る理由を見付けることはできなかったし、命令ならば行かなければならないとも思う。私の戸惑いは、大久保の豹変《ひょうへん》にあった。

「わかりました。是非、視察したいと存じます」

私が承知すると、平櫛が満足そうに微笑んだ。

軍政監部を出て、全員で賑《にぎ》やかな海岸近くのジャランブサールを歩いた。朝日も毎日の支局も、近くにあるという。無言で歩いていた稲子が突然立ち止まった。思い詰めた顔で私の腕を摑《つか》む。

「ねえ、林さん。あなた、何か軍部に睨《にら》まれるようなことしたの？　誰にも言わないから、私には正直に言ってちょうだいね」

何のことかわからず、私は往来に立ち竦《すく》んだ。稲子は額に汗を滲《にじ》ませながら、何と続けようかと迷っている風に、ふらふらと揺れていた。稲子は私の戸惑いに気付いて、大声を上げた。

「あら、ごめんなさい。こんなこといきなり言ったら、びっくりするわよね。あなたは立派な従軍作家でしたものね」

私は一瞬息を呑《の》んだ。が、稲子が厭味《いやみ》など言える人間ではないことを知っていた。

「でも、あなたの満州ルポは、当局から文句が出たんでしょう？」

「ええ、『凍れる大地』というタイトルが満州のイメージを損なう、と注意を受けたわ。でも、それだけよ。あなた、なぜそんなに気にするの」

「あたしが当局に睨まれた作家だからよ。そんな私と一緒にされたから、あなたにも何かあるんじゃないかと心配になっちゃった」

稲子が小さな声で言う。

「あなたは去年、私と戦地慰問に行ったじゃない。だから、もうそんな睨まれているなんて心配することはないんじゃやなくて？」

稲子は高らかに笑った。

「つまり、私はすでに当局の覚え目出度《めでた》いってこと？」

嘲笑《ちょうしょう》にも聞こえて、私は誰か聞いていないかと凍り付いた。先ほど、大久保中佐が洩《も》らした言葉が蘇《よみがえ》る。

『徴用には懲罰的な意味合いもなくはない。それを応用されている不心得者も、確かにおります』

わざわざ大久保が口にしたということは、徴用に準じて召集された我々の中にも、懲罰的な立場で派遣された者がいるという意味かもしれない。それが窪川稲子だとしても、誰も驚かないだろう。

「私は戦地慰問しても、こうやって南方に派遣されて来ても、一度も許されてないわよ。ずっと睨まれ続けている。軍部は、私の尻尾《しっぽ》を摑もうと躍起なのよ。しかも、私には利用価値がある。わかるでしょう？　夫が党員だったからよ。党員の妻で、共産党シンパで、プロレタリア作家の私が従軍する。それが、軍のプロパガンダになる。陸軍報道部にとって、こんないいことはないわ。だから利用されているのよ」

「利用されると知って、なぜあなたは来たの」

稲子は言葉を探しているのか、唇を嚙《か》んだ。まだ話す時期ではないと判断したのだろう。私は問いを変えた。

「じゃ、どうして私もあなたと同じだと思ったのか、理由を聞かせて」

次第に苛立《いらだ》ちが募ってきた。稲子の危惧《きぐ》は、大きな的外れと感じたからに他ならい。何と言っても、私は、昭和十二年には南京女流一番乗りを果たし、翌年の昭和十三年は漢口一番乗り。『放浪記』は事実上の発禁にはなっているものの、軍部に睨まれる理由など何もないのだ。

「理由はわからないわ。でも、あなたは私と一緒の監視対象になっていると思う。だから、二人でマレー視察に出されるんだわ。きっと間者《かんじゃ》が付いて来るわよ。大久保は、私とあなたの尻尾を摑もうとしている」

間者とは大時代な。私は、稲子の被害妄想に呆《あき》れた。

「では、あなたの尻尾って何」

稲子はそれきり、口を噤《つぐ》んだ。

「言えないわ」

「では、私の尻尾って何。弱みがあるってこと？　おあいにく様。私には尻尾なんかありませんよーだ」

私は稲子の心配が可笑《おか》しくなった。まったくの杞憂《きゆう》だ。が、稲子は戸惑い顔で、丸い顎《あご》に手を当てた。

稲子はいったい何が言いたいのだろう。いい加減にしてほしい。私は顔を上げて大通りを眺めた。

戦時中とは思えない南国の光景。陽光で白く見える広い海岸通りは、洒落《しゃれ》たショウウィンドウが遥《はる》か遠くまで並んで、きらきら煌《きら》めいている。美しく飾られているのは、すでに日本では見られなくなった商品だった。色とりどりの夏服、本物の革で出来た鞄《かばん》や靴、金の首飾りに腕輪。万年筆などの筆記具。上等で美しい皿、シーツ、カーテン、クッション、石鹼《せっけん》、香水。そして豊富な布や毛糸。内地では、毛糸さえ払底《ふってい》していたのだ。古いセーターをほぐして、縮んだ毛糸を蒸気で伸ばし、女たちは何度も編み返していた。

店員のほとんどは印度人や華僑《かきょう》だった。皆、通りに出て、日本人と見ると駆け寄って気を惹《ひ》こうとする。買い物に興じて、通りを徘徊《はいかい》しているのは日本人ばかりだった。あちこちにある工事現場では、半裸の英人捕虜が作業しながら、その様子を嘲《あざけ》るがごとく見物している。

「ねえねえ、見てちょうだい。あの白いブラウス、素敵じゃないこと」

水木と美川が声を上げて、洋装店のウィンドウを覗《のぞ》き込んだ。襟に清楚《せいそ》なレースをあしらった綿のブラウスが飾られていた。私は稲子を残して二人の側《そば》に行き、嬉《うれ》しくなった。

「まあ、その横にある革靴も素敵。入ってみましょうよ」

私たちはその店で、それぞれに涼しげな麻のドレスや、旅行に便利そうな綿製のズボン、上等なハンカチなどを買った。私は肩に掛けられる赤革の鞄も買った。どれも十円程度で驚くほど安い。

稲子も遅れて店に入って来たが、ピンクの子供用ドレスを手に取ったきり、俯《うつむ》いていた。娘のことでも思い出しているのかもしれない。その悄然《しょうぜん》とした姿は、私の胸にいつまでも残った。そして、稲子は何を心配しているのだろう、と気になって仕方がなかった。

その夜、稲子と「時局情報」編集長の馬場秀夫、中央公論社の黒田秀俊らは、馬場と入れ替わりに東京に帰る、若松宗一郎《そういちろう》の歓送会に出席するという。私と毎日新聞の仲は依然よくないから、誘われもしない。私と美川きよは、港に近い朝日新聞支局に向かった。支局の貴賓室にしばらく泊めて貰《もら》うことになっていた。もっとも、私は六日後に稲子とマレー半島視察の旅に出るから、せっかくの貴賓室滞在もそう長くはない。

支局に着くと、朝日総支局長の千葉氏が出迎えてくれた。千葉氏は本社で会ったこともあるので、昭南の様子など立ち話をする。明日、数人で戦跡を見物すると言うと、通訳として徴用されている元貿易商を付けてくれるというので助かった。

ついでに言えば、私はその元貿易商氏から、昭南の広場には大勢の殺された華僑が埋まっている、という怖ろしい話を聞いたのだった。

部屋に入って旅装を解いた。ほっとするとともに、疲労がじわりと足腰を痺《しび》れさせる。私はベッドに横になって、クッションの上に足を載せた。そして、そのまま三十分ほど寝入ってしまった。

「ミセスハヤシ、ミセスハヤシ」

ドアがしきりとノックされている。慌《あわ》てて起き上がり、ドアを開けるとマレー人の少年給仕が立っていた。「マスジイブセ」という名の客人が来ている、という。

井伏鱒二《ますじ》が来てくれたのだ。私は驚いて受付に駆けて行った。白いシャツ、白いズボン、パナマ帽を手にした太り肉《じし》の中年男が立っていた。まるでタイあたりの人に見える、穏やかな風貌《ふうぼう》である。

「井伏さん」

私の声に、井伏は陽に灼《や》けた丸顔を綻《ほころ》ばせた。

「林さん、ようこそ」

井伏は私の五歳年上。昨年の十一月、報道班員として陸軍に徴用された。十二月八日、マレーに向けて香港《ホンコン》沖を航行中に大東亜戦争開戦の報を知ったという挿話は有名だった。だから、井伏鱒二は、マレー侵攻作戦に現地で立ち会った稀《まれ》な作家なのだ。昭南タイムズという英字新聞の編集長を務め、日本語学校にも関係していた、と記者たちから聞いたばかりだった。

「井伏さん、まだ昭南にいらしたのですか。まさかここでお目にかかれるとは思いませんでした」

井伏は面映ゆそうに笑った。

「四十四歳の老兵ですからね、やっと徴用免除になってほっとしてます。二十二日に帰国しますので、最後にお目にかかれてよかったです」

井伏は、私と美川きよを「南天楼」という支那《しな》料理の店に誘ってくれた。美川きよを呼びに行くと、美川は疲れた顔で現れた。

「井伏鱒二さんがいらしたんだけど、どうします」

美川は申し訳なさそうに断った。

「悪いけど、あたくしは疲れたので、休みますね」

「お大事に」

私が去ろうとすると、美川が気弱そうな風情《ふぜい》で呼び止めた。

「林さん、あなた窪川さんとマレーにいらっしゃると聞いたけど、ジャワではよろしくね」

「勿論《もちろん》ですよ、こちらこそ」

「あたくし、さっきの大久保中佐に怒鳴られたことが結構こたえてるの。今度の派遣を甘く考えていたわけではないけど、あれでは軍の言いなりってことよね。あんなに強圧的だと不快だわ」

「大久保さんは、昭南が成功しているから高飛車なんでしょう。他の地域はどんな人が指揮しているかわからないから、気にせずにやり遂げましょう」

私が慰めると、美川はやっと微笑《ほほえ》んでドアを閉めた。

受付では、井伏が知り合いの記者連中と話し込んでいた。帰国までの一週間、歓送会の予定がぎっしり埋まっているという。

南天楼は、中華街にある大きな料理屋だった。日本人が多く、中には、軍政監部で見かけたような若い邦人女性を連れている軍人もいる。

井伏は慣れた様子で、料理を注文し、冷えたビールを頼んだ。私が煙草《たばこ》を吸うと、支那人の給仕が驚いた顔をした。

「昭南はどうですか」

井伏が眼鏡の奥の目を和ませて私に聞いた。

「着いたばかりでよくわかりませんが、綺麗《きれい》で豊かな街と思います」

「僕は前線を後から追っかけて入りましたから、落城の翌日にシンガポール入りしました。二月十七日に昭南と改まりましたから、まさにミスター昭南ですよ」

井伏は円満な人柄を感じさせる笑い方をした。

「林さん、内地はどうなってますか」

私は物資が乏しくなった寂しい状況を説明した。井伏はビールを空けながら黙って聞いていた。

「さっき海岸通りのお店に行ったら、何でもあるので感激しました。内地には毛糸も革製品も、万年筆もライターの石も、ちょっとした物がなくなりました。輸入品が入らないので、本当に困っています。お帰りになったら、豊かな昭南とあまりに違う生活にびっくりされますよ」

「ウィスキーもないですか」

「見ないですね。何でも代用代用で我慢しています」

「ここは何でもありますよ。ビール、シャンパン、葡萄酒《ぶどうしゅ》、ウィスキー。輸送船に乗る前に全部呑《の》んで帰ろうかな」井伏はそう言って破顔した。

「ところで、林さん、こっちの事情で何かお知りになりたいことはありますか？」

私は、今日大久保中佐から「徴用は懲用」と言われたことを尋ねた。

「その答えになっているかどうかわかりませんが、言動には注意された方がいいでしよう。まあ、当たり前のことですが」井伏はこう前置きしてから声を潜めた。「僕らは第一回の徴用組ですから、何もかもが初めてで、報道部も僕らもどうしていいかわからないところがありました。僕らの輸送船にはスパイが二人乗ってましてね。そいつらが、僕らの言動をしっかりメモしていた。それは『大阪集結以来、徴員に関する行状』という名の密告書だったそうです。あらゆることが書いてあった模様です。例えば、輸送船の中で、強引な輸送指揮官がいた。僕らは『髭《ひげ》』とあだ名を付けていたのですが、その『髭』がこう言った。『ぐずぐず言う者はぶった斬るぞ』。そしたら、海音寺潮五郎《かいおんじちようごろう》が、『ぶった斬ってみろ』と言い返したのです。結局、海音寺はクアラルンプールに遣《や》られました。反軍思想の持ち主と決め付けられた塚本圀《くに》夫画伯もクアラルンプールの宣伝班へ。海音寺らのことを船中新聞の『南航ニュース』に面白可笑《おか》しく書いた小栗虫太郎《おぐりむしたろう》は、初めからクアラルンプールへ残された。中村地平も昭南からクアラルンプールへ転属、寺崎浩《ひろし》や橋本五郎はペナン島。ともかく報告書に書かれ、反軍思想と断じられた者は、まだ敵が潜んでいるかもしれないクアラルンプールやペナン島などの危険な場所に留め置かれたのです。だから、悪いレッテルを貼《は》られないよう、気を付けた方がいい。もっとも林さんは大丈夫でしょうし、女性にはそんなことはしないと思うが、何ごとも用心に越したことはありません」

私は、窪川稲子の危惧《きぐ》についても相談しようかと思ったが、徴用が終わって帰る人に言っても余計な心配をかけるだけだ、とやめにした。しかし、井伏との食事は楽しく、東京での再会を約して別れたのだった。

十八日、私と美川きよは朝日支局の記者に取材されて、写真を撮られた。顔写真入りで、翌日の朝刊に出るのだという。少なくとも、留守宅ではそれを見て安心することだろう。談話は私ばかり聞かれたので、美川きよは固い表情をしていた。

五日後、約束通り、早朝から朝日の支局に車が迎えに来た。六人乗りの乗用車で、同行者は窪川稲子、平櫛少佐。案内人として、東少尉《あずましょうい》という男が付いて来た。運転手は、印度人の中年男である。

稲子は、薄茶色の上着とスカートに白い帽子というすっきりした身形《みなり》をしていた。私に手を挙げて挨拶《あいさつ》した後、車内では何も言わなかった。最初に訪問した激戦地跡で車を降りて歩いている時、稲子がやっと私に話しかけた。

「林さん、お元気でした？」

稲子はちらりと平櫛らを窺《うかが》った。平櫛と東は私たちに説明したいらしく、碑の前に立って待っていた。私は、赤土が白い靴に付着したのを払う仕種《しぐさ》をした。

「毎日の若松さんが怖いことを仰《おつしや》ってたわ。日本は南方地域を制圧したと威張っているけど、たかが植民地軍を撃破しただけだ、と。本当の米英との大戦争に対する認識を欠いているんじゃないかってね」

そうかもしれない。私が英人捕虜を見て感じたことを誰もが思っているのだろう。だが、もう止められない。稲子も私も、戦いのレールの上を突き進まされているのだ。

「私たち、あの若い少尉に見張られていると思いますから、旅行中はあまり話さないようにしましょうね」

稲子が囁《ささや》いた。東少尉は間延びした顔の、特に危険なところもなさそうな男だった。私が半信半疑でいると、稲子は私の目を覗《のぞ》き込んだ。

「あなたは実感がないみたいだから、あなたにだけ私の『尻尾《しつぽ》』を教えてあげるわね。命に関わるから誰にも言わないでね。私は党員だったし、今でも心はそうなのよ」

稲子はそう言うなり、私から離れて行った。旅行中、稲子が本音らしきことを言ったのは、それが最初で最後だった。

第三章　闍婆《ジャワ》

I

昭和十八年六月二十四日

早朝、突然の轟音《ごうおん》に、爆撃と思って飛び起きた。雷とわかってほっとしたものの、なかなか鳴りやまないので怖くなる。銀座の帰りにも、雷に遭って空襲かと思ったのだった。私は、雷にも震えるほど、戦争に倦《う》んでいる。災いの予兆に怯《おび》えているのだ。近くに落雷したらしい。張り裂けるような音と共に、振動が伝わる。数年前、坂上の邸宅に落雷して、火事になったことを思うと、次はうちじゃないかと気が気ではない。

謙太郎が赴任先のロンドンで、空襲に怯えたという話を思い出した。石造りの街は、火災よりも生き埋めが怖いという。

謙太郎が、毎日新聞の駐在員としてロンドンに赴任したのは、昭和十四年秋のことだ。ちょうど一年後にロンドンは、夜毎《よごと》、ドイツ軍による激しい空襲を受けた。謙太郎の下宿のすぐ近くに爆弾が落ちて、着の身着のまま、近くの地下鉄駅まで逃げたという話を聞いたこともあった。

その後すぐ帰国し、日本にたった一年いたのみで、またニューヨークに転任。そして、日米開戦。半年余りで交換船で帰国。南方で私と束の間《つかま》会い、今年は、作家とは縁のない社会部副部長になったという謙太郎である。激動の世を、目まぐるしくあちこち動かされる謙太郎の心中を思うと、飲酒癖が度を越すようになったのも、何となく頷《うなず》けるのだった。

私は、寝間着の上から下腹を撫《な》でた。ここに、小さな命がある。注意深く撫でていると、掌《てのひら》にほんの微《かす》かな固い種子のようなものが感じられた。愛の種子？　そんなはずがなかった。

途端に、嗚咽《おえつ》が漏れそうになった。この子は私一人で何とか、産み育てなければならない。たとえ、世間が笑っても、緑敏が拒んでも。私は自分の決心の形を言葉でなぞった。そうでもしないと、明日をも知れない戦乱を生きている現在、心が挫《くじ》けてしまいそうだった。

窪川稲子と一週間かけてマレー半島を視察した後、予定通り、私は稲子と別行動を取ることになった。稲子はマレーに残り、私はジャワ・ボルネオに向かう。有名な小俣《おまた》飛行士の操縦する朝日の飛行機で、私がジャカルタに着いたのは、十二月十一日のことである。現地に先に入っていた美川きよに遅れること、十日ばかりだった。

ジャカルタで同宿し、一緒にスラバヤに向かうことになった美川は、私との再会を喜んで、握った手をいつまでも放さなかった。

「林さん、ご無事でよかった。また会えて嬉《うれ》しいわ」

美川は、ジャカルタで買ったという涼しげな夏物のワンピースを着ていた。白地に、小紋のような黄や緑の模様が散った、美しい服だった。

「お久しぶりね。お元気そうでよかった」

私も、偽装船の仲間の美川と再会したことが、殊《こと》の外《ほか》嬉しかった。美川は私の指を握ったまま、尋ねた。

「マレーはどうでしたの」

「よかったわよ。反日感情があるかなと思ったけど、みんな日本人に親切でね。特に子供が可愛《かわい》かったわ」

　私は当たり障《さわ》りのない話をした。美川を信用していないわけではなかったが、思いがけなく稲子の秘密を知ったことが、私の心に重くのしかかっていた。

『私は党員だったし、今でも心はそうなのよ』

　私がそのことを口外すれば、稲子の命が危ない。稲子はそんなことまで曝露《ばくろ》して、私にも尻尾《しっぽ》があることを注意したかったのだろう。しかし、マレーでは、東少尉《しょうい》の目が気になって、突っ込んだ話はできないまま別れてきたのだった。稲子は無事だろうか。私の心配をよそに、美川は誇らしげに言うのだった。

「ところで、林さん。私はまたも軍部に歯向かったのよ。自動車二台でジャワ全島を視察するから乗れ、と言われてね。でも、軍人の中に女の私がたった一人で視察なんて、息苦しいじゃないですか。だから、行きたいところに一人で行きたいと言ってやったの。そしたら、呆《あき》れたらしく、自由にしろ、と言われて、放ったらかし」

　美川は、ほほほ、と高らかに笑った。私は、美川を、たおやかで優しい女流作家だと思っていたから、意外だった。だが、スラバヤに着いてから、美川の啖呵《たんか》が命を救ったことがわかった。二台の車のうち、一台が崖下《がけした》に転落して二人の軍人が亡《な》くなったのだった。かように、私たちも命懸けの旅だった。

美川と言えば、こんなことを口にしたことがある。

「林さん、あなたがお留守の間、ご主人の緑敏さんのことは、どうなさるの」

美川の夫の鳥海青児《ちょうかいせいじ》は絵描きで、緑敏と同じ春陽会に属している。そのせいで、美川は最初から私に気安かったのだが、鳥海は緑敏とは比べものにならないほど、高名な絵描きだった。私は躊躇《ためら》いながら答えた。

「女中も母もいるから、身の回りは何とか大丈夫だと思うわ。手のかからない人だし」

「違う違う」と美川は手を振って笑った。「あなたが留守の間、緑敏さんの性の処理はどうするのって話ですよ」

「あら」と、私はあまりの露骨さに赤面した。美川はいたずらっぽく微笑《ほほえ》んで、煙草《たばこ》を長い指で挟んだ。

「他のご夫婦はどうしているのかしら、と思って聞いたのよ」

緑敏は、私の母とも仲がいいし、好んで秘書のようなこともしてくれる。留守宅の管理や事務処理では頼りになる男だった。

しかし、私が夫を男として見たことは絶えてない。緑敏と私は、長く寝室を別にしていた。謙太郎と激しい恋をしているせいである。それを知ってか知らずか、緑敏は素知らぬ顔で庭いじりをし、スクラップを作り、悠々と生きている。

　私の沈黙を、美川は羞恥《しゅうち》と受け止めたのだろう。

「うちは、どうぞ勝手にしてちょうだい、と言ってきたわ。だって、女房が自分の仕事で半年近くも留守にするんですから、夫に申し訳ないですものね」

　美川は、よほど同性の同国人と話したかったのだろう。煙草の煙を吐いてさらに言った。

「つくづく思いますよ、女は戦地に向いてないってね。あたし、つい半年前に北京《ペキン》で子を堕《おろ》したんですよ」

　私は驚いて美川の顔を見た。美川はそれが癖なのか、眉根《まゆね》を寄せて憂《うれ》い顔をした。

「今年の五月、戦地慰問で、蒙古《もうこ》に視察に行くことになったんですよ。ご存じない？　鳥海博文館からは、私と渡辺啓助《わたなべけいすけ》さんが行くことになったんです。迷ったんだけど、行ってみたら、作家は何でも見られるチャンスがある時に行くべきだ、と言うものだから、行ったんですよ。ところが、北京に着いたら具合が悪いの。気持ちが悪くて、しかも貧血でね。あらゆるところに駆け込んで吐いたわ。すぐ妊娠だとわかりました。でも、帰ることもできない。これでは死んでしまうと思って、軍の病院で堕胎してしまったの。男の子だった」

悲しい出来事だっただろうに、美川はさばさばと言った。まだ一度も妊娠したことのない私は、どんな顔をしていいのか、わからなかった。

「実を言うと、堕胎はそれで二度目だったんですよ。前にも一度あった。その時は、迷ったんだけど、鳥海がどうしても堕してくれって言うんで、仕方なくね。私には別の男との間に、男の子が一人いるのよ。その子に気兼ねしてくれたの。ね、鳥海って、いい男でしょう」

その子供とは、噂《うわさ》になった小島政二郎との間に出来た子なのだろう。美川が二人も子供を堕せるのは、鳥海との真の愛情生活を存分に生きているからだ。私は、自分の暗い迷いの正体を見たような気がした。

だから、私は美川きよとは逆に、腹の中の子供に固執しているのかもしれない。無事に生まれてちょうだい、育ってちょうだい、あたしが何とかするから、と私は何度も腹の中の子供に呼びかけた。

雷が遠のいていく。二度寝も果たせなかった私は、本でも読もうと枕元《まくらもと》の読書灯を点《つ》けた。が、今の落雷で停電した模様である。仕方なしに、暗い寝床に横たわったまま、激しい雨の音を聞いていた。

不意に、酒井は今頃、どの辺を航海しているのだろう、と久しぶりに思い出した。話の合う酒井に会って、謙太郎との一部始終を相談できたらどんなにいいだろう。しかし、酒井が優しかったのも、日本に女房や子供がいるからだろうと思ったら、馬鹿《ばか》臭くなって眠ってしまった。

起きたのは、遅かった。午前九時を回っている。明け方の雷など嘘《うそ》のように晴れていた。暑くなりそうな朝だ。私は額の汗を拭《ぬぐ》った。寝覚めが悪かった。

「奥様、おはようございます」

気配を察して、女中が襖《ふすま》の向こうから声をかけて来た。

「もう『日の出』の宮田さんがいらしてますが」

「嫌だわ」と、私は顔を顰《しか》めた。原稿を取りに来たのだった。が、締切は昨日だった。

「急いで書くから、ちょっと待ってって言っといて。お食事でも出してあげなさいよ」

「はい、もうお出ししました。奥様、お食事はどうなさいます」

「じゃ、お茶漬けでも食べながら書くから、水も一杯持って来て」

私は洗顔もせずに、気怠《けだる》い体を文机《ふづくえ》の前に置いた。妊娠のせいか、考えが纏《まと》まらなくて困る。

帰国してからというもの、原稿依頼が引きも切らなかった。それも、小説ではなく、皆、南方についての雑感や見聞録の依頼だった。

用紙難で消えてしまったが、文藝《ぶんげい》春秋社の、その名もずばり「現地報告」という月刊誌がよく売れていたとも聞いた。膨張する日本の領土と共に、彼の地の風物や、現地で暮らす日本人の様子を知りたいと願う人が増えている。知人や血縁者で南方に暮らす者が多くなった、ということもあろう。

しかし、出版社の、軍部に対する点数稼ぎもあるのではないかと思うのだった。そのため、次々と帰国する徴用作家は、皆、徴用された土地についてばかり書かされている。雑誌を開けば、「カウカレイ」、「スリヤン」、「クチン」などと、珍しい地名が躍っていた。

占領地は、すでに戦地ではない。軍紀が緩み、一攫千金《いっかくせんきん》を夢見る日本人ばかりが目立つ。欲望の渦巻く不思議な場所になっているのだ。徴用作家だとて、危険な前線になど行けないのだから、本当の戦争の姿は永遠にわからない。漢口一番乗りの頃の、前線の昂揚《こうよう》を知っている私は、大東亜戦争に突入して以来の、より困難な戦《いくさ》を思って溜息《ためいき》を吐《つ》いた。もはや、女の私や、何も知らない文士などが暢気《のんき》においそれと行けるような場所ではなくなっているはずだった。

「おば様、おはようございます」

返事をする前に書斎の障子ががらりと開いて、絵馬ちゃんが入って来た。茶漬けや、水の入ったコップ、梅干しの皿などが載った小盆を持っている。白い丸襟のブラウスに、灰色のズボンを穿《は》いている。兄弟の制服を直した物らしかった。が、格好は粗末でも、相変わらず輝くように美しかった。

「おはよう」

机に向かっている私は、絵馬ちゃんに腹を見られないよう、振り返らないで挨拶《あいさつ》した。

「おば様」

だが、絵馬ちゃんは、わざわざ机の横に来て、私の顔を覗《のぞ》き込んだ。

「お顔の色が悪いわ」

「朝、凄《すご》い雷鳴ったじゃない。あれで眠れなくなっちゃったのよ」

「みんなそう言うけど、あたし、あまり気付かなくて。ああ、どっかで雷鳴ってるなあって思ったけど」

鈍いのは若いせいか。私は絵馬ちゃんの青白く、血管が透けそうな薄い膚《はだ》を見つめる。絵馬ちゃんは微笑んで、私の顔を見つめ返した。

「顔洗ってないから見ないで」私の方が音《ね》を上げた。「今さ、原稿書かなきゃならないから、忙しいのよ」

絵馬ちゃんは笑って立ち上がり、開け放たれた障子の向こうの庭を眺めた。

「蚊が入りません？」と聞く。

「蚊遣《かや》りなんて、もうないんだろう？」

絵馬ちゃんは首を傾《かし》げた。

「聞いてきましょうか」

「それよっか、緑敏さんとこに行って、あたしの記事が載っている新聞のスクラップ借りて来て」

記事を頼りに記憶を呼び覚まし、「日の出」の随想を書こうと思ったのだ。

「畏《かしこ》まりました」

絵馬ちゃんが丁寧に言ったが、私は急に気が変わった。

「ああ、いいや。あたしが自分で行くわ。絵馬ちゃんは宮田さんのお相手しといてくれない」

絵馬ちゃんは嬉《うれ》しそうに頷《うなず》いた。賢くて、編集者の間で受けがいい絵馬ちゃんは、私の屈託に気付かないだろう。

私は、絵馬ちゃんがトルコ石の帯留めについて何も言わないことを気にしていた。「ひと晩借りる」と持って行ってから、すでに一週間以上経《た》っている。何気ない振りをして聞いてみようかどうしようか、悩ましかった。だから、貸したくなかったのだと後悔する。子供の時から可愛がっている絵馬ちゃんにならいつか上げても構わないのだが、気に入りの品だけに、惜しい気持ちは強かった。それに、上げるには上げるための儀式が必要だった。卒業とか、結婚とか。こんな時、私は絵馬ちゃんが何を考えているのか、心の中を覗きたくなる。私があれこれ考えるのを知って、焦《じ》らしているのかもしれない。

私は書斎を出て、離れの端にあるアトリエに行った。緑敏が脂気《あぶらけ》のない髪を額に垂らして、植物図鑑のような物を眺めていた。

「朝、雷鳴ったね」

夫は顔を上げずに言った。

「うん、爆弾みたいで怖かった」

私の言葉に、夫は初めて私を見た。が、虚《うつ》ろな眼差《まなざ》しは、私を透かして、その先の空を見ている。

「ねえ、私が南方に行っている間の、私の記事取ってあるでしょう」

夫はただ頷いたのみで、何も言わずに、戸棚を指差した。

スクラップブックは、年代別にきちんと整理されていた。見たかった記事については、「昭和十七年十月～十八年五月　南方従軍記」と書いてある。

「緑さん、あたしより題名付けるのうまいじゃないか」

私は苦笑して、一ページ目を開いた。糊《のり》の部分が黄色く変色しかかった記事が目に入る。

「『たゞ頭が下る』林、美川両女史ら昭南島へ

（昭南特電十八日発）大本営報道部主催の雑誌記者十三名ならびに女流作家五名の一行は十六日昭南港に無事上陸した。一行中の林芙美子さんと美川きよさんが、十八日午後ジヨホール水道の敵前渡過点および昭南島のブキテマの激戦地、フオード会社の両司令官会見の場所などを詳細に視察した。なほ両女史は南方の姿を才筆に乗せた印象記を本紙に寄せることとなつてゐる。美川女史は昭南、ジヤワに渡り、林女史は昭南からマレー、スマトラ、さらにビルマ、ジヤワを廻つて来年四月ごろ帰京の予定である

【林芙美子さんの話】昭南に着き激戦地を見るにつけ兵隊さんはえらい所を取つた、

大変な苦労だつたらうと強く胸を打たれた。戦死された兵隊さんに静かに黙禱《もくたう》を捧《ささ》げるばかりです　私は戦死された兵隊さんのことを主として書きたいと思ふ。女の眼で見た南の戦ひといふものを書きたいと思ふのです」

昭和十七年十一月十九日の朝日新聞に載った、私と美川きよの記事だ。昭南での三日目、朝日新聞昭南支局の記者が、私の談話を聞いて纏めたものだった。それも、ほとんどは大久保中佐の訓話の受け売りに近い。いかにも準徴用視察の始まりに相応《ふさわ》しい、内容のない談話だった。

「これ、しばらく借りていい？」

私はスクラップブックを掲げて、夫に聞いた。

「何に使うの」

夫は不機嫌な顔をして聞いた。自分が正確を期して整理した物を、私が損じるのではないかと気になるのだろう。

「旅行中メモも取れなかったからさ。思い出さなきゃ、原稿書けない」

「なるほど」

緑敏は納得したらしい。満足そうだった。私はスクラップブックを携えて書斎に戻った。敷きっ放しの布団《ふとん》の上にだらしなく横座りし、ぱらぱらと記事を眺める。眺めているうちに、スラバヤで「ビンタンスラバヤ」という有名歌劇団による踊りや歌を見たことを書こうと思い付き、やっと机に向かった。女優たちの美しい顔を思い出し、何とか升目を埋め始める。

戦争の悲惨や、占領地の苦労になどまったく触れない、単なる物見遊山《ゆさん》の原稿など、誰にでも書けるはずだった。だが、私は、謙太郎との喧嘩《けんか》や軍部との摩擦など、南方で心を痛めた様々なことが思い出されて、胸が詰まった。何も見なかったことにして書くのは、逆に骨が折れた。しかし、書くなと禁じられたなら、書くわけにはいかない。この時代、物書きの蛮勇は周囲を不幸にするだけだった。

総合雑誌「改造」に載った細川嘉六《かろく》の論文は、一度内閣情報局の検閲を通っているにも拘《かかわ》らず、陸軍報道部の平櫛《ひらくし》少佐の目に留まり、共産主義の宣伝である、と軍から批判された。それから、著者、編集者、出版社への弾圧が始まった。改造社からは二名の逮捕者が出た。私は改造社の山本実彦《さねひこ》社長とは親しくしていたから、衝撃だった。『放浪記』は、改造社刊なのだ。

それでも作家生活を続けなければならないとしたら、すべてに目を瞑《つぶ》り、山本の不幸にも知らん顔をして生きていくしかない。これも書くな、あれも書くな、これならよい、と軍部に指導される私たちは、断じて作家ではないのだ。

やっと書き上がって、文章を読み直す。案の定、つまらぬ随想だった。それでも、「日の出」は喜んで載せてくれるだろう。

「日の出」は、文芸出版を主としている新潮社が、今は「富士」と改題した講談社の大衆雑誌「キング」に対抗して昭和七年に発刊したのだった。が、人気雑誌「キング」には及ぶべくもなく、廃刊の憂《う》き目に遭いそうになった。そこに起きたのが、大東亜戦争である。そのおかげで、戦意発揚雑誌として部数を伸ばしている。作家が徴用されて、現地の報告を戦意発揚雑誌に書き、読者がそれを読んで喜ぶ。軍部の考えた図式は、よくできていた。

推敲《すいこう》を終えたのは、昼前だった。すっかり気温が上がっている。私は額の汗を拭《ぬぐ》い、煙草《たばこ》に火を点《つ》けた。庭に向かって、煙草の煙を勢いよく吐く。途端に吐き気がして、揉《も》み消した。悪阻《つわり》の時期は終わったはずだが、煙草が体に合わなくなっている。煙草が手に入りにくくなったことを理由にすれば、やめても不審がられることはなかろう。

季節外れのモンシロチョウが、よたよたと庭を飛んでいた。飛び方が奇妙なのでよく見れば、白い蛾《が》だった。マレーの薄暗いジャングルの中で、白い蛾の乱舞を見たことを思い出す。

窪川稲子はどうしているだろうと気にかかった。今時、共産党シンパと知れても、必ず投獄される。拷問《ごうもん》を受けなくても、獄に繋《つな》がれて手酷《てひど》い扱いを受ければ、心が挫《くじ》けて人間は病を得る。私が中野署に勾留《こうりゅう》された時もそうだった。

稲子は何と危ういことを私に喋《しゃべ》ったのだろう。命懸けで私に注意してくれたのに、それがわからずに昭南で買い物に興じていた愚かな私。胸が熱くなった。

稲子も無事に帰国したそうだから、一度会いたいと思った。しかし、東京では、旅先での親密さはなぜか薄れ、終わってしまった恋のように、燃え上がらない再会になるのはどうしてだろう。

「奥様、じきにお昼ですが、宮田さんに何かお取りした方がいいでしょうか」

女中が障子を開けて尋ねた。ぼんやりとあれこれ考えていた私は、我に返った。腕時計を見ると、十二時直前だ。

「すぐ行くからって言っておいて。あたしから聞いてみる」

私は顔を洗って簡単に化粧し、口紅を引いた。自分で縫った絣《かすり》のワンピースを頭から被《かぶ》る。これなら、体の線が目立たない。

下駄《げた》を突っかけて中庭を横切り、母屋《おもや》に入る。編集者たちが待つ客間は、玄関脇《わき》の北向きの部屋だ。冬は薄暗くて寒いが、この季節は一番涼しいはずだ。部屋から、絵馬ちゃんと宮田の笑い声が響いた。

「すみません、遅くなっちゃった」

私は声をかけながら襖《ふすま》を開けた。胡座《あぐら》をかいていた宮田が、慌《あわ》てて居住まいを正すのが見えた。糊の利《き》いた、白い開襟《かいきん》シャツを着ている。挨拶《あいさつ》をしかけた宮田は、驚いたように私の顔を見上げた。

「林さん、お疲れではないですか。お顔の色が悪いように見えます」

若い宮田にいきなり言われた私は、面食らって苦笑する。

「そんなことないわよ。あんた、挨拶もしないで、人にそんなこと言うもんじゃないわよ。不安になるじゃない」

「すみません」宮田が慌てて頭を下げる。「林先生。この度は、無事のお帰り、誠におめでとうございます。また、大変ご苦労様でした」

「そんなに改まらないでよ」

宮田は、ではどうしたらいいのだろうといった様子で、絵馬ちゃんの顔を窺《うかが》った。だが、こんな時、絵馬ちゃんは素知らぬ顔で目を逸《そ》らしている。

宮田は二十代後半の青年である。大学卒業後に結核を患《わずら》ったせいで、徴兵はされていない。骨細で色白、頬がいつも紅を塗ったように赤いので、女性的な印象だった。

軍隊になど入ったら、一日で音を上げそうにも見える。

私は、宮田の緊張をほぐそうと笑いかけた。

「いいから、いいから。楽にしてちょうだいよ。こっちこそ、原稿遅れてすみませんね」

宮田は恐縮している。女中が運んで来た茶を、絵馬ちゃんが手際《てぎわ》よく前に置いた。私は絵馬ちゃんの細い指を見ながら、宮田に原稿を渡した。宮田が畏《かしこ》まって原稿を読んでいる間、私は絵馬ちゃんに言った。

「早いとこ書かないと忘れちゃうわね。おばちゃま、惚《ぼ》けちゃったのかしら。もう旅の前後がよくわからないの。脈絡のない長い夢を見ていた感じだわ」

「それは、どうしてですか」

絵馬ちゃんがはっきり聞いた。私は黙る。理由はわかっていた。謙太郎と会ったからだった。その場面と思い出が強烈で、昭南、マレー、ジャワ、ボルネオ、南方のすべての思い出がごちゃ混ぜになって断片と化し、時の流れさえもあやふやになっているのだった。

「いろいろ見過ぎたせいかしら。ごっちゃになっているの」

私は頭を抱えて言った。

「何をご覧になったの」

「いろいろだよ」

「じゃ、南方で一番どこが良かったの？　おば様」

絵馬ちゃんが行儀悪く、テーブルの上に肘《ひじ》を突いて尋ねた。私はまたも黙った。一番良いのは、謙太郎と会ったバンジェルマシンとスラバヤだった。そして、一番良くないのも、バンジェルマシンとスラバヤ。謙太郎と激しく争ったからだった。

「ねえ、どこ。おば様」

絵馬ちゃんは容赦がない。大きな目で、私の一瞬の躊躇《ちゅうちょ》も見逃すまいというように
じっと見詰めている。たった十九歳の娘が、容易に妥協しない、強《した》たかな女に見えてくる。四分の一混じった西洋の血のせいかもしれない。

私は、オランダとインドネシアのハーフカスの娘たちを思い浮かべた。皆、驚くほど美しく賢く、強い瞳《ひとみ》をしていた。はっと気付くと、宮田までが息を潜めて私の答えを待っているではないか。私はやっと答えた。

「そうね、バンジェルマシンかしら」

バンジェルマシンは、ボルネオ島の南部にある町だ。ジャングルを縫って流れるバリト河という大河があり、町は、その支流マルタプラの三角洲《す》にあった。濃霧が立ち

込めるジャングル。赤や黄の原色の家が目立つ寂しい町。そして、金原藍子《かねはらあいこ》。もう二度と行くことは叶《かな》わないと思うと、俄《にわか》に焦《こ》がれる気持ちが強くなり、私の胸は痛んだ。

「そこはどんな町ですの」

絵馬ちゃんが尋ねる。

「河がたくさんあるんだよ。大きな河は、隅田川の十倍はありそうな河幅でね。ゆっくりと茶色い水が流れているの。その河にはね、こんな大きな布袋草《ほていそう》がぎっしりと浮いていて、水面が見えないほどなの。現地の人の家が河の上に被さって、こんなに連なっていてね。みんな水上生活だから、河は道みたいなものなの。御不浄にもするし、水浴びも全部河の中でなんだよ」

私は両手を使って説明した。

「まあ」と絵馬ちゃんが笑った。「河が御不浄なの？　汚くないの？」

「汚いも何も、河と一緒に暮らしているんだもの、仕方ないよ。どうせ、みんな流れていくじゃないか」

私は自分の言葉に胸を締め付けられた。みんな流れていく。だが、流れないものが私の中に堰止《せきと》められている。悲しくて仕方がなかった。

「でも、下流に住んでいる人は嫌でしょうね。不潔だわ」

絵馬ちゃんがそう言って、宮田と笑い合った。宮田が博識を披露した。

「バンジエルマシンは、ダイヤモンドが取れるんで有名ですよね。林先生もお買いになりましたか？」

「買わないわよ。あたしは軍の用事で行ったんだから」

私は不機嫌に言って立ち上がった。宮田が驚いた顔で、恐縮している。

「ちょっと疲れたから部屋に帰るね。宮田さん、お昼だから、何か取りましょうかね。絵馬ちゃんもお相伴してあげて」

私はそう言って部屋を出た。さっき煙草を吸った時に感じた吐き気が胸元に込み上げてきて、気分が悪い。

「客間に何か取ってあげて。絵馬ちゃんのも一緒にね」

女中に言い付けて、書斎に戻る。長火鉢の隠し引き出しから、紅絹《もみ》の袋を取り出した。中には、薬包ほどの大きさのセロファン紙の包みが入っている。包みの中央は、ころんと硬く盛り上がっている。私は包みを開けて、掌《てのひら》に中身を出した。大豆ほどの大きさの、微《かす》かに黄色味を帯びたダイヤモンドがころりと転がり出た。バンジェルマシンの宝石店で、謙太郎が選んだ石だった。

『二人の子供みたいなものだよ』

謙太郎がそう言って買ってくれたのだ。日本で買えば、一万円以上もする石だと聞いて、私は謙太郎の愛情がそのくらいあるのかと嬉《うれ》しかった。西洋の女は宝石を愛する。指を飾る小さな石が、男の愛情を表すものだと信じているからだ。

「おば様」

絵馬ちゃんの声がした。包みを仕舞う暇もなく、絵馬ちゃんが入って来た。申し訳なさそうに、箱根細工の箱を差し出した。

「遅くなってごめんなさいね、おば様。お借りしたトルコ石、お返ししますわ。いつもお返ししようと思って、ポケットの中に入れてたんですけど、ついつい忘れてしまって」

中に、トルコ石の帯留めが入っていた。

「夜寝る前に眺めて、嫌なことがあった時は、握って寝てましたの。そうしたらいい夢を見るんじゃないかなと思って」

私は今朝ほど気になっていた帯留めが返ってきたので驚いた。

「いい夢を見られた?」

「見ましたわよ。夢の中身は秘密ですけど」

絵馬ちゃんは澄まして答える。こんな時は、ビンタンスラバヤの女優のように芝居がかって、さらに美しいのだった。絵馬ちゃんが、私の手の中にあるダイヤモンドを目敏《めざと》く見付けた。

「おば様、それは何」

私は仕方なく絵馬ちゃんに掌を開けて見せてやった。

「さっき宮田さんが言ったんで思い出したのよ。バンジェルのダイヤよ」

絵馬ちゃんは聡《さと》いから、さっきは買わなかったと言った、などとつまらないことで、責めたりはしない。ただ、私の目を見て、嘘《うそ》を摘《つま》み出し、吟味するのだ。

「絵馬ちゃん、悪いけど、この石は貸さないよ」

大事な自分だけの思い出があるから、とは言わなかった。しかし、絵馬ちゃんにはわかっているらしい。

「いいのよ、おば様。この石は磨いたらすごく綺麗《きれい》なんでしょうけど、今は夢が見られるほど綺麗じゃないですものね」

いいえ、とっても綺麗なのよ。私はぎゅっと掌を握った。ダイヤの角が食い込んで痛かった。

2

ジャカルタに着いた翌日、私と美川きよは、飛行場に向かう車の中にいた。朝日機に乗って、スラバヤに向かうことになっていた。スラバヤで三泊した後は、私だけがボルネオ島のバンジェルマシンに飛ぶ。

たまたま三日後、スラバヤから、バンジェルマシン行きの飛行機が飛び立つ予定だという。前にも乗った朝日の小俣さんが操縦する「朝凪《あさなぎ》」である。その「朝凪」の席が空いたというので、慌《あわ》ただしい旅程になったのだった。

戦時中は移動する者が多い。特に、飛行機には誰もが乗りたがった。船舶での移動は、潜水艦や機雷の恐怖を拭《ぬぐ》えないからだ。が、乗れる時に乗らないと、今度はいつ乗れるかわからず、足止めを喰らう。予定の人員に入っていても、軍人が最優先されるから、乗れるかどうかはその場にならないとわからないのだ。

私は、昭南の最初の夜に女流作家たちとA二六機の話をしたのを思い出して懐《なつ》かしかった。まだ、ひと月も経《た》っていないのに、偽装船に乗ったのが、遥《はる》か遠い昔のような気がした。

バンジェルマシンでの、私の仕事は、朝日新聞社が出し始めたばかりのボルネオ新聞の手伝いだった。そして、バンジェルにいる若い邦人女性たちと対談したり、奥地を視察するよう、平櫛少佐と朝日新聞社から指示を受けていた。

私の旅程や行動は、それぞれの土地の軍政監部と朝日新聞支局との話し合いで決められていた。希望を出すこともできなくはないが、よほどの理由がない限り、受け入れられそうもなかった。

軍政地で日本語がどの程度普及しているか、現地邦人がどのように暮らしているかを視察、そして、兵隊さんの苦労を女の目で見て内地に報告すること、などを命じられている。要は、軍政がいかにうまくいっているかを宣伝するために来させられているのだった。現に美川は、ジャカルタにある「千早《ちはや》塾」という名の、日本語で教育をする小学校を見学してきたと言っていた。

ちなみに、バンジェルマシンは、ダイヤモンド鉱山で有名である。だが、大きな鉱山があると言っても、川の三角洲に出来た田舎町だ。物資も乏しく、二日もいれば退屈するに決まっていた。

正直に言えば、私は、ジャカルタで充分に休養した美川が羨《うらや》ましかった。ジャカルタは大都会で、何でもある。インドネシア人は当然ながら、華僑《かきょう》、オランダ人、インド人、ドイツ人、アラブ人、日本人。様々な人種が入り交じって、街を造っているのだから、ジャカルタはシンガポールと同じく真の都に違いない。

なのに私は、ボルネオ島にやられ、しかも移動に次ぐ移動で、疲れ果てている。服も靴も下着も、汗と埃《ほこり》で汚れていた。新調したくても、買う時間もないし、店もないところばかりを歩いている。昭南からマレー半島を回ってジャカルタ。息継ぐ間もなくスラバヤに行って、ボルネオ島だ。

マレー半島巡りでは、平櫛少佐や、東少尉ら男手があって、荷物などは持たずに済んだ。だが、マレーからジャカルタにかけては、誰一人荷物を持ってくれる者もなく、手配から荷物持ちから、すべてを自分でやらねばならない。

小山いと子が昭南で倒れたことを思えば、デング熱やマラリアにも罹《かか》らなかったのは幸いと思って、我慢するしかないのかもしれない。が、私もじきに三十九歳。南方の湿気と暑さ、そして戦時中の緊張は、私をひどく疲弊させていた。

しかも季節が悪かった。十二月は雨季である。ジャワの雨季は、日本の梅雨とは違う。夕方に激しいスコールが降った後は、また真夏のように強い陽射《ひざ》しがかっと照り付ける。その蒸し暑さは、尋常ではなかった。乾季は植物の葉が落ちるそうだから、常夏《とこなつ》といえども、雨季は夏、乾季は冬に当たるのだ。

激しいスコールは、怖《おそ》ろしいほどだった。まるで太鼓が鳴り響くかのように家々の屋根が雨に叩《たた》かれ、道はあっという間に河になる。雨が降っている間は、一歩も外に出ることができず、家の中にただいるしかない。やはり、旅行をするには、涼しい乾季の方が向いていた。

車中、私は寝不足で痛む頭を抱えてぼんやり街並みを眺めていた。今朝は疲労のせいか、ベッドから起き上がるのに苦労した。

「林さん、少し時間がありますから、ファタヒラ広場の方をぐるっと回って行きましょうか」

助手席に座っている朝日新聞社ジャカルタ支局の、村中という記者が振り向いて言った。五十歳を越えている村中は、鼈甲縁《べっこうぶち》の洒落《しゃれ》た眼鏡を掛けていた。記者らしからぬ凝った服装をして、まるで貿易商のように世慣れたところがある。舌もよく回り、一度喋《しゃべ》りだすと止まらないので、昨夜から閉口していた。

村中は、ちょうど来月から発刊される「ジャワ・バルー」というグラフ雑誌を校了したばかりだと言った。

「ジャワ・バルー」とは、インドネシア語で、「新ジャワ」という意味だそうだ。新生ジャワを記念するグラフ雑誌の創刊。ジャワの軍政と朝日新聞の商売は、うまくいっているらしい。

「ありがとうございます。では、お願いします」

あまり乗り気ではなかったが、礼を言うと、村中は満足そうに頷《うなず》いた。インドネシア語で運転手に何か命じている。運転手は、ミルクココア色の膚《はだ》をした、美しい青年だった。

「林さん、ジャカルタの意味、ご存じですよね」

村中が、試すように言う。

「さあ、何でしたっけ」

「ジャヤカルタというのが正式な言葉です。こちらの言葉でね、大勝利という意味ですよ。めでたい意味なので、戻したんです」

以前の名称「バタビア」は、オランダの命名だった。

「そうですか。いい名前ですね。私は昭南とか名付けるよりも、そっちの方がずっといいと思いますけど」

私は適当に答えた。村中は、とかく知識をひけらかす。

私たちの話し声で美川きよが目覚めた。照れ臭そうに笑ってから、軽く伸びをした。

「林さんは、ジャカルタにはいつ頃帰って来られるんですか。それとも、バンジェルの後、バリかどっかに行っちゃうんでしたっけ」

村中が聞く。

「さあ」私は首を傾《かし》げた。「こればっかりは、私の思うようになりませんもの」

「バンジェルの後、またスラバヤに戻って来られて、その後のご予定はどうなさるんですかね。うちの支局長、何か言ってましたか」

「確か、涼しい田舎の方に行ったらどうですか、と仰《おつしや》ってましたが」

「ああ、なるほど。スラバヤのそばに高原があるんです。オランダの奴《やつ》らの保養地ですわ。きっと、そっちに行かされるんでしょう。軽井沢みたいなところがあります。退屈だけど、骨休めにはいいですよ」

「軽井沢ですか、信じられませんね」

村中は肩を竦《すく》めた。

「標高が高いから涼しいんです。ジャワは暑いから、疲れもひとしおでしょうしね」

その通りだった。私は額の汗をハンカチで拭った。暑い、と思い始めると、堪えられなくなる。扇子を開いて扇《あお》いだ。美川も釣られたように扇ぎ始める。車の中は、一気に白檀《びやくだん》臭くなった。

「もっとも林さんにはいろいろ見て頂きたいから、あちこちの軍政部から声がかかるでしょうね。まあ、南ボルネオは民政だから、何を考えているかわからんけど、ボルネオ新聞には、僕らの後輩も行ってますから、林さんのお世話をしっかりするように電話しておきますよ」

「よろしくお願いします」と、礼を言うしかない。

「でもねえ、こんなこと言っちゃなんですが、バンジェルは何もないですよ。退屈なんてもんじゃないですよ。あそこに何週間もいるなんて、拷問《ごうもん》でしょう」

美川きよが微笑《ほほえ》みながら、話に割って入った。

「そうそう、林さん、朝コーヒー飲まれた？」

「ええ、美味《おい》しかったわ」

「病み付きになるわよね」

美川きよが胸元に風を送りながら、満足そうに言った。

宿舎になったのは、旧総督府の近くにある兵站《へいたん》旅館だった。「ホテル・デス・インデス」という名の豪華なホテルだったが、日本人客がほとんどなので、朝飯の献立は、ご飯に干し魚、卵焼きという和食だった。が、食後に出たコーヒーが旨《うま》かった。すでに内地では、コーヒーは手に入りにくくなっていたから、飲んだ瞬間、くらくらと目眩《めまい》がしたほどだった。

「林さん、ここがファタヒラ広場ですよ。あの後ろに見える長い建物が、オランダ東インド会社です」

村中が手で指し示した。

私は頭を巡らせて広場の周囲を眺めた。確かに、美しい場所だった。広場の周囲は、ヨーロッパと見紛《みまが》うような白亜の豪壮な建物が並んで、石畳の上を馬車が行き交っている。運河に浮かぶサンパン。海に向かって聳《そび》える望楼。埠頭《ふとう》には、赤い瓦《かわら》を載せた白壁の倉庫が連なり、ドリアンやサラック、バナナを荷車に積んだ果物売りが行き交っていた。色鮮やかな菓子を売る屋台。占領下だというのに、人々は、冷たい石畳の上でのんびりと涼んでいる。私は、ゆっくり見物したい気持ちを抑えた。

「パッサールイカンに行ってみましょうか。魚市場のことですよ」

村中が運転手に命じて、車は広場から海沿いの狭い道に入った。魚の生臭い臭《にお》いが鼻を突いた。港には漁船がぎっしり停泊して、魚の入った籠《かご》を商店に運び込んでいる。

「尾道《おのみち》を思い出します」

私は思わず言った。雁木《がんぎ》で遊んでいると、次から次へと漁船が入って来て、私のすぐ横で、瀬戸内海の魚を荷揚げするのだった。時折、落ちた魚を貰《もら》って帰ったりしたものだ。漁港はのどかだったが、あちらこちらに日本の黒い軍艦の姿があった。

「林さん、スラバヤに行かれるんでしょう。スラバヤって、どういう意味かわかります？」

村中が、鼈甲の蔓《つる》をいじりながら、またも聞く。

「さあ、何でしょう」と美川。

「鮫《さめ》と鰐《わに》という意味です」

「あらまあ、ちっとも知りませんでしたよ。もっとインドネシア語を勉強しないと駄目ね。千早塾の子だって、しっかり日本語で喋っているのに」

美川が笑った。美川は、二月頃には帰国する予定だという。あと、ふた月で夫に会える、と嬉《うれ》しそうだ。

「インドネシア語なんて簡単です。勉強する必要なんてありませんよ」村中が馬鹿《ばか》にしたように言った。「サヤ・オラン・ジュパンで、『私は日本人です』となるんです。動詞や助詞なんて要らないんですよ。単語を並べるだけで終わり。こんなところに文学なんて育つわけがありませんよね、林さん」

私と美川は目交ぜした。私は目を閉じて、眠った振りをすることにした。もっと外の景色を眺めていたかったが、村中に話しかけられると煩《わずら》わしい。私が目を閉じると、村中は前を向いて黙ってしまった。

機内は最初、火傷《やけど》するほど暑かった。が、上昇するにつれ、温度が下がっていく。その心地良さに私は眠ってしまい、着陸の衝撃で目を覚ますまで、まったく気付かないほどだった。初めてのジャワ島を空から眺めたかったのに、よほど疲れていたらしい。

「林さん、鼾《いびき》かいてらしたわよ。お疲れなんじゃないこと?」

美川にまで言われて、私は照れ臭かった。滑走路を外れ、飛行機はゆっくりと建物に向かって走った。スラバヤの街を眺めようとしたが、飛行場は町外れにあるのか、何もない草っぱらだ。遠くで黒い雲が湧《わ》き上がって、どんどん近付いて来るのが見えた。スコールだ。建物に入るまでに、雨粒が落ちなければいいのだが。スコールに巻き込まれたら、あっという間に水の中に落ちたようにびしょ濡《ぬ》れになる。服から靴の中から、鞄《かばん》の中身もぐっしょり濡れて、乾くまで使い物にならない。

作業員がタラップを寄せた。八人の客が一斉に立ち上がった。スコールが来るのを知っているから、我先に降りようとしている。だが、真っ先に降りたのは、いつも通り、位の高い軍人だった。次が軍属らしき人。軍人や軍属の家族が続き、私と美川は最後だった。

私たちがタラップを降り始めた頃から、大粒の雨がぽつぽつと落ちてきた。空港の建物に駆け込む前に、土砂降りになった。私と美川は手を取り合って、滑走路を走ったが、ブラウスもスカートも靴も、すべてびしょ濡れになってしまった。

私は泣きたい気分だった。三日後には、ボルネオに発《た》たなければならないのに、クリーニングは間に合うだろうか。宿舎がどんなところかわからないから、不安だった。

私と美川は、濡れた服をハンカチで拭《ぬぐ》った。が、ハンカチなど到底役に立たず、すぐに濡れ雑巾《ぞうきん》のようになってしまった。

空港は、風が通るように窓ガラスがない。そこから雨が吹き込んでくるので、客は中央に集まって荷物が運ばれるのを待っている。

迎えの者らしき男が三人ほどやって来て、私たちに手を振った。ジャケットを手に掛けて、半袖《はんそで》のシャツを着ている二人は、どうやら朝日新聞社の者らしい。もう一人は、軍装だから、軍政監部からやって来た軍人のようだ。

「林さんと美川さんでいらっしゃいますか。朝日の者です。ああ、これは濡れてらっしゃいますね」

朝日新聞社スラバヤ支局員の男が、気の毒そうに言った。

「ちょうど降り始めたから運が悪かったですね。車がありますので、これからご案内しますが、お着替えされますか」

「いいえ、宿舎で着替えます」

美川が答えた。そこからはどこも同じだ。ホテルに入って、すぐさま街に出て、歓迎の宴が張られる。その席に、軍政監部の連中が来て、スラバヤについての講義や、私たちの役割に関する訓話があるのだった。そして、軍人たちは新聞社の金で散々飲み食いして帰るのだ。たまには、宿でゆっくり休みたかったが、叶《かな》わないだろう。思わず嘆息すると、もう一人の男が話しかけてきた。

「先生、濡れましたね。宿舎に着きましたら、私がすぐに洗って乾かしますから。ご安心ください」

気楽な物言いに驚いた私は顔を上げて、男を見た。カーキ色の半ズボンに、薄茶の開襟《かいきん》シャツという軍装の男に階級章はない。

「私は、林先生のお世話をするように命じられました、第十四独立守備隊の野口清三《せいざぶ》郎《ろう》といいます。よろしくお願い申し上げます」

3

「いきなり、お世話するって言われてもね。はい、そうですか、よろしくって、簡単には言えないわよ」

私は不機嫌に言い放った。初対面の男に、馴《な》れ馴《な》れしく「服を洗って乾かす」と言われたことが不快だった。

「ありゃりゃ、これはすみません」

男は、私にこんな反応をされるとは思ってもいなかったらしい。困惑した表情になった。

「当番兵としてお仕えするように言われて来ました」

「あたしは当番兵なんて要らないよ。一人で大丈夫」

私は横を向いて小さな声で吐き捨てた。美川きよが、ひどく驚いた顔をした。何か問いたげだったが、私は気付かぬ振りをした。わからない者にはわからないのだ。敢《あ》えて説明する必要もないと思った。それが、命を懸けた稲子の忠告に対する応《こた》え方だろう。

「何で急に従卒なんか付けてくれる気になったのかしらね」

私は誰にともなく言った。

「雨季にお一人で移動するには過酷だからでしょう」

朝日の支局員が口添えをした。丸い眼鏡を掛けた真面目《まじめ》そうな記者だった。

「その通りです。これからバンジェル行かれるんですら。それからバリとか、いろんなところに行かれるでしょうから、私がお供して、先生をお守りしますもんで」

野口のカーキ色の半ズボンに、寝押ししたらしい線が付けられている。身だしなみのいい男だった。開襟シャツもきちんとアイロンがかかっているし、髪の手入れもよい。

私は急に恥ずかしくなって、自分の髪に手をやった。パーマをかけた髪が、ずぶ濡れになったせいで方々に跳ねている。両手で髪を押さえながら、近視の目を凝らして野口の顔を見上げた。従卒と自称して突然現れた男を、容易に信頼するわけにもいかず、どうしたらいいかわからなかった。マレー半島の旅にくっ付いて来た東少尉《しょうい》を、窪川稲子が軍部のスパイ呼ばわりしていたことを思い出したのだ。だから、自分にも監視を付けられたのか、という疑いの気持ちをどうしても捨て切れずにいる。

野口は私に観察されているのに気付いて、居心地悪そうに直立不動になった。早く判断してくれ、と言いたそうに半ば苦笑し、ギョロ目をあちこちに動かしている。三十代半ばぐらいだろうか。陽に灼《や》けているせいで、大きな目玉の白い部分が澄んで見えた。硬そうな髪は五分刈りにして、バリカンがきちんと当たっている。男らしい風貌《ふうぼう》だが、撫《な》で肩《がた》が災いして、首が異様に長く見えるところは、鶏に似ていなくもない。

「野口さんでしたね。従卒って、普通は兵隊さんに付くんじゃないですか。私は徴用されたんじゃないんですよ。あくまで派遣よ」

「はあ。でも、軍政監部の方から行けって言われたんです」

野口は、のんびり言う。

「あら、言ったのは平櫛さん？」

私は平櫛の名を出した。が、野口は、「えっ」と驚いたように首を前に突き出した。軍人らしからぬ仕種《しぐさ》に、私は思わず笑いを誘われた。

「平櫛さんて、報道部の少佐ですよ。この間、昭南島でお別れしたわ」

「昭南島ですけ」野口は長い首を傾《かし》げる。「その平櫛少佐殿には、お目にかかったことないです」

その口調には、地方の訛《なまり》がある。口を開く前に、ぐっと唾《つば》を飲み込む癖があって、その仕種がどこかまた鶏に似て滑稽味《こっけいみ》があった。

「平櫛さんて、今回の企画を立てた人ですよ」

私は飛行場の建物の中を見回して言った。同乗者は皆、雨に閉じ込められて一カ所に固まっていたから、万が一、軍関係者の耳に入ると困ると思ったのだ。だが、誰も私たちの会話になど興味を持たない様子で、雑談したり、持っていた雑誌を眺めたりして、スコールがやむのを待っていた。

美川と朝日の支局員も、煙草《たばこ》を吸いに窓際《まどぎわ》に行った。

「私は、ジャワ軍政監部の中村大尉殿の当番兵をしとりました。でも大尉殿が、林先生が日本にお帰りになるまで、ご不自由のないようにお世話せよと、私に命じたんです。大尉殿は、林先生の愛読者なんですよ。だから、私はどこでも付いて行きます。どんなつまらんことでも構いません。命令してください。掃除も洗濯も靴磨きも何でもします。私は、先生の仕事が楽になるよう助けろ、と言われとりますもんで」

雨が少し小やみになり、やっと飛行機から荷物が運ばれて来た。台車に旅行鞄や背嚢《はいのう》などが積まれ、ズック製の大きな布が掛けられていたが、布は雨で濡れている。駆け付けようとした私を抑えて、野口が言った。

「重たいもんで、私が持ちます。先生の荷物はどれですけ」

野口は、「重たい」という語を「おぼたい」と発音した。どこの出身だろうか。

煙草を吸い終わった先ほどの記者たちと美川が戻って来た。

「さすが林さんですね。従卒が付くなんて、凄《すご》いですよ」

「しかも、意外と好男子じゃないですか。羨《うらや》ましいわあ、林さん」

美川が、野口の後ろ姿を見ながら、いたずらっぽい口調で囁《ささや》いた。確かに、よく気の付く男が世話を焼いてくれるなら、旅は格段に楽だろう。荷物を運ぶだけでなく、乗り物の手配や宿の下見、水や食料の調達、洗濯や買い物など、戦地で男手があるのとないのとではまったく違う。そもそも戦時中は、すべての施設が軍のために作られている。女便所も女風呂《ぶろ》もないところを旅しているのだから、疲れること、この上ないのだった。

しかし、本当に野口を信用していいのだろうか。何となく釈然としない思いと、自分より若い男と二人きりで旅行をする億劫《おっくう》さもあるにはあった。

そんな私の迷いをよそに、野口は美川と私の旅行鞄を運んで来て、私たちに着替えをするように熱心に勧めた。

「先生方、濡れた服を着替えた方がええですよ。これから大和ホテルに行きますが、車で一時間近くかかります」

有無を言わさぬ口調だった。

「大和ホテルにずっといるの？」

美川が尋ねると、今度は朝日の記者が引き取って答えた。

「いや、暑くてお疲れでしょうから、明日からは涼しいところで静養されるといいでしょう。セレクタという名の、軽井沢みたいなところがありますので、そちらにお連れしますよ」

私と美川は顔を見合わせたが、ここは言いなりになるしかなかった。

私たちは、飛行場のトイレットで濡れた服を着替えた。それから、美川は朝日の記者二人と前の車に乗り、私は野口と二台目の車に乗った。当然のことながら、支局が出してくれた車だ。車や旅費は朝日新聞社が出し、陸軍は人を出してくれるのか、と思わなくもなかった。

車に乗ると、野口が魔法瓶から注いだ冷たい紅茶を渡してくれた。

「あら、おいしい」

紅茶にはふんだんに砂糖が入れてあり、旨《うま》かった。内地では砂糖も少ししか手に入らなくなっていた。

「先生、私、郷里で床屋だったんですよ」

「道理で気が利《き》くと思ったわ」

「先生の髪、洗ってあげますけ。気持ちいいですよ」

男の大きな手で髪を洗われるのは大好きだった。私の心が次第に緩んでいく。怪しくたって何だっていいじゃないか。どうせ外地は変な人間がうようよいるんだから、と。

偽装船の船底に大勢いたようなひと旗組が、占領地で怪しげな料理屋や売春宿を経営したり、土産物屋や写真館を出したりして儲《もう》けている。野口が軍から派遣されたスパイだとしても、心さえ許さなければいいんだろう、私に何の秘密があるものか、と思うのだった。

野口は楽しそうに歌謡曲を口ずさみながら、助手席の窓から腕を出している。歌は、「ボルネオ踊り」という菅原都々子《すがわらつづこ》の曲だ。インドネシア人の運転手が、歌う真似《まね》をしてみせた。野口が呆《あき》れたように言う。

「おだっくいだなあ」

お調子者とでもいう意味だろうか。野口は、運転手と二人でへらへら笑っている。人が好《よ》さそうだった。

「野口さん、朝日の支局に寄らなくてもいいのかしら」

私が尋ねると、野口が振り返った。

「先生、朝日の方から大和ホテルに来ますに。あっちでのんびり待ってるといいですよ。だって、三日後にバンジェルでしょう？　先生は働き過ぎだもんで」

それもそうだ。私は車の座席に寄りかかった。疲れている。丸々一日、何も考えずに眠りたかった。

「スコールやみましたよ」

野口の声に目を開けると、ぎらぎらと急激に陽が射《さ》してきた。地面から白い水蒸気が上っているのが見える。また暑くなりそうだ。私は車の窓を開けた。雨上がりの澄んだ空気が車内に入って来る。が、じきに熱風となるだろう。こうなると、いくら扇風機を回しても、ぬるい空気を掻《か》き回すだけになる。私はセレクタとかいう高原に早く行きたくなった。

「ああそうそう。先生、軍政監部宛《あ》てにお手紙届いとりましたもんで、預かってきました。ホテルで渡そうと思ったけど、今見ますけ」

野口の言い方はぞんざいだが、妙な敬語を使われるよりは気持ちよかった。

「じゃ、今ちょうだい」

はい、と野口が厚手の書類袋を手渡してくれた。中を覗《のぞ》くと、封書が幾つかと出版社から送られてきた雑誌や新聞なども入っていた。

「ああ、内地の匂《にお》いがするわ」

思わず歓声を上げると、野口が頷《うなず》いた。

「手紙が一番嬉《うれ》しいやねぇ」

野口の実感の籠《こ》もった口調に、「本当ね」と同調する。野口が嬉しそうに言った。

「先生くらい偉い人になっても、そうですけ？」

「当ったり前じゃない」

私が蓮《はす》っ葉《ぱ》に答えると、野口が愉快そうに笑った。私と話すのが楽しくて仕方ないという風に見える。疑って悪かった、と野口に詫《わ》びたい気持ちになった。

私は封書をひとつひとつ見た。みんな開封してあって、検閲済みの四角い判が押してある。緑敏からの封書には、きっと平仮名だけの母の手紙も同封されているだろう。

あとは、出版社から数通。

最後の手紙の表書きを見た時、手が震えた。謙太郎の筆跡だった。軍が検閲のために封を切ったことが、極めて残念に感じられた。中身を読まれたことではない。誰もが、他人に読まれることを意識して手紙を認《したた》める時代だから。そうではなく、私がこれ一番最初に、中に閉じ込められた空気に触れたかった、と思ったのだ。ああ、私はこれを待っていたのだ。痛切な思いと喜びが湧《わ》き上がって、私はしばし無言だった。

「ご家族から来てますけぇ？」

野口が、右手を運転席の背に掛けて私の方を見た。野口の右手の小指の爪《つめ》が異様に長いことに気付いた。何をするのだろうか。一本だけ長い爪は、清潔な身だしなみとそぐわない。私はその爪を眺めながら頷いてみせた。

「来てますよ。こっちからはどこにいるって書けないから、家族も気を揉《も》んでいるんでしょう」

「わかりますよ。私んとこもそうです」

「あなたはご家族がいるの」

「おります。お袋と母ちゃんとガキ二人です」

野口はそれだけ言って前を向いた。また、こぶしの利いた別の歌謡曲を口ずさみ始めた。車は、小さな小屋の並ぶ田舎道を、土埃《つちぼこり》を上げてひた走っている。スコールの効果はもう失せていた。

私は、しばらく我慢していたが、真っ先に謙太郎の手紙から読み始めた。「原稿」という語がいきなり目に入り、涙が溢《あふ》れそうになった。「原稿」が、私たちの愛の符帳だったからだ。

「冠省　お元気でお過ごしのことと思います。東京は、毎日冷たいからっ風が吹いていますが、南方はさぞかし暑いことでしょうね。お勤めはいかがですか。暑さに参ってはいませんか。先日、朝日新聞に載ったあなたの記事を読みました。あなたの動向は朝日を読めばわかりますから、最近は職場で朝日ばかり開いています。

頑張ってあちこち精力的に巡っておられるのでしょうね。帖面を片手に、珍しい物を眺めては質問し、触り、味わい、描く、あなたの姿が目に浮かぶようです。あなたは好奇心が強いから、いかな報国のお仕事とはいえ、外地では心弾むものがたくさんあるのではないでしょうか。

ところで、八月は拙宅までお越し頂き、誠にありがとうございました。たまたま親族が集まっていて、何のお構いもできず、大変失礼致しました。

葡萄酒は、皆で頂きましたよ。大変に甘くて美味しかったです。あんな暑い日にわざわざ来てくださって、本当にありがとうございます。感謝しています。

僕の方は、米国から帰って来てから貰った夏風邪がいやに長引いたり、神経衰弱気味になったりで、あまり元気ではありませんでした。

やはり、長い船旅が疲れを溜めたのでしょう。しかし、今は元気になりました。

ところで、原稿の件ですが、一気に捗《はかど》っておられる由、嬉しいです。当時の意気込みを何としても、一篇の傑作に結実させて頂きたいと、心から願っております。

場合によっては、私自ら、原稿を取りに南方まで伺うことも視野に入れております。何卒、お心に留めおいてください。

不一

毎日新聞学芸部　斎藤謙太郎」

謙太郎は、ニューヨークから帰って学芸部に戻ったのだろうか。私は謙太郎の現在の所属を知らなかった。だが、「原稿」のことを書いているから、わざわざ学芸部と明記したとも考えられた。それにしても、毎日新聞とトラブルを起こさずに、毎日の派遣で来たなら、何の不都合もなく会えたのに、と残念だった。

いっそ、「原稿デキマシタ」と謙太郎に電報を打ってやろうかと思った。私は手紙を握り締めて考え込んでいた。

七歳も年下の男と恋をするのは、楽しいものだ。男を駄々っ子にできる自分の魔力、その駄々っ子を可愛《かわい》がる余裕。どちらも堪能《たんのう》できる。そして、年齢とは関係なく、すべての男に備わっている本来の質《たち》を観察する楽しみもあれば、その男の性根を見極めた上で、女の引き出しから、何をどれだけ出そうかという斟酌《しんしゃく》もできて、毎日が小さな戦をしているような充実感に溢れる。しかも、そのほとんどが勝ち戦なのだから、喜びもひとしおだ。

男の我儘《わがまま》、男の一途《いちず》、男の野放図、男の勝手、男の怠惰、男の羞《は》じらい。すべてを赦《ゆる》して可愛がってやれば、男はすべてを愛という美質に変えて、私にこたえてくれるのだ。

そんな風に思っていたのは、いつ頃だっただろう。多分、謙太郎に会って、恋に落ちた最初の二年間だ。が、私たちは否応《いやおう》なく離れて暮らさざるを得なかった。それがすべてを変えた。

離れて暮らすと、恋人同士は互いの恋情を、数と量で量ることに慣れていく。どっちがどれほど多いとか少ないとか。それをさもしさとは言わない。始終通わせていないと愛が死滅することを、恋人同士は本能的に察知しているからだ。

だから、私たちは互いに際限なく数え合った。手紙はあちらが何通、こちらが何通、枚数は、行数は、愛という言葉は幾つ、と。その数に食い違いが起きると、たちまち疑心暗鬼になった。

謙太郎の最初の赴任地、中国では、謙太郎の方が、私に激しく妄想を膨らませたのだった。自分がこんなに想《おも》っているのに、私の返事が少ない。飽き始めたのではないか、東京に新しい恋人が出来たのではないか、と。

謙太郎が中国に行ったのは、私が、ペン部隊の一員として漢口一番乗りを果たし、帰国した直後だった。私は朝日の特派員としてちやほやされ、一気に時の人となった。謙太郎は、私と外で会うことも叶《かな》わなくなったとぼやきながら、中国に向かったのだ。するとこんな厭味《いやみ》な手紙が舞い込むようになる。「あなたもご活躍だから、葉書一枚を買う時間さえ惜しいのはわかっていますが、たまにはご自分の声で近況などを教えて頂かないと、他人の噂《うわさ》で知ることになります」というような。それでも、謙太郎の寂しさが透けて見えたから、私たちはまだ大丈夫だった。

嫉妬《しっと》が二人の刺激になるのも、会う機会があればこそだ。抱き合ってしまえば、あっと言う間に素直になって、あの時はこれほどまでに思っていたとか、言えなかったけれど自分もそうだ、と互いに張った意地を検証し合うことだってできるのに。

だから、私たちはこんな取り決めをした。手紙を出せないこともあるだろうから、この時代、互いに寂しい時は電報を打とうと。

「原稿はいかがですか。早く読みたいです」「原稿できました。早く読んでください」「原稿、どうしたのですか。是非読みたいです」「原稿早く読んで感想ください」。原稿とは、愛のことだ。

私と謙太郎との恋が本格的に捩《よじ》れ始めたのは、彼がロンドンに赴任してからだった。昭和十四年九月、ドイツ軍がポーランドに侵攻。ヨーロッパでの戦火が拡大していた。一方、日本も日華事変が泥沼化していたのだった。

単身でロンドンに暮らした謙太郎は、二カ月間も続いたドイツ軍の空襲に怯《おび》え、東洋で膨張を続ける日本人に対する差別の中で、深い孤独に苦しんだに違いない。彼は酒に手を付けた。

しかし、多分そうだろう、と想像するだけで、私は謙太郎の真の苦しみや寂しさにまでは、寄り添えていない。日本という島国にいて、日本はどこまで膨張するのだろうと不安を覚えつつも、どこか自分を日本と重ね、同調していたからである。日本人は皆そうだった。

そんな私に、日本という国に、海外に住む謙太郎は違和感を持ったのではないだろうか。

とはいえ、他人に読まれることを怖《おそ》れて、手紙には何も書いてこない謙太郎から、月に一度は「原稿」を問い合わせる電報が届いていたのだから、以前ほどではなくても、二人の「愛」は続いていたのだった。

勿論《もちろん》、謙太郎が帰国してからも、私たちは何度か会った。だが、私はどこかから入る、ひやりとした隙間風《すきまかぜ》を感じていた。謙太郎もそうだっただろう。それがどの窓から入って来るのか、わからないままに、昭和十六年、謙太郎は次の赴任地ニューヨークに向かったのだった。そして、その直後の十二月には、とうとう大東亜戦争が始まる。

敵地で過ごすとは、どういうことだろうか。謙太郎の孤立はロンドンよりも遥《はる》かに強まっただろう。しかし、私は、想像するしかなかった。日米は開戦したのだから、当然のことながら、一切の連絡はなく、「原稿」に関する電報も受け取れるはずはない。

私は、謙太郎の得意な英語のようなものなのだろうか、と考えたこともある。英語圏で話す時は英語、私と話す時は、私との言葉。だが、言葉は使わなければ錆《さ》び付く。私との言語を錆び付かせたまま、謙太郎は英語を使うことに必死だったのだろうか。

翌年の交換船でやっと帰国。私が葡萄酒を持って謙太郎に会いに行ったのは八月。

すべての終わりを覚悟して南方に来たのに、今度の優しい手紙はいったいどういうことだろう。でも、もう一度やり直せるのかもしれないと思うと、嬉しい。私と謙太郎は、目まぐるしく残酷な運命を生きているのだから。戦争と共に。

謙太郎と初めて会ったのは、五年前、昭和十二年のことだ。私が三十三歳、謙太郎が二十六歳の時だった。

謙太郎は、東京帝大独文科を卒業後、毎日新聞社に入社した。最初は、整理部にいて、その後、学芸部に異動。時に、謙太郎の上司は、米田源助だった。米田はこの頃まで、大阪毎日学芸部の東京駐在員だった関係で、私とは始終仕事をしていた仲だった。一緒に取材に行ったし、食事にも出掛けて、仲良く付き合っていた。米田と仕事をしていた頃が、私と毎日新聞との蜜月《みつげつ》期間でもあった。

米田に謙太郎を紹介されたのは、「長谷川《はせがわ》」という銀座の料亭だった。座敷に入って行くと、米田の隣に、若い男が座していた。まだ二十代。眼鏡の似合う秀才風で、真っ黒な髪をオールバックに撫《な》で付けていた。

「あら、新人さん？」

私がくだけて言うと、男の顔に一瞬だけ怒りのようなものが表れた。新聞記者にはよくあることで、私は気にしなかった。この男も、その類《たぐい》か、と思ったのだ。彼らは女流作家など、断じて好きではない。天下国家を論じるために、あるいは報じるために新聞社に入ったのに、どうして文壇村に住まう偉そうな女にぺこぺこしなければならないのだ、と内心憤慨している。

「こいつはね、斎藤謙太郎です。今度、整理部から学芸部に異動になったんです。帝大出ですからね、お芙美さんに鼻っ柱を折って貰おうかと思って、連れて来たんですよ」

謙太郎は、それでも必死に座持ちする米田の気持ちがわかったのだろう。座布団《ざぶとん》を外して、自己紹介した。

「斎藤と申します。学芸部は初めてですので、どうぞよろしくお願いします」

「林です」

私は簡単に礼をして、謙太郎を観察した。面長で眼鏡が似合うところも、背広の灰色の柔らかな色合いも臙脂《えんじ》のネクタイも、好みだった。体の線が細いのは、若い証拠だろう。が、つまらなそうな顔を隠せずに、すぐ目を背けるところは無礼である。まだまだ教育の必要があると思った。が、素知らぬ顔で米田に言う。

「あ、そうそう。これ米田さんに似合うだろうと思って買ってきたの。プレゼントよ」

私は銀座の宝石屋の小さな箱を差し出した。昼間、指輪の直しで寄った時、目に留まったネクタイピンだった。

「え、俺に？　すみません」

「いいのよ。いつもお世話になってるんだし」

私は仲居に注がれたビールの泡を眺めながら答えた。

「開けてご覧なさいよ」

米田が不器用に包みを開けた。桐の箱の中にあるのは、瑪瑙《めのう》のネクタイピンだ。

「ああ、これは綺麗《きれい》だな。ありがとう」

米田が礼を述べて、早速、紺のネクタイに留めた。米田は服装に構わないから、ネクタイはいつも皺《しわ》くちゃで、染《し》みが目立つことだってある。そのネクタイを綺麗な石の付いたピンで留めてやりたい、といつも思っていたのだ。

本当を言うと、宝石屋に飾ってあった小豆大の翡翠《ひすい》の付いたピンにしたかったのだが、高価なので、控えたのだった。米田とは何でも話せるが、話せるが故《ゆえ》に、そこまで踏み込みたくはなかった。

謙太郎を見ると、不機嫌な顔をしている。女流作家のいかにも驕慢《きようまん》な行いに映ったのだろうと可笑《おか》しかった。

「さあさ、新人さんにはあたしがお酌しましょう」

仲居からビール瓶を奪って、謙太郎のグラスに注いでやった。恐縮してグラスを握った謙太郎の手が細かく震えているのを見て、おや、と思った。緊張している。存外可愛い男ではないか。だが、私に手の震えを見られた謙太郎は、困惑したように怒った顔をした。照れると、自分が腹立たしくなるのだろう。

私は「乾杯」とグラスをぶつけ合った後、謙太郎の目を見た。

「斎藤さんは、学芸部でどういう仕事をなさりたいんです」

「私はドイツ文学を読んできた男ですので、日本人にその素晴らしさを紹介したいと思います」

「はあ、ドイツのどんな作家がお好みですの」

謙太郎は迷ったように唾《つば》を呑《の》んだ。

「ご存じかどうかわかりませんが」

前置きしたところで、米田が笑いながら口を挟んだ。

「おいおい、お芙美さんも作家なんだから気を付けろよ」

が、謙太郎は続けた。

「ツヴァイクとか、トーマス・マン。はたまたアルフレート・デーブリーンとか、名前をご存じでしょうか」

「トーマス・マンくらい。他はあまり詳しくは知りませんよ」

私は首を振って、米田と目を合わせてから笑った。謙太郎も困惑したように米田の顔を見た。米田が可笑しそうに言う。

「続けろよ」

「ビーダーマイヤーという言葉はご存じですか？　ビーダーマイヤーというのはですね」と、話し始めたが、私たちの興味なさそうな顔を窺《うかが》った謙太郎はすぐに言葉を切った。「すみません、やめます」

謙太郎が頭を掻《か》いた。その手がまた震えている。今度は屈辱だろうか。

「近いうちに、ゆっくり聞かせてくださいな」

私は優しく言ったが、帝大出のインテリ記者か、と少々わずらわしかった。文学者と見ると、この手の議論を吹っかけてくる男は必ずいる。しかし、私のような大衆小説作家や女流作家には、どうせわからないだろうと敢《あ》えて口に出さなかったりもするのだ。その意味では、謙太郎はまだ若いのかもしれない。

米田は、黙ってビールを飲んでいたが、謙太郎の世慣れぬ振る舞いに不機嫌そうだった。

料理が次々と運ばれて来た。私は米田と無難な話をして、謙太郎を顧みなかった。謙太郎は空腹だったと見えて、刺身のつままで綺麗に食べた。客の前でも食べるのを我慢しない人間だと思った。

「斎藤君、林さんに例の件、聞いて」

米田が水を向けたので、謙太郎がやっと箸《はし》を置いた。

「林さん、来月、学芸部で草津温泉に行くのですが、ご一緒にいかがですか。久米さんや吉屋さん、獅子文六《ししぶんろく》さんら、総勢十人近くです」

「あら、句会か何かあるんですの」

私は冗談を言った。

「いや、いつもお世話になっておりますので、慰労会のお誘いです」

謙太郎はにこりともせずに答える。明らかに、作家を大勢連れての慰労会などくだらない行事だ、と考えている様子が窺えた。米田が誘う。

「お芙美さん、来てくださいよ」

「米田さんもいらっしゃるのでしょう。それなら行くけど」

「いや、俺は来月から大阪本社に戻ることになったので、これを代わりに行かせますから」

米田は、「これ」と謙太郎を指した。謙太郎は仏頂面《ぶっちょうづら》で、私の返事を待っている。その頃すでに、私と久米はあまりうまくいっていなかった。だから久米が来るのなら、やめようかと思ったが、まだ若い謙太郎がどんな風に作家たちを慰労するのか見たい気がして、参加を決めた。つまり、私は最初から斜に構えて謙太郎を観察する、意地悪な年上の女だったのだ。

「じゃ、斎藤さんのお仕事ぶりを拝見に伺いますよ」

謙太郎は固い表情で頭を下げた。

草津温泉の慰労会は、女流作家は私と吉屋信子の二人だけ。あとは、毎日新聞と縁の深い作家たちと、サンデー毎日編集部から一人、学芸部から謙太郎、の十人だった。温泉でやることは決まっている。浴衣《ゆかた》に着替えての宴会である。だが、謙太郎はほとんど飲まずに、接待に努めていた。久米は如才なく、猥談《わいだん》などしてはしゃいでいるが、謙太郎は世慣れた作家連をどう扱っていいのかわからない様子で押し黙り、ひたすら酌をしていた。時折、目が合うと、謙太郎は怒ったように伏せた。私は謙太郎の不器用さが次第に我慢ならないものに思えてきた。いくら何でも無礼だと思ったのだ。が、言う機会もないままに夜が更《ふ》けた。

夜半過ぎ、風呂《ふろ》から戻って来ると廊下に謙太郎が立っていた。浴衣姿で煙草《たばこ》を吹かしながら、暗い庭を眺めている。

「斎藤さん、お風呂入った？」

私が声をかけると、謙太郎は無言で首を振った。

「あなた、こんなのは記者の仕事じゃない、と思ってるんでしょう」

謙太郎は素直に頷《うなず》いてから、はっとした様子で謝った。

「すみません」

「謝ることはないわよ。そんなこったろうと思ったもの。記者さんは皆そうよ。でも、作家は出版社や新聞社にいろんなことさせられますからね。覚悟があるの。あなたも私もお互いに職業なんだから、しっかりやりましょうよ」

「説教ですか」

謙太郎が、自嘲《じちよう》するように唇を歪《ゆが》めて笑った。人一倍勉強して、最高学府を出た矜持《きようじ》があり、文学の理想が高い人間は、屈辱を感じる閾値《いきち》が極めて低い。郷里がどこか知らぬが、さぞかし、秀才の誉れ高かったのだろう。謙太郎の形のいい額のあたりに、青筋が立っているのを認めて、私はからかった。

「あら、ごめんんね。説教しちゃ悪かったかしら」

「悪くなんかないですよ。あなたは作家先生なんだから、説教でも何でも、好きなことをなされればいい。僕らは、とっても面白いお原稿を頂くために、何でも耐えますよ」

謙太郎は、「とっても」というところに力を入れて、煙草の煙を長く吐いた。嘆息にも見えた。

「ずいぶん失礼なこと言うのね。米田さんに言い付けるわよ」

ここまではっきり厭味《いやみ》を言う記者もいない。「鼻っ柱を折ってくれ」という米田の言葉を思い出して、私も嘆息した。謙太郎のそれは、容易に折れそうもない。筋金入りの鼻っ柱だった。

「作家に酌して回ったり、隠し芸をしろと怒鳴られたり、こっそり女の世話をしたり。確かに、それは記者の仕事じゃないわよね」

私は先ほどの宴会の様子を思い浮かべて、笑いながら言った。

いつものことだった。酒が入って無礼講になり、座は乱れに乱れた。芸者の手を取って離さない者。酒が足りないと怒りだす者。太鼓腹に墨で顔を描いて踊る者。まだ座敷では、男たちだけの宴会が続いているはずだった。

私は、朝まで続く馬鹿《ばか》騒ぎに耐えられない、と吉屋信子と途中で抜け、風呂に入ったのだ。吉屋は烏《からす》の行水で先に出たから、また宴会に戻ったか、寝ているかはわからない。男臭いことの好きな吉屋は、馬鹿騒ぎも苦にしないから、戻ったかもしれなかった。

「あれは作家のお仕事でもないと思いますよ。それとも、林さんは泥鰌《どじょう》すくいでも踊りますか。あれ、もう赤い腰巻きを着けていらっしゃるのかな」

謙太郎が不快そうに言い捨てた。興が乗ると、私が泥鰌すくいを踊るというのは有名な話だから、謙太郎なりの厭味を言ったのだろう。

文壇での噂《うわさ》のひとつに、私があらかじめ踊ることを想定して、赤い腰巻きを着けて宴会に来る、という底意地の悪いものさえあったのだ。

「若い癖に、見てきたようなことを言うのね。品の悪い噂をそのまま言う人は、信用されなくてよ」

私はうなじを手拭《てぬぐ》いで押さえながら苦笑した。髪が少し長くなったので、洗い髪を後ろで纏《まと》めて、赤い櫛《くし》で留めていた。まだ濡《ぬ》れた髪から、水が垂れて、時折うなじを伝うのだった。

謙太郎が顔を上げて、私の仕種《しぐさ》を眺めている。その目に驚きの色があるのを見て、私は謙太郎の心の中に何があるのだろうと訝《いぶか》った。が、謙太郎は私に謝りもせずに、まだ仏頂面をしている。

性根の悪い男だ、と私は次第に謙太郎との会話に倦《う》み始めていた。早く部屋に戻って、冷たいビールを飲みながら、本でも読みたかった。そんな気持ちを知ってか知らずか、謙太郎はまだ売り言葉に買い言葉で応じるのだった。

「信用されなくて結構です。僕はこの世界に失望したんですよ」

「おやおや。慰労会をするから是非にって仰《おつしや》ったのは、そちらではなかったかしら。私たちは招かれたから来てるだけですよ。宴会と思って、必死に盛り上げているんじゃないですか。久米さんだって、獅子さんだって、みんなそうよ。馬鹿騒ぎしている振りして、ちゃんと見てるし、計算ずくよ。それが大人ってものよ。さっき、私が言ったのは、ただの心構えだわ。あなたには、それがないわよ。文句を言うだけの男なんて大嫌い。ここにいるのも嫌なんだったら、最初から来なきゃいいんだわ。失礼だったら、ありゃしない」

　私はとうとう怒った。ここで謙太郎が油を売っているということは、サンデー毎日の山田某という記者が一人残って、酒癖の悪い作家たちの相手をしているはずだった。

「座敷に戻って、仕事してらっしゃいよ。山田さん一人じゃ、お気の毒でしょう」

「山田さんは酒が好きだから、ちょうどいいんですよ」

謙太郎は、私の言い方が神経に障《さわ》ったようだ。まだこんなことを言うのだった。

「先輩にそんなこと言うなんて失礼じゃない。あの人は仕事してるんですよ」

私が非難すると、謙太郎は向き直った。

「林さん、あなたは仕事って言いますけどね。あれは座持ちです。僕らがやってることは、幇間《ほうかん》じゃないんですかね」

謙太郎が早口に吐き出した。

「なるほど。あなたはお偉い帝大出だから、幇間が嫌なのね」

私はからかった。

「違います。あなたたち作家だって、僕らに酌されて楽しいんですか。どこか歪《ゆが》んでませんか」

「楽しくなんかないわよ。あたしたち女だって、あなたみたいな失礼千万な坊やより、綺麗な芸者さんの方がいいに決まってるわよ」

「どうかな」と、謙太郎は冷笑を浮かべた。「そうやって溜飲《りゅういん》を下げている作家先生だって、いらっしゃるんじゃないですかね。僕らを幇間にして」

私は、相当なひねくれ者だと呆《あき》れ、遠慮なく口にした。

「心底ひねくれ者の、つむじ曲がりなのね。あなたに学芸部なんて勤まりっこないわよ。あたしたちの『とっても面白いお原稿』なんか、取れっこないもの。どこか別の部署に行って、早いとこ、自分に合った仕事を探すといいわ」

私は、数年後にそれが実現するとは思わずに言った。しばし、沈黙があった。謙太郎は、籐椅子《とういす》と揃《そろ》いのテーブルの上にある灰皿を眺めている。謙太郎が潰《つぶ》したはずの煙草が、まだ燻《くすぶ》っていた。

謙太郎が思い余ったように頭を下げた。

「林さん、すみません。言葉が過ぎたようです。酒が入ったせいか、自重できませんでした。今日のことは忘れて頂けると嬉《うれ》しいです」

「そうは問屋が卸さないわよ」私は笑いながら言った。「口を吐《つ》いて出た言葉は、一生相手の心に根を下ろすわ。あたしたちはそういう仕事をしているんですよ。怖い仕事よ。あなたみたいな坊やに、そんな仕事に耐えられるだけの根性はないでしょうから、私が教えてあげますよ。あなたの取るべき道をね。さっきは早くどっかに行きなさいと言ったけどね。あんたみたいな大甘野郎は、どこのどんな部署に行ったって、勤まりゃしませんよ。あたしが保証するわ。そういう風に米田さんに言ってやるから覚悟なさい。新聞社なんか辞めちまえ」

最後の方は本当ではなかった。こちらも売り言葉に買い言葉で、つい言い過ぎたのだった。謙太郎は唇を嚙《か》んで俯《うつむ》いている。

手拭いをぶら提げた中年男が一人、廊下を歩いて来る。温泉から帰って来たところらしい。通りがかりに、私たちの顔を覗《のぞ》き込んで言った。

「あんたら、さっきから喧嘩《けんか》してるようだけど、痴話喧嘩は部屋でしなさい」

男が行ってしまうと、私は謙太郎の目を見て、思わず笑ってしまった。明らかに私の方が年上なのに、恋人同士に見えたのだろうか。が、謙太郎は戸惑ったように、おどおどと私の目を見遣《みや》った。

「これが痴話喧嘩に見えるっていうのかしら。どう見たって、あたしは年増女《としま》でしょうに」

男の後ろ姿を見送りながら、ぶつくさ呟《つぶや》くと、謙太郎はこんなことを言う。

「僕は光栄ですよ」

私は笑った。

「さっきの失点を補おうとしているのね。ほんとに、あんたたち帝大出は、点数稼ぎばかりして」

私は言葉を切った。謙太郎が、無言で横に立ったからだ。背の低い私は、謙太郎の肩までの高さもない。圧倒されて、私は少し後退《あとじさ》った。

「林さん、あなたと痴話喧嘩できたら、どんなにいいだろう」

攻撃性は嘘《うそ》のように消え、謙太郎は少年のように羞《は》じらいながら言うのだった。躊躇《ためら》いや羞じらいがあるからこそ、不必要に剣呑《けんのん》なことを言うのか。謙太郎という男がよくわからなくなって、私は首を傾《かし》げた。

「何言ってるの」

謙太郎の浴衣がはだけている。合わせ目から、裸の胸が見えた。色が白く、滑らかな若い膚《はだ》。意外にも、筋肉が付いていて、美しかった。

謙太郎は私の視線を感じたらしく、襟元を手で合わせた。

「林さんは小さくて可愛《かわい》いのに、どうして、きついことばかり言うんですか。俺、意地悪な女、好きなんですよ」

何と答えようかと迷っている。すると、いきなり背後から抱き竦《すく》められた。謙太郎の胸元から、石鹸《せっけん》とポマードと健康な皮膚の匂《にお》いがした。懐《なつ》かしかった。昔、男の胸にしがみ付き、ずっと胸の匂いを嗅《か》いでいたことがあった。

「こんなに小さくて可愛いのに、意地悪なんだよ」

謙太郎が私のうなじに厚めの唇を当てて囁《ささや》いた。くすぐったさにのけぞる。謙太郎の唇は、私を焦《じ》らすようにあちこち這《は》い回った。やめて、と言おうと思うと、もう浴衣の身八つ口から大きな左手が入って来て、難なく左の乳房を掴《つか》んでいる。

「おっぱいも小さくて可愛いや」

私は罠《わな》に掛かったように、背後から謙太郎に抱き竦められ、胸を揉《も》まれている。

「ねえ、やめて」

やっとのことで言った。それは、廊下で人に見られたくないからでもあった。だが、息を弾ませた謙太郎は、愛撫《あいぶ》をやめようとしない。今度は右手が、右の身八つ口から忍び込んだ。今度はうまく乳首を探り当てられて、私の息は止まりそうになった。

「この下、裸なんですか」

謙太郎の性器が固くなっているのを、尻《しり》に感じる。どうしよう、と胸が弾んだ。激しい動悸《どうき》。こんなこと慣れているはずなのに、謙太郎に抱かれると思うと、ときめくのだった。

突然、がやがやと話し声がした。が、こちらには来ずに、廊下を曲がって行った模様だ。謙太郎が慌《あわ》てて私を離したので、私は謙太郎の罠から抜け出て、乱れた浴衣を直した。

「おいで」

謙太郎が、私の手を取って歩きだす。

「どこに行くの」

「二人っきりになれるところに決まってるじゃないですか」

謙太郎は、怒った声で吐き捨てた。そして、私の手を強く引いて暗い廊下を谷底へと歩いて行くのだった。谷底とは、川縁《かわべり》にある温泉の方向である。

まさか、謙太郎とこんなことになるとは。混乱していたが、私の胸は期待で震えている。この男は、もしかすると、これまで会った誰よりも素晴らしいのではないか。

謙太郎が風呂場《ふろば》のガラス戸を開けた。家族風呂の脱衣場だった。そこに私を引き込むと、いきなり抱き竦めて接吻《せっぷん》した。飢えた者が貪《むさぼ》るような激しい接吻だった。

「鍵《かぎ》掛けて」

唇を離してやっとのことで言うと、謙太郎が我に返って、螺旋《ねじ》式の錠を差して、ゆっくりと回し始めた。その間、私は暗くて狭い脱衣場を見回した。家族用の小さな風呂場は、薄ぼんやりとした裸電球がひとつ灯っているだけだ。奥に小さな岩風呂があって、窓から入る月光で湯煙がうっすらと見えた。

脱衣場は、ほんの三畳ほどの広さで、壁の棚には脱衣籠《かご》が重ねて置いてあった。硫黄の臭《にお》いが強く漂っている。こんなところで、若い男に抱かれるなんて、まったく予想もしていなかったから、私は内心ひどく慌てている。でも、どこか安心もしているのだった。

初めて会った日、あの灰色の背広を見た時から、謙太郎が好きだった。謙太郎だとて、しつこく絡《から》んできたのは、私に関心があったのだろう。

謙太郎が自分の浴衣を脱いで、脱衣場の床に敷いた。

「早く脱いで」

謙太郎はもどかしそうに、私の帯に手を掛けた。私は半幅帯を解いて、浴衣を脱いだ。下は裸だ。私は謙太郎の膚の匂いがする浴衣の上に横たわった。目を閉じる。謙太郎が私の上に覆《おお》い被《かぶ》さって、また接吻をした。その唇が次第に下がっていき、胸をねぶりだす。私は謙太郎の頭を手で抱え、このひねくれた男が大好きだ、大好きだ、と心から思っているのだった。謙太郎が私の中に入ってくる。ああ、ひとつになる。一体感を楽しむ間もなく、謙太郎は果てて、私の横に倒れ込んだ。

「林さん、抱きたかった」

「私も」

私の言葉に、謙太郎は顔を起こして目を覗き込んだ。

「本当ですか?」

「本当よ。でなかったら、寝ない」

謙太郎は左肘《ひじ》を脱衣場の床に突き、右手で私の髪を不器用に撫《な》でた。髪はまだ濡れている。櫛はとうに脇《わき》に落ちていた。

「俺、本当に好きになってしまいますよ。いいですか」

「あなた、結婚してるの？」

「してます。林さんだってしてるじゃないですか」

「お子さんは？」

「います」

どうにもならない癖に、「本当に好きになる」などと言った自分が恥ずかしかったのか、謙太郎は暗い目をして私の唇を眺めている。

誰かが、廊下から脱衣場を開けようとして、がたがたと戸を叩《たた》いた。

「入ってるよ」

謙太郎が叫ぶと、諦《あきら》めたように帰って行った。

「どこかに俺たちみたいな二人がいるんだよ」

謙太郎が可笑《おか》しそうに言う。

「ここしかないのね」

部屋で同衾《どうきん》するわけにはいかない。いつ誰が入って来るかわからないから。二人が付き合っていくのなら、二人きりになれる場所を永遠に探さねばならないのだった。

「風呂に入ろうか」

謙太郎が誘った。私が起き上がると、謙太郎はまた私の手を引いてくれた。湯を掛け合い、小さな岩風呂に手を繋《つな》いで入る。湯はぬるかった。謙太郎が私を膝《ひざ》の上に抱いた。湯の中で貫かれる。

「忘れないわ」

私の囁きに、謙太郎が強く頷《うなず》く。強くしがみ付いた謙太郎の首が、汗で滑った。

4

謙太郎に幾度抱かれただろう。百回? 二百回? それとも、もっと? 私は、謙太郎との思い出に耽《ふけ》って、陶然としていた。

草津温泉の帰り、私たち二人は、口裏を合わせて一行から抜け、山奥の温泉にもう一泊したのだった。

作家様ご一行で、衆目を集めていた草津温泉から、私たちのことなど誰も知らない宿に移った時、私と謙太郎は、もうひとつの違う道を突っ走ることになった。その道は暗く、行く手を照らす灯りなど、どこにもなかったが、私たちには、灯りなど要らなかった。暗ければ暗いほど、寄り添い合えるから。

私は急に謙太郎に抱かれたくなって、シートの上で身悶《みもだ》えした。謙太郎の左手が私のうなじを支えて、一緒に動く時に絡み合う視線。口移しに飲ませて貰《もら》う甘い酒。

でも、思い出は不思議だ。こうして言葉にすると、謙太郎は俄《にわか》に愚かな男に見えるし、私も尻軽な女でしかない。私たちの恋愛だって、その辺に転がる、安っぽい色恋沙汰《ざた》に過ぎなくなる。

きっと、思い出が不思議なのではなく、言葉が不思議なのだ。言葉からこぼれ落ちるもの。言葉で表せないもの。言葉以上のもの。それが恋愛だった。

なのに、離れていれば、言葉はまるで食物のように、必要なものとなる。愛の言葉がなければ、たちまち飢えて、何でも食べたくなる。酒井と関係したように。私は、酒井に申し訳ない気持ちになって、密《ひそ》かに赤面した。

ああ、謙太郎に今すぐ会いたい。私は拗《す》ねる子供のように、地団駄を踏んで、泣き喚《わめ》きたくなった。

謙太郎の手紙を胸に抱いて、固く目を閉じる。窓外の景色なんか見たくもなかった。匂いも嗅ぎたくない。いつまでも、二人の思い出に酔って、ジャワに一人でいる現実を、認めたくなかった。謙太郎から手紙を貰って嬉しくて堪《たま》らないのに、会えないから遣《や》る瀬《せ》ない。

「先生、具合悪いんですけ?」

野口が、遠慮ない口調で尋ねた。謙太郎の含羞《がんしゅう》や躊躇いは、野口にはまったくない。私は薄目を開けた。運転席の背凭《せもた》れを摑んでいる、野口の右手の小指が、いきなり目に入った。

そこだけ長い爪《つめ》は、丈夫そうな薄い黄色をしている。謙太郎の指は清潔で、爪は常に短く切り揃《そろ》えられていた。私を歓《よろこ》ばせるために。

野口に女はいないのだろう、と私は軽侮にも似た思いで、その不潔な爪を眺めている。

「ちょっと疲れたのよ」

私は目を背けて、窓外を見た。名前も知らない木々が、暑さに負けて、厚手の葉を垂れている。サッテ（串焼《くしや》き）の屋台に群がっている、浅黒い膚《はだ》の男たちが、自動車を見て手を振って寄越した。私と目が合うと、真っ白な歯を剝《む》いて笑う。しなやかで美しい男ばかりが目に付いた。

「こっちはマレーより暑いわね」

男の印象を言おうと思ったのに、なぜか天候のことを言っている。ふと溜息《ためいき》を洩《も》らすと、野口は心配そうだった。

「お疲れなんでしょう。部屋でお休みになるとええです。その間、私がクリーニングに持って行きますもんで、汚れ物は部屋の外に出しておいてください。なあに、下着類も遠慮しないで出しておいてください」

「ありがとう。でも、下着は自分で洗うからいいわ」

下着や肌着は、ホテルの風呂場や、洗面所で洗って移動している。だから、野口の親切が逆にうるさく感じられた。

「先生の乗ってらした朝日機ですが、明後日、内地に帰るそうです」

それを聞いて、私は急に元気になった。

「じゃ、手紙載せられるわね？　こっちでもできるんでしょう？」

マレーや昭南ではそうしていたから、聞いたのだった。

「はい、みんな陸軍機や朝日機に荷物も載せて貰っとりますよ」野口はにやついた。

「先生は、旦那《だんな》さんにお返事書かれるんでしょうね」

私は、野口のからかいには返答せずに聞いた。

「明後日って、絶対に確かなの？」

「間違いないと思います」

野口は勘がいい。私がすぐさま手紙を書くことを見越したように、朝日機が出ることをさり気なく告げたのだ。前を向いたままなのも、私の上気した顔を見ないために努めている様子でもある。

私は、謙太郎に「原稿できた。これからバンジェルマシンに行く」と、書くつもりだった。それを読んだ謙太郎が、南方に来るか来ないかは、わからない。けれども、新聞記者なんだからできないことはない、と希望があった。現に謙太郎も書いてきたではないか。

『場合によっては、私自ら、原稿を取りに南方まで伺うことも視野に入れております』と。

戦地では、どこにいるか、どこに向かうかは機密に属するとして、一切、手紙には書けないことになっていた。私は朝日新聞の派遣で来ているから、南方にいる間は、手紙類はすべて朝日機に積んで運び、内地で投函《とうかん》して貰える。そうすれば、検閲もない。

不意に、どうして謙太郎は、朝日の記者に手紙を託さなかったのだろう、と疑問が湧《わ》いた。

朝日新聞経由だったら、手紙は朝日機で運ばれるのだから、検閲の憂《う》き目に遭うこともなかったのではないか。私は封筒に捺《お》された四角い検閲印を恨めしく眺めた。謙太郎は、新聞社の特派員だったから、手紙の出し方や通信方法は人一倍詳しいはずだ。操縦士に知り合いも多い。朝日に親しい記者もいようから、朝日機に頼むこともできただろうし、毎日支局宛《あて》に毎日機に載せて貰って、そこから朝日支局に回してもよかったではないか。

不審に思ったが、「原稿」という符帳をわざわざ使ったところに、謙太郎の遊び心のようなものも感じるのだった。

『ところで、原稿の件ですが、一気に捗《はかど》っておられる由、嬉しいです』

捗っておられる、だって。謙太郎を可愛《かわい》い、愛《いと》しいと思うと、生きる歓びが心の底から湧き上がってくるのだった。恋人からのたった一通の手紙で、女の生気が蘇《よみがえ》っている。

ふと視線を感じて顔を上げると、野口と目が合った。前の席から観察していたのかと不快だった。だが、野口はこんなことを言う。

「私、先生の当番兵やれって言われた時に、先生のこん、怖い人かと思って嫌だったんですよ。だけど、少女のような人ですね」

「嫌だわ、やめてよ」

私は不機嫌を装《よそお》って言ったが、野口に心中を見抜かれていたことに、不安を感じながらも、心がざわめく自分がいた。それほどまでに、私は無防備に自分をさらけ出していたのだった。

「先生、あれが大和ホテルです」

ベチャ（人力車）やデルマン（馬車）が行き来する埃《ほこり》っぽい大通りに面して、白いファサードの美しいホテルが見えてきた。昭南のラッフルズホテルや、キャセイホテルのような偉容はないが、奥に庭を抱えた美しいホテルだという。

「あら、いいホテルね。あたし、お食事まで少し休むわ。何時にどこに行けばいいの」

私は謙太郎に手紙を書きたいと思って、じりじりと焦《あせ》っていた。

「じゃ、七時にロビーで、ということにしましょうか。朝日のお偉いさんや、軍政監部に連絡しておきます。先生がたに、日本料理か寿司《すし》をご馳走《ちそう》したいそうです」

「お寿司なんかあるの？」

「ありますよ。こっちにいると、懐《なつ》かしいんで、よく行きますよ。ジャワの人たちは、刺身とかも器用に作ります」

「お腹《なか》こわしたりしない？」

「いやいや、そんなことありませんて。旨《うま》いですよ」

野口がムキになって言うのが可笑《おか》しかった。が、私は浮き浮きしているのを気取られないように、仏頂面《ぶっちょうづら》を作った。

「林さん、お疲れ様」

もう一台の車が到着して、美川きよが手を振った。

「林さん、お食事まで見物に行きませんこと？　支局の人が案内してくださるそうよ」

何と言おうか案じていると、野口が代わりに断ってくれる。

「先生はお疲れだそうです」

気《き》が利き過ぎる、と少し奇異に感じたが黙っていた。

野口とボーイが、私の荷物を先に運んで行く。私は蛙《かえる》が鳴く夕暮れの庭を眺めながら、回廊を歩いた。私の部屋は、広大な芝生の庭を囲む回廊をぐるっと巡って、最も奥まった場所にあった。

その裏にも、小さな部屋が並んでいて、長逗留《ながとうりゅう》の人たちが住んでいるのだそうだ。軍隊と一緒に移動する商人やら、家を造る大工、畳職人らだろう。大和ホテルだけで、二百人近い日本人が滞在しているという話だった。

野口がボーイにチップを渡してくれた。そして、真っ先に部屋に入り、薄暗い部屋に照明を灯して回り、風呂《ふろ》やベッドを点検した。

「風呂に、時々ヤモリとかが入り込んでますからね」

野口は、ベッドの下まで覗《のぞ》いてから頷《うなず》いた。

「大丈夫です。先生、ゆっくり休んでください。六時五十五分には、お迎えに上がります」

私は礼を言って、ドアを閉めた。待ち合わせの時刻まで、あと二時間。私は荷も解かずに、デスクの前に座った。バッグの底から、謙太郎の手紙を取り出して、もう一度丹念に読んだ。

手持ちの、航空便用の薄い便箋《びんせん》を広げて、万年筆のインクを確かめた。何と書きだそうか迷っているところにノックの音がした。

「先生、冷たいビールどうぞ」

野口が瓶ビールを盆に載せて運んでくれた。サイドテーブルに置いて、無言で何かを待っている。

「どうしたの。何か用」

私の顔がよほど険しかったのだろうか。野口が長い首を鶴《つる》のように突き出して、剽《ひょう》軽《きん》に驚いて見せた。

「先生、皺《しわ》になるもんで、洗濯物を荷物から出した方がいいですよ。クリーニングに出しますけ」

「いいわよ、後で」

「明日、セレクタにご出発でしょう。間に合いませんよ」

仕方なく、私は立ち上がって、濡《ぬ》れた服を野口に渡した。野口は、ぐっしょりと濡れたスカートとブラウスを腕に掛け、意気揚々と部屋を出て行った。

野口はよく気が付いて、薄気味悪いほどだったが、当番兵が付いているのは確かに便利だった。クリーニングの手配やら、明日の自動車の手配やらと駆け回るべきところを、すべて野口に任せればいいのだから。

これから行動を共にすることを考えると、もっと仲良くなった方がいいかもしれない。そんなことを思いながら、私は謙太郎に手紙を書いた。

斎藤謙太郎様
お手紙ありがとうございました。
こちらで受け取る郵便物に、あなたからのお手紙を目にするとは思ってもいませんでした。あなたの筆跡を発見した時の驚きは、あなたといろいろな行き来が始まった頃のときめきに似て、うろたえながらも喜んでいる自分を隠すことはできませんでした。

本当のことを申し上げましょう。私は、八月にあなたのお宅に伺った時、もうあなたのお心は変わられてしまったのだと感じたのです。

あの時のあなたは、私という女を眺めながらも、どこか上の空で、遠い米国に心を置いてきてしまったような、虚ろな表情をされていました。あの日の帰り、私がどれほど悄然としたかは、思い出すのも辛いことです。

いいえ、恨み言を申し上げているのではありません。長い間の付き合いにはそんなこともある、こんなこともある、と泰然としようと努めていた私ですらも、今生のお別れかもしれないと覚悟したのです。勿論、私の南方行きが決まっていたせいもあります。ですから、あなたと、そんなお話もできずに帰って来てしまったことが残念でならず、その時の心中は、大変苦しいものでありました。

それだけに、お手紙、嬉しく拝読いたしました。

明後日、朝日機が出ると聞いて、慌てて書いております。乱筆乱文でごめんなさいね。でも、こうしてあなたに手紙を書くことが、私のかけがえのない喜びだったと、今思い出しているところです。あなたが米国にいらしてからは、しばらく手紙も書けませんでしたもの。

今日、ジャワの「鮫鰐」に着きました。勘の良いあなたのことですから、ここがどこかはもうおわかりでしょう。こちらは雨季で、一日に一回、激しいスコールが降ります。が、その後はまた、からっと晴れて、蒸し暑くなります。毎日がこの繰り返しだそうですから、体をこわさないようにしなければ、と思いますの。

数日後には、ボルネオに行かねばなりません。朝日が新しく新聞を出す場所です。そこで、お手伝いをすることになっています。

あなたに頼まれた原稿は会心の出来です。取りに来て頂けるのでしたら、ボルネオ新聞社の方までいらしてくださいませ。よろしくご検討くださいませね。末筆ながら、米田さんによろしくお伝えください。ふみこは元気ですと。

林　芙美子

検閲があるかと思うと、迂闊《うかつ》なことは書けない。だが、いつしか文学者とも思えない、恋する女の手紙になっていた。しかも、書き上げるのに、一時間以上もかかっていた。

部屋は薄暗くなり、虫の鳴き声がうるさく響いていた。私は手紙を封筒に入れて、宛名を書いた。それから、緑敏にも書かないと、野口に疑われるのではないかと思い、慌《あわ》ててもう一通認《したた》めた。こちらは短かった。

手塚緑敏様

お手紙拝受。絵描いてますか？

こっちは暑くて大変だよ。毎日、マンデーばかりして、ごろごろ寝台で過ごしたいと夢見ています。

でも、お国のために、埃にまみれて移動してるとこ。

朝日から原稿料ちゃんと入ってますか。それから、朝日のしゃしん、スクラップしておいてくださいね。

お元気で。

芙美子

気が付くと、すでに七時少し前だった。服を着ているところにノックの音がした。

「先生、野口です。お迎えに上がりました」

ドアを開けると、白の開襟《かいきん》シャツに取り替えた野口が、にこやかに立っていた。

第四章　金剛石

I

スラバヤから八人乗りの朝日機で飛び立ち、紺碧《こんぺき》の海上を飛ぶこと、三時間半。最初は地獄のように熱せられていた機内は、上昇するに従って冷え込んでくる。暖房が入った模様だが、それでも胴震いするほど寒かった。しかも、揺れる度にもどす人がいて、臭《にお》いが狭い機内に満ちている。

だが、私は昼飯の幕の内弁当をしっかりと食べた。そして、毛布を巻き付けたまま、いつしか眠り込んでいた。旅慣れた自分がいる。

「奥さん、ボルネオ島の上空まで来ましたよ」

横に座った海軍士官が、私の肩を揺すって起こしてくれた。私が女流作家とは知らないらしい。「奥さん」という響きが新鮮に聞こえた。

軍人は、私のことを何かの役得があって朝日機に乗れた女、と思っているのだろう。確かに、飛行機に乗れる者は、限られた特権階級ではあるが、軍人やその家族か、徴用者か、民間人か、誰が何やら、さっぱりわからない状況ではあった。

ボルネオ行きは、当初から計画の中に入っていた重要な任務のひとつだった。日本にいる時から、朝日新聞の担当者に、南ボルネオに立ち寄るよう指示されていたのだ。その大きな理由は、今月に発刊されたばかりの、ボルネオ新聞の手伝いだった。昭和十七年十二月八日、大東亜戦争開戦一周年を記念して創刊されたボルネオ新聞は、発刊を記念日に合わせて強行したために、先発したわずか数人の社員で何とか作り上げたという。そのため、圧倒的な人手不足だったのだ。

私は軍人に丁寧に礼を述べてから、身を乗り出し、小さな窓から下界を眺めた。眼下にこんもりと量感のあるジャングルがどこまでも広がっている。低空飛行に入ったせいで、樹冠が近く見えた。私はその生々しさに驚いて、思わずのけぞったほどだった。

どこまでも続く濃い緑。まるで、緑の毛皮を持った巨大な動物が蹲《うずくま》っているかのようで、恐怖すら感じる。しかも、密林が吐き出す湿気が森を包み込んで、あちこちが白く煙っている。飛行機が、森の白い靄《もや》に入り込むと、夢の中にいるような茫洋《ぼうよう》とした心持ちになる。それはただならぬ陶酔にも似て、死の世界もかくや、と思わせた。気付くと、私は巨大な森の上を飛びながら、「謙太郎」と何度も心の中で呼びかけているのだった。

謙太郎、私はとうとうボルネオにまで来てしまったよ。こんな地の涯《は》てこそが、私たちのような者が相見《あいまみ》えるのに相応《ふさわ》しい場所だと思う。ねえ、来て。あたしに会いに来て。二人の愛が何だったのか、もう一度確かめようよ、と。

朝日機に、内地への手紙を託して以来、謙太郎がどうするつもりか、気になって仕方がなかった。セレクタという高原で休養していた時も、私は何事にも上の空で、美川きよに呆《あき》れられる始末だったのだ。

謙太郎は私の手紙を読んで、会いに来てくれるのか、来ないのか。来てほしい、と祈るような気持ちになるのは、一人旅の侘《わび》しさ故《ゆえ》か。

私は、連れの従卒、野口の方を振り返った。野口は斜め後ろの座席で、熟睡していた。妙に肝の据わった男で、飛行機に乗るのは生まれて初めてというのに、揺れても揉《も》まれても平気な顔をしている。むしろ楽しそうにあちこち眺めていたのだった。野口の長い首がそちらに傾《かし》いでいるため、隣席の男が迷惑そうにしている。

私は苦笑して、前に向き直りかけたが、野口の膝《ひざ》の上に開いた本が置いてあるのに気付き、苦労して題名を読み取った。『米国の内幕』とある。驚いたことに、専門書のようだった。野口は、浜松の床屋をしていた予備役という話だったが、存外読書好きらしい。だから、私の当番兵になったのかと、俄《にわか》に野口への興味が湧《わ》いた。

「川が見えましたよ。素晴らしい景色です」

またも海軍士官が囁《ささや》く。昂奮《こうふん》した面持ちだった。ジャングルを縫って、銀色に輝く川が蛇行している。その先の大きな三角洲《す》に、平べったく貧相な街が、へばり付くようにしてあるのが見えた。あれがバンジェルマシンか。何という、地の涯てだろう。水道もまだない、という話を思い出すと、ロンドンやニューヨークで暮らした謙太郎は、こんな場所は堪えられないだろう。きっと来ない。現地をこの目で見て、確信を深めた私は、落胆を押し隠した。

飛行機は難なく着陸して、いつも通り、新聞社の歓迎を受けた。朝日のボルネオ新聞社は格段に小さな会社と見えて、今日は社長以下、全員の記者が迎えに来てくれた。

「林さん、こんな僻地《へきち》まですみません」

社長の平井は、直立不動で謝った。以前、朝日新聞社で会ったことがある、本社理事である。

「いいんです。何でも言い付けてください」

「じゃ、ここの印象を詩に書いてくれませんか」

早速、仕事を頼んで来たのは、真鍋《まなべ》と自己紹介した記者だった。皆で顔を見合わせて笑う。

ジャワ新聞は、グラフ雑誌の「ジャワ・バルー」も出しているから、かなりの大所帯だった。しかも、バンドンやスラバヤ支局も加えれば、二百人近い社員を抱えていた。それと比較すれば、ボルネオ新聞社には、こぢんまりした家族的な印象がある。私は逆に好感を抱いた。

それに、バンジェルマシンには、これまでの逗留地《とうりゅうち》と決定的な違いがある。南ボルネオは、海軍の民政下なのだ。だから、バンジェルマシンには、軍政監部の軍人はいない。そのせいか、野口も軽口を叩《たた》かず、おとなしく後ろに控えている。

僻地と言うが、出迎えてくれた記者たちは全員、白麻の背広に、黒の蝶《ちょう》ネクタイ、カンカン帽という洒落《しゃれ》た出《い》で立ちだった。だから、私は、濡《ぬ》れた服をクリーニングに出してくれた野口に密《ひそ》かに感謝した。

一人で移動していたら、手配をする時間も余裕もないまま、旅に疲れた様子で降り立ったに違いない。そんなことを思いながら、平井社長や記者たちと歓談していると、五、六人の男女がこちらに走って来るのが見えた。

「あそこよ。あそこにいらっしゃるわ」

大声で叫んでいるのは、着物姿の若い女性である。白地に桃色の流水模様という派手な着物に、臙脂《えんじ》の更紗《さらさ》帯をしている。菱形《ひしがた》の帯留めがきらりと光った。ダイヤモンドか。

女は、痩《や》せ形で短髪。色白で陽に灼《や》けてもおらず、目尻《めじり》の下がった丸い目をしている。美しいというよりは、剽《ひょう》げた印象だった。女は、私に近付くと、にっこり微笑《ほほえ》んで挨拶《あいさつ》した。

「林先生。私、金原藍子《かねはらあいこ》と申します。先生の愛読者ですの。先生がバンジェルにいらっしゃると伺って、ドキドキしてお待ちしておりましたのよ。私の家は、バンジェルで長いこと、ゴム農園をやっておりますの。だから、何かお聞きになりたいことや、いらっしゃりたいところがありましたら、遠慮なく仰《おつしや》ってくださいな。私が案内致しますす。今日は林先生がお着きになると聞いたので、近くの友達や、農園で働く者たちとで慌《あわ》てて駆け付けましたの」

こんな歓迎を受けたのは初めてだった。嬉《うれ》しくて仕方がないといった様子で、私を熱心に見詰めている若者たちを、一人一人観察した。全員、まだ二十代か。白のシャツ、白のズボン。皆、逞《たくま》しく陽に灼けて、顔立ちも美しかった。

藍子の他にも女性が一人いたが、こちらも白いシャツに白いスカートが眩《まぶ》しい。長い髪を後ろで纏《まと》め、右の鬢《びん》に琥珀《こはく》の髪留めを付けていた。裕福で育ちのよさそうな若い人たちだった。

「まあ、こんなところに日本の方のゴム農園がありますの？」

こんなところ、と口が滑った私の背を、後ろにいる野口が軽く触れた。気が付きすぎる、と野口に苛立《いらだ》ちながら、私は微笑んでごまかした。だが、藍子は屈託なく笑った。

「そうなんですのよ。父が入植したのは、大正の初めですから、かれこれ三十年近く前ですわね。苦労したみたいですけど、今は何もかもがうまくいってますの」

藍子は、「何もかも」に力を籠《こ》めて、弾む口調で言った。

「そうですか。まさか、こんな歓迎をしていただけるとは思わなかったから、びっくりしましたわ。とても嬉しいです」

「ありがとうございます。林先生にお目にかかれて、大変光栄です」

若い男が目を輝かせて言った。藍子が、指差す。

「弟の昭人《あきひと》ですの」

愛嬌《あいきょう》のある顔はよく似ていた。が、姉がすらりと背が高いのに比べ、弟はがっしりとして背が低く、その分、堅実に見える。

金原姉弟とその友人たちは、ボルネオ新聞社の人々とも懇意らしく、会釈《えしやく》し合った。

「えらい歓迎ぶりですね、先生。マレーでもそうでしたか」

野口が囁いた。

「まさか。林芙美子なんて、どこの馬の骨って感じだったわよ」

私が囁き返すと、野口はにやりと笑った。

「あのお嬢さんは、こっちの金持ちの娘ですかね」

「そんな言い方しないのよ」

私は野卑な野口に注意したが、野口はこたえない様子で、じろじろと藍子を眺めている。

藍子が側《そば》に来て、さりげなく細い腕を私の腕に絡《から》めた。

「先生、朝日の支局にお泊まりなんですか？　あそこに貴賓室があると聞いてますけど、それ、どんなところ？　南京虫《ナンキン》とかいるんじゃないですか？」

私は藍子の率直さに笑った。

「さあ、どうかしら。まだ聞いてないのよ」

尋ねてみようと野口を捜したが、野口は先に車に荷物を積みに行ってしまったらしく姿がない。

「じゃあ、どこの旅館かホテルか、聞いてません？」

「さあ」

私は途方に暮れて、目を泳がした。心の準備ができないうちに、いきなり熱烈な歓迎を受けるのも考えものだ。私が密かに溜息《ためいき》を吐《つ》いたのを、藍子はちゃんと聞いていたらしい。

「先生、お疲れでしょう」

藍子は、帯に差した扇子をぱっと開いた。白檀《びゃくだん》の匂《にお》いがする扇子で、私の首筋を扇《あお》いでくれる。

「先生、ここ蒸し暑いでしょう。バンジェルの湿気、すごいから」

ふと、藍子の左手に大きなダイヤが光っているのに気付いた。藍子は、私の視線を悟って、ふふっと笑う。

「ああ、これ。こちらで採れるダイヤモンドですよ、先生。ダイヤモンドを採るところは、絶対に見た方がいいわ。自分も拾えるんじゃないかと思って、ついやりたくなっちゃう。すごく面白いんです」

「じゃ、その石はあなたが自分で見付けたの？」

藍子は私が冗談で返したことが嬉しいと言わんばかりに、なかなか笑いやまなかった。

「いいえ、先生。うちの使用人が持って来てくれたんですよ。大きな石がふたつも採れたから、奥様とお嬢様にって」

まるで王侯貴族の暮らしではないか、と思いながら、私は聞いていた。

「だから、好意を無にしないようにって、母と私の分を磨いて貰《もら》って、セレベス島で指輪に仕立てたんです。こっちでは、バンジェルの石をセレベスの金で豪華な指輪に仕立てるのが、女の子の憧《あこが》れなんです」

私は、藍子の左手に煌《きら》めく石を眺めた。微《かす》かに菫色《すみれいろ》に染まったダイヤモンドは、永遠の何かを表しているように見える。貧困や孤独、悲惨や病魔といったおぞましいものとは正反対の何か。だが、その言葉は思い付かなかった。だからこそ、手に入れられないものなのだ。

私がよほどダイヤに惹《ひ》かれたように見えたのか、藍子は嬉しそうに笑った。

「先生もマルタプラまでいらっしゃって、お買いになるといいわ。内地で買うと信じられないほど高いそうですけど、こちらは安いですから、一番いい石を買って、こっそりお持ちになっているといいわ。ダイヤのいいところは、豆粒みたいに小さなことですの。そっと隠しておけるから、自分だけの一生の思い出になりますわよ」

私は藍子の言葉を聞いて、ダイヤの魅力がわかった気がした。小さな光る粒に何もかもが詰め込まれているのだ。価値も欲望も愛の多寡《たか》も見栄《みえ》もすべてが。だから、西洋の女はダイヤを欲しがる。私もダイヤが欲しくなった。それは、謙太郎を側に置きたい気持ちに少し似ている。

「あなたは賢いことを仰るわね」

藍子は私の顔を覗《のぞ》き込む。

「先生、こういうところで暮らすと、賢くないと面白くないのよ」

「あなた、幾つ？」

「幾つに見えますか？」

藍子は逆に質問した。

「二十五歳くらい？」

かなり若く言ったつもりだったのに、藍子は唇の両端を上げて笑う。

「先生、私、二十三歳ですの。弟は二十一歳。私たち、プランテーションで楽しく楽しく暮らしているんですよ。だから、是非、うちに滞在してくださいな。毎日、テニスしたり、水浴びしたり、遊び暮らせますわよ」

「そうね、どうしようかしら」

そう言った途端に目眩《めまい》がして、倒れそうになった。いろんな人物が現れて、とんでもないことを言う。私は、藍子という女が出て来る白日夢を見ているのかと思って、ふらつきかけた。戻って来た野口が支えてくれて、そのまま屋外に連れ出されたと思ったら、ボルネオ新聞の差し回した車に乗っていた。

赤土の道は赤く細かい埃《ほこり》が舞っていた。だから、窓を開けられない。飛行機の上からは銀色に輝いて見えた大河は、茶色い水の色をしている。私は必死に扇子を使った。

「林さん、すみません。金原さんのお嬢さんは突拍子もなくて、ご迷惑おかけしましたね」

ボルネオ新聞社長の平井が首の汗をハンカチで拭《ぬぐ》いながら謝った。

「いいえ、面白いお嬢さんで楽しかった」

本気だった。バンジェルマシンに謙太郎は来るかもしれない、と私は思い始めていた。つまらない田舎町だと馬鹿《ばか》にしていたバンジェルが、藍子のお蔭《かげ》で、俄《にわか》に魅力的に映ったのだ。

「金原農園は古くからありましてね。ボルネオのあちこちに支社もありますし、ホテルも経営してます。すごい一族ですよ、うちもかなり世話になってますよ」

「さっき、藍子さんに家に泊まるようにと誘われましたが」

「長いご滞在になりそうですから、そうなさっても気分が変わっていいかと思いますよ」

2

バンジェルマシンに来て、早くも十日が経《た》った。私は、ボルネオ新聞の真鍋に請《こ》われるままに、詩を何篇か書いて新聞に載せた。

真鍋によると、バンジェルマシンは、「千の川のある街」と呼ばれているのだとか。バリト河という大河の支流が数え切れないほどあり、それが合流し、さらに分かれ、まるで網の目のように分け入っている。

その様は、私にいつも飛行機から眺めた情景を思い起こさせた。複雑な魚の骨のように銀色に光る川。さしずめ、バリト河は背骨で、肋骨《ろっこつ》は数え切れない支流だった。

川の水の色は赤茶の泥色をしていて、決して美しいとは言えない。だが、イロンイロンと呼ばれる布袋草《ほていそう》がぎっしりと川面《かわも》を覆《おお》っていて、水の色は容易に見えなかった。イロンイロンはあちこちに淀《よど》み、また流れに乗って、どこかに運ばれて行く。人々は小舟で布袋草を掻《か》き分けて、せっせと魚の骨を行き来するのだった。

私は毎日、大和ホテルから、近くのボルネオ新聞社に出向いて、記事を書いたり、校正を手伝ったりして過ごした。大和は、占領地にはどこにでもあるホテルだが、バンジェルの大和ホテルは浴槽もなくて、質素な机とベッドが置いてあるだけの、侘《わ》びしくなるような部屋だった。

夜は、平井社長や真鍋らと一緒に、まずい日本料理を食べたり、海軍の水交社に出向いて、民政部の人たちと酒を飲んだりもした。街にある娯楽施設と言えば、映画館がひとつあるのみで、女の私には楽しみのほとんどない場所だった。

空港に出迎えてくれた、喧《かまびす》しい金原藍子たちは、あの時の私の疲れを見て遠慮したのだろう。ちっとも遊びに来てくれなかった。街に退屈した私は、金原家の暮らしを覗いてみたかったから、甚だ残念だった。

年末、週刊婦人朝日の企画で、バンジェルマシンで働く若い女性たちと座談をすることになっていたが、藍子はここで働く女ではないので、呼ぶわけにもいかない。

ちなみに、その企画は、日本にいる時に言われたものだったから、私はボルネオのどこに若い女性がいるのだろう、と訝《いぶか》っていた。が、来てみれば、バンジェルマシンも、昭南やジャカルタと同様だった。水道もない田舎だというのに、占領地には、様々な日本人が職を求めて、内地からやって来る。私と座談することになっている若い女性たちも、タイピストや事務員として、ここの民政部にやって来た女性たちだという。彼女たちは、命懸けで船に乗って来るのだ。

また、南方には古くから住み着いて事業をしている邦人も多かった。金原藍子の家のように成功した日本人は、大勢の使用人に囲まれ、便利で美しい西洋式の住宅に住んでいる。その生活は、華やかで楽しい、と聞いた。彼らは、「日本人会」を結成して、協力し合って暮らす。女性は「婦人会」を作り、結束を強める。

私と美川きよは、ジャカルタでもスラバヤでも、日本人会や婦人会に招待された。短い滞在だったから、昼食会や午後のお茶会程度ではあったが、それでも現地の日本人の人間模様を垣間見《かいまみ》ることはできた。

ジャカルタなどの大都市では、日本人の間には、領事を中心とした階級社会が作られていた。領事に続いて権力があるのは、日本から派遣された企業の幹部や、高級軍人ではなかった。古くから現地で起業して信用を得ている実業家たちだ。彼らは、オランダ人、インドネシア人、華僑《かきょう》らとも親しく付き合い、政治的にも力を持っていた。

おそらく、金原藍子の家も、バンジェルマシンの日本人社会を仕切っているのだろう。でなければ、飛行場で、あれほど我が物顔に振る舞えるはずがなかった。私は藍子の指に妖《あや》しく光っていたダイヤや、菱形《ひしがた》の輝く帯留めを思い出しながら、夕暮れの空を眺めていた。

退屈で孤独だった。今日の夜は、どういうわけか、誰からも誘われなかったから、一人、宿でまずい夕飯を食べねばならない。

私はボルネオ新聞の建物を出て、埃っぽい通りに立った。私の姿を見付けて、前の運河には、物売りの小舟が一斉に集まって来た。色とりどりの果物や野菜を差し出して、買え買え、とうるさい。

私は、今日が十二月二十五日だと思い出して、密《ひそ》かに呟《つぶや》いている。ノエル、と。十一年前のこの日、二十七歳の私はパリに居て、友人たちとノエルを祝ったのだ。なのに、今は南ボルネオのバンジェルマシンで暑さにへばり、たった一人で小舟の商いを眺めている。不意に、謙太郎は手紙を読んでくれただろうか、と悲しくなった。

朝日機に手紙を託したのが、十一日前のことだ。飛行機が無事に日本に着いたのなら、六日ほどで、謙太郎の手元に届くはずだった。謙太郎がそれを読んで、急いで返事を書いてくれたなら、そろそろこちらに届く頃だ。先ほど、海軍機が着いた模様だった。あの飛行機に手紙が託されていないだろうか。もしそうなら、最高のノエルの贈り物なのに。

「先生」

野口の声が聞こえた。私は素知らぬ顔で運河を眺め続けた。野口は、スラバヤの軍政監部に報告のために数日間、戻っていたのだ。どうやら、先ほどの海軍機で帰ったらしい。

「先生、ただ今戻りました」

野口の声に渋々振り向き、その手元を素早く見た。手紙の束でも持っていないかと期待したが、何もない。落胆を隠して、物憂《ものう》い口調で言った。

「あなた、変わりないの？」

「それはこっちの台詞《せりふ》ですよ、先生。お変わりないですか？」

野口が首を前に突き出してから、可笑《おか》しそうに返す。少し伸びていた野口の髪が、こざっぱりと刈られている。

「あら、すっきりしてる」

「正月支度です」

「自分で切ったの？」

「いやいやいや」と、野口が笑った。「自分でなんかやりゃしませんよ」

「自分でやりゃいいじゃない。それしか取り柄がないんだから」

私は厭味《いやみ》を言い、煙草《たばこ》を取り出して、マッチを擦った。蝟集《いしゅう》した小舟は諦《あきら》めず、まだ私に野菜や果物を差し出し続けている。彼らの声を無視して、のんびりと自分のしたいことだけをする度胸も、いつしか身に付いていた。

「きついなあ」

野口が白い歯を剝《む》き出して苦笑いした。

「だって、当番兵なのにいやしないんだもの。用事を言い付けようにも困るじゃないか」

「すいません。用事って何ですか」

私は何も言わない。まさか、野口にノエルの晩餐《ばんさん》の相手をしろ、とは言いたくなかった。

「お詫《わ》びにこれを」

野口が、懐《ふところ》から「金鵄《きんし》」を差し出した。内地の煙草。私は独りごちた。

「ノエルか」

「何ですか、それ」

「何でもないよ。でも、ありがとう」

私は肩を竦《すく》めて、金鵄をスカートのポケットに仕舞った。風のまったく吹かない夕暮れ時の運河に視線を戻す。

西陽がぎらぎらと川面《かわも》に反射して、異様に蒸し暑かった。汗で皮膚が粘つく。何もいいことなんかない。私のつまらなさそうな顔を見ていた野口が、遠慮がちに差し出した。

「先生、これ。ホテルで、先生に渡してくれって言われました」

封筒には、「御招待状」とある。裏書きは「金原藍子」だった。

「何で早く出さないのよ」

野口の人の悪さに閉口しながら、急いで封を切った。

林芙美子先生
飛行場では、先生にお目にかかれて、大変感激しました。でも、お疲れのご様子にも気付かないで、ごめんなさい。
その後、お体の調子はいかがでしょうか。バンジェルの暑さに、少し慣れられましたでしょうか?
さて、今日は聖誕祭です。私の家はキリスト教徒ではありませんし、使用人には回教徒も大勢おりますから、特に何かをするわけではありません。けれども、親族、友人たちが集まって、葡萄酒《ぶどうしゅ》などを飲んで過ごします。

林先生も、是非おいで下さいませ。

五時に車を差し向けます。心より、先生をお待ち申し上げております。

金原藍子

藍子に会いたいと思っていたところに手紙が届いたのだから、よほど、顔が輝いていたのだろう。野口が、私を見て笑った。

「先生、宴会のお誘いですかね」

「まあ、そんなようなもんよ」

出掛けるのなら、マンデーをして、着替えたい。化粧も念入りにしたい。私は慌《あわ》てて、ホテルに向かって歩きだした。野口は、私の後を大股《おおまた》で追いながら、「あの金持ちの娘からですか？」などと聞く。私は口に出さずに、頷《うなず》いた。

「今日の今日ですか？」

「だって、今日は聖誕祭だっていうから仕方ないじゃない」

私はひらひらと招待状を振って見せた。野口は招待状を摑《つか》んで読んだ。

「なるほど。金持ちはやることが急ですね。みんな言うことを聞くと思っとるんだ」

当たっているだけに、思わず苦笑する。

「では、私もお供して、外でお待ちしとりますよ」

「いいじゃない。あなたもいらっしゃいよ」

「私は当番兵だもんで」

野口がほんの一瞬だけ、嫌な表情をしたのを、私は目の端に留めた。

金原農園は、バンジェルマシンから、車で二十分ほど走ったところにあった。金の文字で「金原農園」と彫った黒い石が塡《は》め込まれた、堂々たる門がある。そこに現地人の門番が立っていた。門を抜けてからも、走ること十分。やがて、ゴルフ場のような広大な芝生と、二面あるテニスコートが見えてきた。屋敷は、その先の三階建ての白亜の建物だ。豪壮さに、声もなかった。

「立派なもんですな」

助手席から、野口が振り返る。運転手は、ボルネオ人の若い男だが、ボードビリアンのように、帽子と白い手袋をしていた。しかし、バンジェルマシンは何もない田舎町なのだから、そこに豪華な邸宅があるのも、空疎《くうそ》な感じだった。

車が着くと、開いた玄関ドアから、白いドレスを着た藍子が笑いながら走り出て来た。

「先生、来てくださったのね」

纏《まと》めた髪に、白鳥の羽を付けている。バレエでも踊りそうな格好だった。

「お招きありがとう。ノエルなのに、一人でどうしようかと思っていたところなのよ」

「そうだろうと思いましたわ。先生なら、とっても洒落《しやれ》ていらっしゃるところがおありだから、絶対にそういうお祝いをなさっておられると思いましたもの」

藍子は自信ありげに言ったが、言葉遣いが丁寧過ぎた。日本語をむりやり使っているようで、この邸宅のように空疎で滑稽《こつけい》ではあった。

「先生、私のパパとママよ」

藍子の両親に紹介された。父親はすでに老人だった。背が低く、陽灼《ひや》けの染《し》み込んだ、労苦の跡が窺《うかが》える顔をしている。母親は後妻でもあるのか、私くらいの年齢だ。この暑さに、金糸の縫い取りで重そうな着物を着ている。指には、娘と揃《そろ》いのダイヤがぎらりと光っていた。

「林先生、お目にかかれて光栄ですわ。戦争でもなけりゃ、会えない人だもんね」

母親は、口重な夫を押しのけて、捌《さば》けた口調で言う。婦人会でも権勢を振るっていそうだ、と思いながら挨拶《あいさつ》を返すと、藍子は苛々《いらいら》と爪《つめ》を噛《か》みながら、両親を眺めていた。どちらも気に入らない様子だった。

「いらっしゃい。僕らも先に来てましたよ」

驚いたことに、ボルネオ新聞の平井も記者たちも全員招かれていた。素知らぬ顔でどこかに消えたのは、密かに私を驚かそうと企《たくら》んでいたからしい。

「びっくりパーティよ」

藍子が庭を指差して、笑い転げた。芝生の庭には、ピンクの提灯《ちょうちん》が吊《つる》されて、池にぼんやりと光が映って美しい。鶏肉や牛肉などを網で焼くらしく、日本人の子供が、派手な浴衣《ゆかた》を着て、駆け回っていた。

「あら、嬉《うれ》しいわ」

私は酒に酔う前に、嬉しさに酔った。何もない田舎町で、無聊《ぶりょう》をかこっていたのだから、華やかな集まりが嬉しかった。

私はちらりと野口を振り返った。が、野口は困惑した表情で、葡萄酒のグラスを片手に談笑している人を眺めている。その顔に、違和感がある。先ほど、「当番兵だもんで」と言った時、一瞬嫌な顔をしたことを思い出し、野口とはどんな人物なのだろう、と興味が湧《わ》いた。野口に何か話しかけようかと迷っていると、藍子に手を引かれた。

「先生、こっちにどうぞ。ご紹介させてくださいな」

戦時中だから、金原家の集まりは、あからさまな聖誕祭ではないものの、明らかに西洋風のしきたりに影響を受けた催しだった。一年前まで、蘭領《らんりょう》だったのだから、当然とも言えた。見ていると密かに贈り物も交換している。

「藍子さん、これどうぞ」

私はいつも持ち歩いている、改造社の『放浪記』に、サインをして差し出した。

「あら、嬉しい」藍子は本を胸に抱き締めた。「私、この本を読みたくて仕方がなかったの。先生の出世作ですよね。実を言うと、先生のお作品って、ひとつも読んだことないんです。だって、私はバンジェル生まれだから、日本をよく知らないんですよ。でもね、先生は本物のコスモポリタンだって、兄が言ってました」

「何ですか」

「世界人ってことですわ。でも、先生。本物の日本人て言われた方が嬉しいでしょう」

藍子は真面目《まじめ》な顔で言う。

「お兄さんもいらっしゃるの？」

藍子は頷いた。

「父の最初の奥さんの子供なんです。今は日本の大学にいます」

しかし、藍子はスラバヤの高等市民学校を出ていて、弟の昭人はバンドンの大学に通っているのだそうだ。二人とも、日本の高等教育を受けていないのだから、肌合いが違う。どうやったら日本人になれるか、苦慮しているように見えた。

夜が更《ふ》けたので帰ろうとしたが、是非泊まってほしい、と家族全員に引き留められた。野口は、平井らと共にとっくに街に戻ったらしい。

「先生、バンジェルにいらっしゃる間、ずっと泊まってて」

藍子は私と離れ難いようだ。

藍子はきっと、飛行場での態度を誰かに注意されたのだろう。十日間も我慢していた私への好奇心が、一気に爆発したかのような、昂《たか》ぶりだった。

「先生、先生。私の水着を貸して差し上げますから、一緒に海水浴に行きましょうよ。自動車で少し行くだけで、素敵な白浜の海岸がありますのよ。うちに来た子は、みんな海水浴が目当てなの。そこで、たんと泳いで、冷たいココナッツジュース飲んで、涼しくなったらテニスして、一日中遊ぶの。楽しそうでしょう」

藍子は、弟の昭人や、その友人たちを指し示しながら、私がまるで彼らと同じ年若な友人のごとく、誘うのだった。飛行場にいた、鬢《びん》に琥珀《こはく》の髪留めを付けた娘の姿もあった。今日は、和服を仕立て直した、縮緬《ちりめん》の花柄のドレスだ。結い上げた髪には、香りの強い白い花を挿している。彼らも藍子と同じく、豊かな農園主や、商店の子供たちなのだろう。あるいは、鉱山技師の子弟か。若者たちの輪の中心は、常に藍子と昭人だった。

藍子の度を超したはしゃぎぶりに、私は疲れを感じていた。この享楽《きょうらく》的で若い日本人たちは、今が戦時中だということを、どれだけ認識しているのだろう。葡萄酒の盃を干す彼らを見ているうちに、妙な気持ちになる。バンジェルマシンの金原農園という場所が、どこを探してもない桃源郷に思えるのだ。

もし日本が戦争に負けたならば、日本人の農園主や商人は、ボルネオから追放されて、宏壮《こうそう》な屋敷も富を生む商売もすべて失い、命からがら逃げだすことになるだろう。どころか、命があるかどうかもわからないのだった。戦前に移住し、殖産に精を出してきた藍子の父親は、どう考えているのだろう。

そんなことを思っていると、藍子が甘えるように言った。

「先生、内地のことを教えてくださいな」

「一度も帰られたことがないのね。内地は物資がなくて大変なのよ。こんな素敵な暮らしを見たら、みんな南方に来たいと思うでしょうね」

私の言葉に、若者たちが顔色を変えて俯《うつむ》いた。気まずい雰囲気が漂う。何か間違ったことを言ったのか、と私は慌てた。

「先生はご存じないのね。私たち、『復帰邦人』なんですよ。たった一カ月間だけ、内地にいて」

藍子が真面目な顔で言った。私ははっとした。「復帰邦人」とは、海外で商売や農園経営をしていて、戦争で一旦《いったん》帰国した後、軍が攻め取ったその地に再び帰還した日本人のことを言うのだ。私は無知を恥じた。内心では、藍子らを、何の屈託もない若い人たち、と侮《あなど》っていたのだ。

「ごめんなさい。蘭領のボルネオもそうだったのですね」

「そうです。しかも僕らは、抑留されたんですよ」

弟の昭人が口を挟み、若者たちが頷いた。昭人が、縮緬のドレスを着た娘を指差した。

「彼女の父親は鉱山技師だったので、『北野丸』組です。かなり早期に日本に帰りました。でも、ここにいる僕らの家は皆、農園経営ですから、帰国を拒んだのです。一度仕事から離れれば、農園は荒れて元に戻すのに時間がかかる。それで、蘭印の官憲に捕まり、オーストラリア送りになったのですよ。年寄りの中には、船倉に閉じ込められて、病死した人もいます。苦労しました」

髪を撫《な》で付け、白い背広を着た洒落た若い男たちが、一様に硬い表情をした。

「その後はどうなさったの？」

私の質問に藍子が答えた。

「オーストラリアで、男女別れて収容されました。家族はばらばらになって、別々の収容所で半年暮らしたんですの。その後は、ロレンソ・マルケスというアフリカにあるポルトガル領まで送られて、交換船で帰国しました」

交換船。それでは、謙太郎と同じではないか。私は、息苦しくなって胸を押さえた。気が付くと、暑い夜なのに、鳥肌が立っていた。ただ、蘭印生活を楽しんでいるだけに見えた若者たちが、苦難の道を歩んでいたことが衝撃だった。

「ごめんなさい、ちっとも知らなかったわ」

「いいんですのよ。内地の人はほとんど知らないことですから」

藍子が私の肩を抱いた。仕種《しぐさ》が西洋風なのは、オランダの教育を受けたからだろう。ここでは優雅にも見えるが、内地では難民同様の暮らしだったはずだ。

「お気の毒でしたわね。では、こちらに帰られたのはいつですか」

「うちは二カ月前です。今や占領地ですから、今度は殖産興業に当たれと帰されたんです。父は半年以上もの荒廃を埋めるために必死ですよ」

昭人が言う。私は、藍子の父親を見た。農民のごつごつした手を持つ父親は、居場所をなくした人のように上の空で、暗い夜空の彼方《かなた》に目を遣《や》っている。

「私は、皆さんは幸せな人たちなのだと誤解していました。ごめんなさい」

「いいんですよ。だから、私、先生に、いつか私たちの話を書いて頂きたいと思いましたの」

藍子が、縮緬のドレスを着た娘と微笑《ほほえ》み合った。

バンジェルマシンは、昭和十七年二月に、治《おさむ》兵団の坂口支隊に制圧された。坂口支隊は、三百キロ以上離れたバリクパパンから、海と陸、双方向からバンジェルマシンに向かったのだった。今や主力部隊も去り、バンジェルは、のんびりした土地柄に戻っている。が、予想もしなかった藍子の話に、私は憂鬱《ゆううつ》になった。

その夜、私は金原家の客用寝室に通され、天蓋《てんがい》付きベッドで眠った。遠くのジャングルから、時折、猿の鳴き声が聞こえてきた。藍子の話を聞いたせいか、侘《わ》びしくてならなかった。

翌朝は寝坊した。鎧戸《よろいど》を開け放った明るい居間に行くと、朝食のテーブルが設《しつら》えてあった。朝食は洋風で、白いパンに卵、ハムなどが添えられている。ぷつぷつと粒が混じった新鮮な苺《いちご》ジャムを見て、私は内地の貧しい暮らしを思った。代用砂糖、代用コーヒー、本物がなくなりつつある日本。ここは本物に満ちた豊かな暮らしができるが、危うい戦時のことだ。今後どうなるかはわからないのだ。

「おはようございます」

私は、簡素な木綿のワンピースに着替えた藍子の母親に挨拶した。豪奢《ごうしゃ》な着物を脱いだ母親は、すっかり農民の妻に変身していた。

スカート付きの短いテニス服を着た藍子が私の手を取った。

「先生、これからずっと、うちに泊まってください。大和ホテルなんか、引き払っておしまいなさいよ」

藍子は、私の手をなかなか放そうとしない。

「藍子さん、嬉しいけど、新聞社の仕事があるのよ」

「こちらから通われるといいわ。車をお好きに使ってくださいな」私の心が動いたのを悟ったのだろう。藍子は、畳みかける。「大和ホテルは暑いし何もないから、きっと気が滅入りますよ。でも、ここにいれば涼しいし、車はいつでも使えるから、見物もできますよ」

贅沢をとことん楽しんでいるようにも見える藍子の態度は、戦争に翻弄される運命に逆らっているようにも見える。

私は、冷された紅茶に口を付けた。屋外は熱暑である。だが、鎧戸を開け放った住まいは、外では感じることのできない風が通って涼しい。床には、よく磨かれた真っ白な大理石が敷き詰めてあって、裸足《はだし》で歩くとひんやりとして爽快《そうかい》だった。

「先生、早く決めて」

「じゃ、荷物を取りに行くから、一度ホテルに戻らせて」

「よかった」と、藍子は嬉しそうに手を叩《たた》いた。

夕方、私はやっとホテルに戻った。金原家の車が待っているから、荷物を纏《まと》めたら、すぐに行かねばならない。藍子が、私と話したがるのは、内地の日本人に対して、微《かす》かな違和感を持たざるを得ない悲哀を訴えたいのかもしれない。交換船と聞いて、私の心も動いていた。

が、私が金原家に移ると告げたら、野口は何と言うだろう。昨夜の野口の嫌悪《けんお》の表情を思い出すと、気に懸かった。私たちは、互いに互いを重荷に感じ始めている。

中年男が、当番兵として、初めて会った女流作家の面倒を見よと命じられたのだ。

軍命とはいえども、汗染《あせじ》みの出来た中年女の服の洗濯だの、煙草《たばこ》の遣いだの、風呂場《ふろば》のゴキブリ退治ばかりでは、男の側にも鬱屈は溜《た》まることだろう。

「ハヤシフジン、ゴデンゴンデ、ゴザイマス」

ホテルのフロントにいるマレー人の男が、律儀《りちぎ》な日本語で、封筒を差し出した。私は白い封筒を見て動悸《どうき》がした。「ふみこへ」と仮名で書いてある。裏書きは見なくてもわかっていた。私は暗いロビーの隅に、ひとつだけあるベンチに腰掛けて、破るように封筒を開けた。果たして、謙太郎からの手紙だった。

手紙受け取った。ありがとう。

僕は、夕刻、海軍機でバンジェルに着いた。台北、マニラ、ミリ、昭南、スラバヤ。遠い道のりだった。道中、かなり揺れもした。だが、じきにきみに会えると思うと、楽しい旅だったよ。ロンドン然り、ニューヨーク然り、米英を旅するのは緊張ばかりで、いつも辛かったから。

しかし、間の悪いことに、きみはいない。ひと晩待ったが、まだ帰らない。さすがにがっかりした。

僕はこれから午後の海軍機で、セレベス島のマカッサルに行かなくてはならない。

ボルネオ新聞と同じく、毎日新聞も、マカッサルで新聞を始めたのはきみも知っているだろう。

とりあえず学芸部に突っ込まれた僕は、遊軍として手伝わされることになったのだ。と言っても、期間はわからないよ。また、マカッサルにずっといるかどうかもわからない。

バンジェル経由と聞いて、きみに会えるだろう、それもちょうど十二月二十五日だから、きみが以前話してくれたような、パリのノエルを味わえる、と楽しみにしていたのだが行き違いだったね。非常に残念だ。

でも、機会はまだいくらでもある。僕はきみのすぐ近くにいる。希望を失わずにいれば、必ず会えるだろう。きみの原稿は、僕に渡してくれ。

斎藤謙太郎

機会はまだあるって？

私は絶望感で気が狂いそうになった。折角、来てくれたのに、どうして昨日に限って、いなかったのだろうか。謙太郎の乗った飛行機が撃墜されたら、故障で墜落したら、もう二度と会えないではないか。

謙太郎は、「希望を失わずにいれば、必ず会える」と書いてくれたが、私には戦時中の希望など儚《はかな》いものだ、とよくわかっていた。

思えば、病院船に偽装されていたとはいえ、危険な船旅ではあったのだ。昭南の港で、暗い船底から解放されて泣き叫んでいた女たちの狂騒が忘れられなかった。帰国の途だとて、うまく飛行機に乗れるとは限らない。いや、戦局の如何《いかん》によっては、内地に帰れるかも不明だった。「必ず」という言葉がまったく意味をなさないのが、戦争の実相なのだ。

美川きよが、陸軍の派遣を承知した後、自分が土左衛門《どざえもん》となって浜に打ち上げられた夢を見たそうだ。すると、美川の母親は、「自分の死体の夢を見るのは縁起がいい。絶対に死なないから、安心して行っておいで」と美川を送り出したとか。そのくらい死は常に隣り合わせで、誰もが不慮の死を覚悟していた。

米英と戦端を開いて後、私と謙太郎が会ったのは、たった一度しかなかった。奇蹟《きせき》が起きて、ようやく再会が実現できそうだったのに、よりによって藍子の家にいたとは。私は悔しくて堪《たま》らなかった。

マレー人の運転手がロビーに入って来て、荷物を部屋に取りに行こう、という素振りをする。私は運転手に言った。

「悪いけど行けないって、藍子さんに伝えてちょうだい」

日本語で断ったために、運転手は困惑顔で、助けを求めるように周囲を眺め回した。私は、ノー、ノーと叫び、運転手を置いて、部屋に駆け戻った。鞄《かばん》を探って地図を広げる。セレベス島は、ボルネオ島の東側の大きな島だった。スラバヤより遥《はる》かに遠い。溜息《ためいき》が出た。

謙太郎はいつ戻るだろう。しかし、マカッサルからの帰りの便が、バンジェルを経由するかどうかもわからなかった。バンジェルマシンは、朝日新聞の管轄《かんかつ》だから、用がないとなれば、何度も寄ることもできまい。

気付くと、びっしょりと汗を掻《か》いていた。昨夜帰らなかったので、部屋が閉め切ってある。私は勢いよく窓を開けた。市場の臭気と川の泥臭い臭《にお》いが、熱気と共に一気に押し入ってくる。

私は天井の扇風機を回して、ベッドに仰向けに横になった。運河に反射した夕陽が、部屋の天井を染め上げているのだけが、唯一《ゆいいつ》美しかった。気付くと涙ぐんでいた。

「先生、先生」

ノックの音がする。やれやれ、野口だ。私は、物憂《ものう》く起き上がった。ドアを開けると、野口は暑さに倦《う》んだような表情で、あらぬ方向を眺めていた。それから私の顔を、そして乱れた髪を見た。

私は髪に手をやった。野口が床屋だったと聞いてから、髪が気になって仕方がなかった。「洗ってあげますけ」と言われて心が緩んだものの、すぐに小指の爪《つめ》が一本だけ長いのを目撃して、それだけは嫌だ、と野口を嫌悪する沸点が生まれた気がする。

「先生、髪が」

案の定、野口が指摘したから、私は黙って、天井の大きな扇風機を指差した。ただ熱い空気を掻き回すだけの羽を。

「運転手が下で待ってますよ。私が荷物を運びましょうか」

「あたし、行かない。行くのやめた」

「じゃ、運転手に言っておきます」

呆《あき》れて何か言うかと思ったのに、野口はすんなりと受け止める。

「そうだ、藍子さんにお詫《わ》びの手紙書くから、ちょっと待ってて」

「そんな丁重にする必要ないですよ。先生は、大作家だもんでね」

小娘なんか気遣うより、お前には軍の大事な仕事があるだろう、とさりげなく恫喝《どうかつ》されているような気がしたので、私は少し抵抗した。

「でも、待ってるから可哀相《かわいそう》」

「先生、下手に手紙書いたりすると、先生のは永久に残りますよ」

野口が笑いながら言った。私は、野口はそんな手紙を見たことがあるのだろうか、と少し怖《お》じたのだった。

3

昭和十八年一月。バンジェルマシンで新年を迎えた私は、所在ないままに、ボルネオ新聞の仕事を続けていた。

石油、鉱山資源、ゴムなどを求めて増え続ける邦人に、現地の新聞は好評だった。四月には、バリクパパンで、ボルネオ新聞東部版を出すことも決まった。が、朝日はその発刊までに人員を増加するつもりらしく、人手不足は変わらず続いていた。

これは、私が真鍋に請《こ》われて書いた新年所感の一部である。

「秋を知ることもなく、まして冬もない南の旅地ではあるけれども、時には襟を吹く風、肩をうつ雷雨に愉《たの》しい望郷歌を吟じ、孜々《しし》として故郷の戦ひにともに添ふ心で遠く来てゐる兵士の方々は、この新しい南の正月を意義深いことに想《おも》はれる事であらうと胸に沁《し》みる気持で、私はこの暑い正月を迎へる。バンジェルマシンに来て二十日あまり、そしてまた、この土地で正月を迎へる私の心のなかには、耕織忙《せ》はしい戦時の素朴な、故国の姿をしのび、必死な見聞を貯《たくは》へねばならぬとひそかに、新年の祈念をこめて東方へ向つて合しやうするのであります。

（バンジェルにて一月元旦）」

バンジェルは何もないところだ。その虚《うつ》ろと常夏《とこなつ》の弛緩《しかん》が、次第に私の心を侘びしく染め上げていた。それは重い疲労となって、川底の泥のように、私の体に溜まり続けている。だから、たまに涼しい夜があったり、激しい嵐《あらし》が来ると、望郷の念に駆られるのだった。四季のある日本から来た自分を意識する。その気持ちこそが望郷だとは、ついぞ知らなかった。そんな時、私はこの地に生まれた藍子の心根を思った。

私が誘いを断って運転手を帰して以来、藍子とは会っていなかった。遠慮しているのか。あるいは、野口がこっぴどい断り方をしたのか。しかし、野口に確かめたところで、本当のことを言うかどうかは、確かめようがなかった。私は次第に、野口がどんな人間なのか、よくわからなくなっていた。

三が日、野口は正月だからと勝手に休暇を取り、慰安所通いをした。それを知った私は、野口の生理をおぞましく感じたりもしたのだった。が、勿論《もちろん》、顔にも口にも出さない。自分の人恋しさが鬱陶《うっとう》しくもあった。年末、週刊婦人朝日のために、バンジエルで仕事をする若い女性たちと座談する機会があった。彼女たちの中には、兵士や、鉱山の若い技師と恋に落ちる者も多いと聞いた。恋をすれば、赤い川も、飢えた犬も、地面をえぐるほどの激しい雨も、何もかもが楽しく感じられることだろう。だが、私は一人きりでここにいるしかない。

退屈のあまり、私はホテル前を流れる運河の小舟に乗り込み、水上で涼んだり、赤い月を眺めたりするのが楽しみになった。小舟の船頭は、さしずめ、日本で言うタクシーの運転手で、中年男が多かった。頼めば、錆《さ》びた声で民謡を歌い、詩も吟じてくれる。

私は、舟に乗って、ぷかぷかと浮かぶ布袋草《ほていそう》を眺めるのが好きだった。大きな浮き袋に小さな浮き袋がくっ付いた可憐《かれん》な布袋草は、子供の頃の私と母の姿に思えてならない。小さな浮き袋の方は、とうとうこんなボルネオの僻地《へきち》にまで流れて来てしまった。寄る岸辺とてない布袋草の青い花が、私に深い溜息を吐《つ》かせるのだった。

夕暮れ時、いつものように小舟に乗って川岸を見遣《みや》ると、ボルネオ新聞社の真鍋が、私の小舟を手庇《てびさし》して眺めているのに気付いた。手を振ると、手を振り返して寄越す。何か話がありそうなので、私は船頭に川岸に戻るよう合図した。小舟は器用にホテル前の運河に入り、岸辺に着いた。船頭は、幅三十センチほどの板を渡してくれる。私はその上を危なっかしく歩いて渡った。

万が一、水に落ちたら、川の水が口に入らないよう、しっかりと唇を引き結ばなければならない、と言われていた。バンジェルの衛生状態は悪く、川の水は怖《おそ》ろしいほど汚かった。

岸辺から真鍋が手を差し伸べてくれたので、私は真鍋の白い手に掴《つか》まって岸に飛び降りた。赤茶の泥に、靴の踵《かかと》が埋まった。

「林さん、夕涼みですか」

「ええ。ビールを持ち込んだら、もっとよかったんだけどね」

「そうですね。舟の上だったら、旨《うま》いでしょう」

真鍋が大声で笑った。真鍋は体格は貧相だが、よく通る太い声をしていた。が、真鍋は、自身の地声の大きさになど気付かない。だから、真鍋が物を言うと、物静かな現地の女たちが、驚いた顔でこちらを見るのが常だった。

「林さん、僕、今日、小原商店の前で藍子さんに会いましたよ」

藍子の家から戻ったのが、十二月二十六日。今日は一月四日だから、十日近く会っていないことになる。

「あら、藍子さん、何か仰《おつしや》ってた？」

「いや、先生にお会いできないのが残念だって嘆いてました。新年会にもおいで頂けなかったから、何か失礼があったんじゃないか、と気にされていましたよ」

藍子の家で、内々に催される新年会にも呼ばれたのだが、謙太郎がバンジェルに寄るかもしれないと思うと、どうしてもホテルを離れることができなかった。バンジェルでは、二度と謙太郎を一人にはさせない、と密《ひそ》かに決意していたのだ。が、私の退屈の原因はそこにあった。ホテルに縛り付けられて、どこにも出掛けられない。

「気に入らないことなんか、何もなくてよ。あそこにいると楽しいから、創作意欲がなくなっちゃうのよ」

私は藍子に申し訳ないと思いながら、ごまかした。

「なるほど、創作意欲ね」真鍋が繰り返した。「そりゃ、困りますな」

「だから、うまく言ってちょうだい」

「伝えておきます」

真鍋は真剣な顔で言う。真鍋の用事は、藍子のことだったらしい。仕事は手が足りずに忙しいが、他は何ごともなく、退屈な暮らしだった。

真鍋と私は、バンジェル唯一《ゆいいつ》の繁華街へと歩いて行った。そこだけ舗装された広場を囲んで、通りが数本。芝居の書き割りのごとく、オランダ風の建物が並んでいた。海軍の民政部、そして水交社もここにあった。僅《わず》かな区画ながら、主だった料理屋やカフェ、飲み屋、商店、洋服屋などもすべて集まっていた。映画館も裏にある。通りが尽きれば、ボロボロの民家ばかりの平たい町が広がっていた。その間を大河の細い支流や、運河が縫っているのだ。

大きな街が出来ないのは、地元の庶民が皆、小舟で移動するからだった。生活に必要な商品は、水上マーケットや小舟が着けられるような小さな店で売っている。

「先生、お食事ですか。お供します」

野口が通りの向こうから手を振って、のんびり渡って来た。カーキ色のシャツと半ズボン。軍装に戻っている。慰安所通いをしていた時は、私服を着ていた癖に。

「悪所からのお帰りじゃないのね」

私がからかうと、野口は敬礼の真似事《まねごと》をした。

「先生、大目に見てください。男には、息抜きが要りますもんで」

野口の言い方がいかにも下卑《げび》て感じられたが、私は黙っている。

「今、民政部に寄って来たんですけど、先ほど、スラバヤの軍政監部から連絡がありました。先生、六日に出発せよ、とのこんです。便の都合が付いたそうです」

ああ、いよいよだ。私はバンジェルマシンを離れる。この街には、この先、来ることはあるまい。私は慌《あわ》てて街を見回した。夕暮れ時の通りには、バンジェル唯一の繁華街というのに生ゴミが散らばり、野良猫《のらねこ》が我が物顔に歩いている。

「野口さん、林さんのお帰りが決まったんですか？」

真鍋が慌てた様子で尋ねる。

「はい、六日にスラバヤに向かいます。あちらでは、まず軍政監部に顔を出されて、それからバリで休養されたし、という命令が来ています」

暢気《のんき》な静岡弁が失《う》せて、野口は軍人の顔をした。野口は、私と話す時だけ、間延びした静岡弁を使う、と気付いた。

「六日は、飛行機で行くの？」

私の質問に、野口は微笑《ほほえ》んだ。

「陸軍報道部は先生を危険な目に遭わせやしませんよ。勿論、海軍機だそうです」

六日の海軍機。私は心の中で呟《つぶや》いた。マカッサルにいる謙太郎とはもう会えそうにない。手紙だとて、飛行機に積んで貰《もら》わなければ届かないから、連絡も取れない。バンジェル経由マカッサル行きの便がいつ、何便あるのか、その逆はどうか、など私には知らされていなかった。

「そうですか。林さんみたいな文学者をこき使っちゃって申し訳なかったけど、バリクパパンの方も手伝って頂きたかったです。きっと平井さんもがっかりされますよ」

「あら、もう放免してちょうだいよ」

真鍋が笑いながら腕時計を見た。

「じゃ、これから社に戻って、送別会の相談をしてきます。うんと豪華にやりますからね。林さん、すき焼きにしますか？　サッテですか？」

「先生、すき焼きにしましょう」

野口の冗談に、真鍋が笑った。

「僕もそっちがいい」

真鍋は近くにあるボルネオ新聞社に戻って行った。私はその姿を見送りながら、野口に言った。

「何もないとこだけど、離れるとなると寂しいね」

「そうですね。先生は、一文の得にもならんのに、熱心に手伝《てんだ》ってましたもんね」

野口は他人事《ひとごと》のように言う。朝日の派遣で来ているけれども、これは軍の命令でもある。好きでやっているわけではない。私は野口の口調に少し苛立《いらだ》った。

ホテルで荷物の整理でも始めようと、歩きかける。野口が慰安所に行ったと聞いたあたりから、さらに野口との溝が広がった気がする。真鍋が駆け戻って来た。

「社に、林さん宛《あ》ての電報が来てました」

無線による電報。何か起きたのか、と私は紙片を開いた。

「アス　オゲンコウヲトリニウカガ　イマス　マイニチ　サイトウ」

ああ、謙太郎が間に合った。私は電報を摑んで思わず駆けだした。言いようのない歓喜が湧《わ》き上がってきて、叫びたいほどだった。

「先生、どうしたんです」

野口が追いかけて来た。顔を見られたくない私は、振り返らない。

「原稿を書かないと間に合わないのよ。部屋に戻るわ」

「先生、何の原稿ですか」

余計なお世話だ。最後の質問には答えなかった。

翌朝、荷造りを終えた私は、謙太郎が到着するのを、今か今かと待っていた。夏の終わりに謙太郎の家の前で会ったきりだから、ほぼ四カ月ぶりだった。その前は、謙太郎がニューヨークに赴任する時だから、さらに一年前の秋だ。

謙太郎は変わっただろうか。最後に会った時の、酔った浴衣《ゆかた》姿はあまりよくなかった。苦笑すると、体が震えだした。私はまるで小娘のように上気している。

ただ、心配ごとがあった。ボルネオ新聞社が催してくれるという送別会だ。昨夜の真鍋の話では、バンジェルに一軒しかない日本料理屋の座敷を借り切って、ボルネオ新聞社の社員はもとより、民政部員、海軍の軍人、日本人会の主だった者らが集まって、盛大な送別会をしてくれるというのだ。金原藍子らも来るだろうから、中座など簡単にできそうもない。

「先生、野口です」

ドアを叩《たた》かれる度に、ぞくりとする。私はドアを細めに開けた。

「先生、荷造り手伝いますけ」

「いいのよ。もう終わったから」

野口は、大きな目を見開いておどけた表情をした。

「早いですね。では、バンジェルの土産物とか手配しましょうか」

「いいわよ。それより、野口さん。明日の飛行機は何時に出るの」

「午後の予定です。今日、マカッサルから来る海軍機だもんで、よくわからないんです」

マカッサル。謙太郎は、それに乗って来るのだ。そして明日、一緒に帰る。目眩《めまい》がするほど嬉しかった。

「その飛行機は何時頃着くのかしら。あなた、知らない？」

「さあ、何なら聞いてきますよ。先生、誰か知り合いでも乗っとるんですか？」

私は野口の目を見ながら答えた。

「毎日新聞の記者さんが、原稿を取りに見えるのよ」

野口は、怪訝《けげん》な顔をした。

「先生は、朝日の契約ですよね？」

「そうよ。だから、ボルネオ新聞の手伝いに来たんじゃない」

野口の言いたいことはわかっていた。身構えていると、野口はこう言った。

「先生が毎日とも仕事しとるなんて、知りませんでした」

私は急激に、野口を排除したい気持ちに駆られた。

「文壇には、あなたにはわからないこともあるのよ」

「はあ。常人にはわからん魑魅魍魎《ちみもうりよう》が棲《す》んでるんでしょうね」

野口は捨て台詞《ぜりふ》めいたことを言って、喉元《のどもと》を掻《か》いた。そこは虫に喰われたように赤くなっていた。

「斎藤です」

ドアの向こうに、謙太郎の低い声が聞こえたときには、午後三時頃になっていた。待ちくたびれて、いつの間にか、ベッドでうとうとしていた私は、慌てて起き上がった。緊張のあまり、体がうまく動かず、ぎくしゃくとドアを開けた。

私より頭ふたつは高い男が暗い廊下に立ち、眩《まぶ》しそうに眼鏡の奥の目を細めて、西陽射《さ》す部屋を見ていた。白い開襟《かいきん》シャツに灰色のズボン、白い鳥打ち帽。いかにも新聞記者の格好だ。

「謙さん」

私は謙太郎の手を引いて中に請《しょう》じ入れ、後ろ手にドアを閉めた。

「懐《なつ》かしいわ」

恋人を懐かしいと思うほどに、私たちは離ればなれだったのだ。

「しかし、こんなところで会えるとは思わなかったね」

謙太郎は照れ臭そうだった。少し怒ったような物言いは、いつもの謙太郎だった。

「ね、ここに座って顔を見せて」

私は一脚しかない椅子《いす》にむりやり座らせると、謙太郎の前にしゃがんで子供のように見上げた。謙太郎は陽灼《ひや》けして健康そうだったが、目の下の隈《くま》が目立った。

「何だい。どうしたの」

謙太郎が照れ笑いをした。

「幽霊じゃないわよね」

「来る途中で死んで、生《い》き霊《りょう》が来たのかもしれないよ」

「あたしはそれでもいいわ。会えて嬉《うれ》しい」

いつしか、私は涙ぐんでいた。

「何だ、泣いてるの。やっと会えたのに、どうして泣くの。僕は嬉しいから、涙なんか出ないよ」

謙太郎が苦笑した。

「だって、あなたとは、もうお仕舞いだって、覚悟してたんだもの。折角、八月に会いに行ったのに、あなたはひどく冷たかったじゃない。それに、アメリカからは手紙ひとつ、電報一本くれなかったわ。いくら敵国にいたって、何とかなるんじゃないの。ほんとに憎いわ」

会えて嬉しいはずなのに、私は恨みごとを言わずにおれなかった。

南方に発《た》つ時、ただならぬ決意で臨んだのも、謙太郎との別れを覚悟したからではなかったか。

「ごめん。手紙でも謝ったじゃないか。僕はアメリカで敵国人の扱いを受けてきたんだよ。それがどんなことか、軍にちやほやされてる、きみにはわからないんだ」

一応は謝ったが、その口調にはいつもの憎たらしさがある。

「そういう言い方するの、やめてちょうだい。なぜ、あたしを責めるの。あたしたちは、ずっと戦争に翻弄《ほんろう》されてきたわ。自分ではどうしようもない力で、引き裂かれてきたんでしょう。あなただけが酷《ひど》い目に遭って、私だけがちやほやされてるなんてことはないわ」

私は、「ちやほや」という言い方が気に入らなかった。すると、謙太郎は肩を竦《すく》める。

「その通りだよ。お国が戦争してるんだから仕方ない。貧乏な東洋の島国なのに、世界中を敵に回しているんだからな。ねえ、僕はきみの知らないことも、いろいろ知ってるんだ」

私は、謙太郎の変化を感じて顔を上げた。投げ遣《や》りで、冷笑的だった。

「何を知ってるの」

「たくさんあって、どこから話したらいいかわからない。世界が知ってて、日本人が知らないことは多くあるってことだ」

私は不安になった。

「ねえ、謙さん。アメリカで何かあったの」

「別に。交換船で何もすることがないから、アル中になっただけだ。芙美子は何か中毒になった？」

謙太郎が笑った。

「中毒かどうかわからないけど、早く諦《あきら》めてしまう病気に罹《かか》ったかもしれないわ」

「何を諦めるの」

「例えば、あなた」

あまりにも長く会えない状態が続くと、恋しい気持ちも次第に落ち着いてしまう。でも、こうして目の前に謙太郎がいると、水中花が開くように、あっという間に激しい恋情が蘇《よみがえ》るのだった。

「馬鹿《ばか》だな、芙美子は。見当外れもいいとこだ」

謙太郎が薄い唇を歪《ゆが》めて笑った。

「謙さん、あたしはあなたが来てくれて、ほんとに嬉しいのよ」

私はまた目許《めもと》を拭《ぬぐ》った。謙太郎は、頷《うなず》いたが、私が感情を剝《む》き出しにすればするほど、戸惑って冷静な振りをするのは、相変わらずだった。

心の城壁が崩れて、本当の謙太郎が現れるのに、時間がかかる。私は、その間、果たして本物の謙太郎が現れるかどうか、不安に怯《おび》えて待たねばならないのだった。

謙太郎は、大きな溜息《ためいき》を吐《つ》いた。

「僕もきみに会いたかったよ。会っていろんなことを話したかったし、恋しかった。だから、南方特派という辞令が出た時は、天啓かと思った。しかも、ボルネオ経由だというし。絶対にきみに会えると信じていた」

おや、今日の謙太郎は素直だ。私はほっとした。

「あの時はごめんなさいね。農園の催しに呼ばれて、泊まったのよ」

「仕方ないさ、急だったんだから。手紙を書こうと思ったけど、手紙を載せた便で自分がやって来ることになるんだから、それなら来た方が早いと思ったんだ」

「あなたが南方に来るなんて思ってもいなかった。でも、南方行きが決まった時、赤道の下であなたと会ったら、どんな感じだろうって、いろいろ想像したわ」

「どんな想像?」と、謙太郎はにやにやした。

「いろいろよ」私も笑う。

「急な辞令だったから、僕もびっくりした」

「アメリカから帰って、すぐだものね。どうだったの、交換船は?」

「だから、言ったじゃない。アル中になったって」

互いに競うように喋《しゃべ》った後、謙太郎は、初めて言葉を切った。私が見詰めていると、眼差《まなざ》しに堪えられないかのように、目を逸《そ》らす。

謙太郎がポケットを探って煙草《たばこ》を手にしたので、私はガラスの灰皿を差し出した。謙太郎が、灰皿を受け取った隙《すき》に、私は謙太郎の膝《ひざ》に強引に割り込んだ。小さな私は、よくそうして甘えていたのだ。

私は、煙草と灰皿で両手を塞《ふさ》がれた謙太郎の胸に頬を寄せた。心臓の鼓動が聞こえた。謙太郎がここにいる証《あかし》。私はそれだけで感動していた。「生きてる」と呟《つぶや》く。

謙太郎がやっと笑って、煙草を持った手で私の髪を撫《な》でた。やり方を忘れたような、不器用な触り方だ。私は謙太郎の胸に顔を埋《うず》めたまま、「汗臭いわ」と呟いた。汗の臭《にお》いまでもが愛《いと》おしかった。私たちは、椅子の上で抱き合って、じっとしていた。

初めの頃は、会えばすぐに膚《はだ》を合わせようとしたものだけれども、容易に会えなくなった今は、その奇跡的な時間が雲散霧消しないように、大事に大事に扱わなければならなかった。それほどまでに、私たちが会うのは、困難だったのだ。

陽が急に翳《かげ》って、空が暗くなったと思った途端、激しい雨が降ってきた。私は窓を閉めに行った。強風で煽《あお》られた鎧戸《よろいど》を、謙太郎が手伝ってくれて一緒に閉めた。部屋が密室になって、雨の音が籠《こ》もった。

「やろう」

謙太郎が囁《ささや》く。頷くと、私を軽々と抱き上げてベッドに載せた。私たちはベッドの上で、慌《あわ》てて服を脱ぎ始めた。早く早く、と飢えた人間のように互いを貪《むさぼ》ろうとするのは、どうしてだろう。早く結ばれないと、思い出せない。早く愛し合わないと、忘れてしまう。私たちは、遠い彼方《かなた》から思い出をたぐり寄せるようにして、しっかりと抱き合った。

謙太郎に腕枕《うでまくら》をされて、私は天井でゆっくり回る扇風機を眺めている。謙太郎が火の点《つ》いた煙草を、私の唇にそっとくわえさせてくれた。私たちは仲良く、二人で一本の煙草を吸った。

「芙美子を抱いたのは、一年半ぶりだな」

「どんな体をしていたか、忘れちゃったでしょう」

私が酒井と寝たように、謙太郎も誰かと寝ているかもしれない。私は、他の女を腕枕して、煙草を吸う謙太郎を想像した。そして、なぜか慰安所に行った野口を連想した。

「でも、早くしないと、あたしはどんどんお婆《ばあ》さんになっちゃうわ」

謙太郎が、私の脇腹《わきばら》の肉を軽く摘《つま》んだ。

「まだ大丈夫」

「嫌だわ、年下の男って」

私は打《ぶ》つ真似《まね》をした。謙太郎の心がやっと緩んできたのを感じて、嬉しかった。だが、謙太郎が以前と違う人間になったような気がするのは、まだ昔の愛の姿を思い出せていないからか。

「あなたは、斎藤謙太郎よね？」

私は思わず尋ねる。

「そうだよ」謙太郎は、焦点の合わない近眼の目で私の顔を見た。「今、確かめただろう。俺だよ」

「そうだけど」

「ねえ、何か違う？」

謙太郎は、不安そうに尋ねるのだった。

「いいえ。ねえ、あなたは、あたしと一緒に明日の便でスラバヤに行くんでしょ
「忘れてないよ」

う？」

「多分」と、謙太郎は首を傾《かし》げた。

「わからないの？」

同じ飛行機に乗ってスラバヤに向かうのだと思っていた私は、落胆した。人前で話せなくても、一緒にいたかった。肘《ひじ》を突いて起き上がり、謙太郎の顔を覗《のぞ》き込む。雨の音は聞こえなくなっていたが、薄暗くなって、よく見えない。

私は枕元の読書灯を点けた。眼鏡を外した謙太郎は、黒目がちで、暗い表情をしていた。

「戦時中だ。席が空いていれば乗れるだろうが、それを決めるのは俺じゃない」

誰が決めるのか。海軍機なら、海軍の民政部員か。陸軍機だと、陸軍の嘱託で来ている私は有利だった。また、陸軍は朝日機を徴用していたから、朝日機ならば、朝日が付いている私は最優先で乗れた。が、それに何の意味があるのか。

「あなたはこの後、どこに行くの」

「さあ、ジャカルタ、メダン。社の支局があるところ」

「なぜ、決まっていないの」

「わからない。きみと同じだよ。あちこちに行かされる」

謙太郎は首を振ると、もう一本煙草をくわえた。

「謙さん、マカッサルはどうだったの。どんなところ」

「美しい港町だよ。青い海と青い空、白い建物。海岸通りを、人々が朝晩散歩する。こことは大違いだ」

「バンジェルはどう」

敢《あ》えて尋ねたが、謙太郎は何も答えなかった。濁り川が密集した田舎町。

「でもね、ここは美しい物が採れるのよ」

謙太郎は、問うように見上げた。

「ダイヤモンドよ」

私は、藍子の指を飾っているダイヤを思い出しながら言った。闇夜《やみよ》に青白く光るダイヤモンド。藍子は何と言ったっけ。

『ダイヤのいいところは、豆粒みたいに小さなことですの。そっと隠しておけるから、自分だけの一生の思い出になりますわよ』

「ああ、そうだった。ダイヤモンドの由来は、ダイヤ族から、という説があるね。怪しいもんだ」

「こっちの女の子の夢は、バンジェルのダイヤに、セレベスの金で指輪を作ることですって」

「そっちは正しいね」

謙太郎は愉快そうに笑った。私はベッドから下りて、旅行鞄《かばん》の中からジンのボトルを取り出した。謙太郎に渡す。

謙太郎の目に、一瞬、渇望《かつぼう》が浮かんだように思った。アル中になったというのは冗談ではなく、それも重症なのかもしれない。

謙太郎は何も言わずに、ジンの瓶に直接口を付けた。何度もぐびりと喉仏《のどぼとけ》が動くのを、私は黙って眺めていた。謙太郎が違う人間になった原因はこれか、と不安だった。

「ダイヤの露天掘りがあるというのに、とうとう行かなかったわ。折角だから、欲しかったのに」

私は再び謙太郎の腕の中に入って、囁いた。

「明日の午前中に買いに行こう」

謙太郎が言う。

「奥さんにお土産?」

何の気なしに言ったのに、謙太郎は無念そうな顔をした。

「きみに買ってあげるよ。いい石があるといいね」

謙太郎の口が急に滑らかになった気がした。優しくなったのは、アルコールのせいではあるまいか。私は、謙太郎がしっかり握っているジンの残量を確かめた。

「先生、先生」

乱暴なノックの音が聞こえる。野口だった。私は跳ね起きて、ベッドサイドに置いた腕時計を見た。六時十分前。送別会のことを忘れていた。

「先生、いらっしゃいますか。そろそろ時間だもんで」

「今用意しているところよ。悪いけど、先に行って」

痰《たん》の絡《から》んだ声で叫ぶ。ベッドから、謙太郎が皮肉な目で眺めている。

「人気者だからな、きみは」

作家たちは自分を幇間《ほうかん》にして溜飲《りゅういん》を下げているんじゃないか、と怒った時の謙太郎の口調を思い出す。

「あなたはジャーナリストだものね」

私が言い返すと、謙太郎はなぜか沈んだ顔付きをした。

「朝日の人が送別会を開いてくれるんだけど、あなたも来ない？」

来るわけがないと思いながらも、一応誘った。でないと、機嫌を損ねそうだった。

「行かない。どうせ、きみの愛人だとからかわれるのがオチだ。ジャーナリストでなくね」

「では、あなたはどうしてる？」

私は下着を着けながら尋ねた。

「部屋で酒でも飲んでいる」

「送別会が終わったら、後で部屋に行っていい？」

「いいよ。酔ってなきゃ、もう一度きみを抱けるだろう」

謙太郎はジンの瓶を持ったまま、言うのだった。

「抱かなくてもいいわ。一緒に眠りたい。そんなこと、できなかったんだから」

そう言いながら、私は悲しくなっていた。謙太郎もベッドから下りて、散らばった下着を拾って穿《は》いた。

「さっき呼びに来た男は何だ」

謙太郎は不機嫌に言う。

「従卒の野口よ」

「従卒なんか付けて貰《もら》ったのか。いいご身分だね」

初めて会った頃の、皮肉な物言いが始まっていた。

「そんなことないわよ。辛《つら》い仕事だから、そのくらいして貰わないと」

私は、謙太郎の無礼を我慢して言った。送別会用にアイロンを掛けて貰ったボイルの白いブラウスと、茶色の箱襞《はこひだ》のスカートを着る。寝乱れた髪を直し、口紅を付けた。情事の跡も消せないほど時間がないのに、鏡の中の自分は、なぜか輝きを増している。勘のいい野口に何か言われやしないかと、心配になった。

私が身支度を整えて、ロビーに下りた時、すでに送別会の始まる時間を、十分ほど過ぎていた。送別会は、六時からで、歩いて五分の日本料理屋で開かれる。

ロビーの隅で、野口がボルネオ新聞を立って読みながら待っていた。

「ごめんなさい。ちょっと横になったら寝ちゃったの。主賓が遅れて、申し訳ないわ」

「先生、お疲れなんでしょう。焦らなくてもいいですよ」

野口が労《ねぎら》うように言ったので、奇異な気がした。気配を感じて振り返ると、謙太郎がフロントの男と何か話していた。酒でも調達しているのだろう。私の視線に気付いた謙太郎が振り向いて、軽く会釈《えしゃく》した。

「あの人が、原稿を取りに見えた毎日新聞の記者さんですか?」

野口に聞かれて、渋々答える。

「そうよ。斎藤さん」

「先生、私、ご挨拶《あいさつ》しなくてええんですかね？」

野口が気弱そうに言ったので、私は首を振った。

「いいわよ。原稿はまだできないから、もう少し待って貰うことになったの。多分、機嫌悪いわ」

野口は神妙に目を伏せた。謙太郎は、フロントの男と冗談を言い合っている。謙太郎といたい。送別会に出るのが苦痛だった。

4

送別会に遅れている。急いでホテルを出ようとすると、謙太郎が近付いて来て聞こえよがしに言った。

「林さん、僕は部屋で原稿を拝読してますから、これで失礼します」

原稿を拝読する、という語が、まるで酒を飲んでいる、と言ったかのように聞こえる。私は急に心配になって、囁いた。

「あまり飲み過ぎないでね」

「先生、何を言ってるんですか。原稿読むんですよ」

謙太郎は笑った。すでに少し酩酊《めいてい》しているようである。

「お部屋は何号室？」

私は、野口の視線を避けるように背中で遮って聞いた。謙太郎は手にした部屋鍵《かぎ》の札を見せた。３５１号室。３５１、３５１と覚える。

「帰ったら寄るわ。起きててね」

「それより、日本から何か食べる物、持って来てない？」

謙太郎が尋ねた。私はさすがに野口の目が気になって、思い切って振り向いた。

野口は、掃除婦が、スコールが降り込んで濡《ぬ》れた床をモップで拭《ふ》いているのを熱心に眺めていた。だが、その横顔には、ほんの数秒前まで、私たちを観察していたに違いない、と確信させるものがあった。

野口からは、私に対する好奇心が感じられない。好奇心がないからこそ、冷徹に眺めている気がする。

これまで戦地で会った人々は、私が流行作家の林芙美子と知ると、素朴で好意的な好奇心を示した。著作を読んだことがある、と感激する人もいるし、知人が読んでいた、とわざわざ報告に来てくれる人もいた。作家という人種が珍しいと見えて、「作家先生は、同じものを見てても、私らとは違うように見えとるんでしょう。どんな風に見えるんですか」と真顔で聞く人もいた。

しかし、野口はまったく違う。野口の口からは、むしろ作家という仕事への揶揄《やゆ》を感じることの方が多かった。

『先生は、大作家だもんでね』

『常人にはわからん魑魅魍魎《ちみもうりよう》が棲《す》んでるんでしょうね』

野口の捨て台詞《ぜりふ》を思い出しているうちに、説明できない嫌な気分になってきた。

野口が視線をゆっくり戻して、私の方を見遣《みや》った。そして、妙に優しく微笑《ほほえ》みながら、腕時計を指で差した。

(せんせい、じかんが)と、声を出さずに口で言う。

私は、了解している、という風に唇を引き結んで頷《うなず》いた。どういうわけか、野口という存在が、戦争という理不尽な力を体現しているような気がした。だから、今ここにいる、自分の好きな男を戦争から守らねばならない、という気持ちになっているのだった。野口は、たかが一当番兵に過ぎないのに、私はいったいどうしたのだろう。

「ねえ、何かつまみ持って来てない？　きみのことだから、いろんな缶詰持ってるんだろう」

謙太郎が再び聞いた。

「あることはあるけど。例えば？」

好きな男の欲望は、どんなささやかなつまらないことでも叶《かな》えてやりたい。私の気持ちがわかっているのか、謙太郎は周囲に、まるで私を独占していることを見せ付けるかのようにして、私を煩《わずら》わせる。

「大和煮とは言わないよ」と笑う。「何でもいいよ。あるならくれよ。だって、きみはこれから送別会で寿司《すし》だの、すき焼きだのをたらふく食うんだろう。俺は、部屋で侘《わ》びしく一人で飲むんだからさ」

謙太郎は冗談めかして言う。

「じゃ、一緒に部屋に来て選んで。その代わり、早くよ」

私は謙太郎を伴って、また部屋に戻った。何か言いたそうに唇を尖《とが》らせている野口が視野に入ったが、無視した。

手早く部屋の鍵を開けて、中に入る。さっきまで二人で寝ていたベッドは乱れていた。

「もう一回やろうか」

謙太郎がいたずらっぽい目をして誘う。私は謙太郎の手をそっと払い除《の》けて、トランクを開けた。底の方から、貝新の佃煮《つくだに》の袋と、小さな鯖《さば》缶を見付けて、缶切りごと渡してやった。

「これでいいでしょう」

「冷たいな」

「だって、主賓なんだもの。行かないわけに行かないわ」

「んなもん、律儀《りちぎ》に行くことはない。たまにはさぼってやりなよ。きみは『いい子』過ぎる」

反論しようと思って唇を開きかけた時、謙太郎の唇がいきなり上から降りてきて、私の唇を覆《おお》った。腰に回された太い腕に力が入り、私の上体をのけぞらせる。舌を吸われる。私は口紅が剝《は》げるのも厭《いと》わず、接吻《せっぷん》に夢中になった。謙太郎の口からは、アルコールの臭《にお》いがする。

私がこうして一緒にいれば、謙太郎はこれ以上、酒を飲まないだろう。このままベッドにもつれ込んでしまおうか。でも、そうしたら、送別会はどうなる。夢中になって接吻しながら、そんなことを考えている私がいる。謙太郎の息が荒くなって、スカートの裾《すそ》をめくろうとするから、私は謙太郎の手を押さえた。

「駄目よ、時間がないわ」

「じゃ、慰安所行くぞ」

私は呆《あき》れて顔を離した。謙太郎は笑っている。私は、その頰を平手で張った。野口を思い出したから、腹が立ったのだった。

「嫌な冗談よして」

「冗談じゃないよ。折角会いに来たのに、俺より面子《メンツ》の方が大事って言うのか」

「面子じゃないわ、仕事じゃない」

「面子だよ。きみは、南京女流一番乗りだの、漢口一番乗りだのを果たして、作家の面子を作ったんだ。決してきみの作品で、じゃなくてね。軍と一緒になって作った面子さ」

嘲《あざけ》るように謙太郎が叫んだ。私は怒りで青ざめたはずだった。その時、ノックの音がした。

「林さん、林さん。真鍋です。お迎えに上がりました」

「すみません、すぐ行きますから」

私は慌《あわ》てて怒鳴った。

「お時間迫ってますから、早くお願いします」

「ねえ、先生。具合でも悪いんですけ」

野口の声も聞こえる。

「ちょっと頭が痛いだけ。すぐに下りますから、待ってて」

「わかりました」

釈然としない響きを残して、野口たちの声はしなくなった。

「みんな待ってるわ」

「待たしておけばいい」

謙太郎は煙草《たばこ》に火を点《つ》けて、窓を大きく開けた。川面《かわも》を撫《な》でる風が入ってきて、少し涼しくなった。いつの間にか、外は暮れかけて、運河を行き交う小舟の、カンテラの灯りがゆらゆらと揺れていた。美しい光景だった。蚊でも見付けたのか、謙太郎が呟《つぶや》いた。

「蚊遣《かや》り豚でも欲しいね。ここで売ったら儲《もう》かるだろうな」

私は笑った。

「泥の色が見えなきゃ、ここも綺麗《きれい》でしょう」

謙太郎が小さく嘆息した。

「戦争も同じさ。誰かが泥の色を隠しているから、綺麗に見える」

私は、なぜか自分が批判されているような気がして、気持ちが鬱《ふさ》いだ。

「あなた、あたしが気に入らないのね。どうして」

思い切って尋ねる。

「違うよ。久しぶりに会えたから、拗《す》ねてるだけさ」

私より七歳下の男は、こんなことを言って、私を悩ませるのだ。私は話をやめて、部屋の化粧鏡を覗《のぞ》き込んだ。手早く口紅を引き直し、服装を整える。

後ろから謙太郎が抱き竦《すく》めて、鏡の中の私の顔を覗き込んだ。謙太郎の目は、荒《すさ》んでいる。私の目はどうだろう。私がそんなことを考えている間、謙太郎はスカートをめくって、手早く下着を引きずり下ろした。

「駄目だって言ってるじゃない」

私の抗議は無力だった。謙太郎は黙って首筋を嚙《か》んだ。服装を整えたのに、謙太郎が蹂躙《じゅうりん》するかのように、ブラウスの上から乳房を摑《つか》んだ。私は背後から犯されながら、廊下でしんと息を潜めて私を待っている、真鍋や野口の顔を思い浮かべているのだった。

無言で煙草を吸う謙太郎を置いて、ようやく部屋を出た。野口と真鍋の姿は、部屋の前の廊下にはなかった。廊下は薄暗い。表は真っ暗に暮れていた。七時近くだった。エレベーターで下りて行くと、ロビーでひそひそと話し込んでいた真鍋と野口が、同時に振り向いて私を見た。

「すみません、お待たせして」

二人の男の顔に、奇妙な表情が浮かんだ。まさか、私の顔に歓《よろこ》びが表れているのではないか。私は密《ひそ》かに慌てている。

「林さん、大丈夫ですか？　皆さんお待ちかねですよ」

真鍋が通る声で言った。糊《のり》の利《き》いた開襟《かいきん》シャツに、麻のズボン。いつになく端正な服装だった。真鍋はにこやかに笑っているものの、顔が汗でぬめり、眼差《まなざ》しに余裕がなかった。

「ごめんなさい。急ぎましょう」

私は髪を手櫛《てぐし》で整えながら、表に出た。夜なのに、スコールの後の熱暑が始まっていた。地面のぬかるみに溜《た》まった茶色い雨水が、まるで冷めた汁粉のように温《ぬる》そうに見える。川の生臭い臭いがして、ふと立ち止まった。営みを思い出して、陶然としたのだった。

「先生、あの記者と何かあったんですか」

「どういうこと」

「喧嘩《けんか》とか」

好奇心のない男は直截《ちょくさい》だ、と思いながら、首を振る。

「何言ってるの。あるわけないわよ。原稿を催促されているのよ。一度引き受けたら、取り立ては厳しいの。借金しているようなもんだわ」

「私から何か言いましょうか」

野口が舌で唇を舐《な》め回しながら、言った。

「何て」

「いや、先生は皇国のために、お忙しい思いをされているんだから、原稿ごときで付き纏《まと》うなってのは、どうです」

私は答えずに笑った。野口の脇《わき》を歩く真鍋は、朝日の記者なのだから、謙太郎と私の噂《うわさ》はすでに耳に入っているはずだった。何も言わずに黙々と歩いている。

南の空の下で落ち合えたら、という願いが叶ったのに、私には仄暗《ほのぐら》い不安が広がっていた。謙太郎は、私に腹を立てているのではないか、という不安。が、その理由は、わからない。

会場の日本料理屋は、元レストランだった店舗に畳を敷き詰めた、急拵《きゅうごしら》えの料亭風だった。石造りの床に、直接畳を敷いているから、天井が異様に高い。それでも、座卓と座布団《ざぶとん》を並べ、絵画の代わりに、中国の掛け軸を一幅掛けて、南国の花をたっぷりと飾った様子は、南蛮趣味の奇妙な座敷に見えないこともなかった。

私が入って行くと、一斉に拍手が起きた。待ちきれなかったらしく、すでに酒も始まっているようで、ほっとする。

「遅くなって申し訳ありません。短い間でしたが、バンジェルでは大変お世話になりました。明日の飛行機で急にスラバヤに戻ることになりましたが、まだしばらく南方の視察は続きますので、これからも原稿はお送りするつもりです。ボルネオ新聞のますますのご発展をお祈りしています」

私が簡単に挨拶《あいさつ》すると、代わってすぐに海軍民政部の部長の話になった。宴会に入ったので、私は床柱代わりの大理石の支柱を背に、座布団の上に横座りになった。四人ずつに分かれて、すき焼きが始まった。給仕するのは、現地の女給たちである。

「先生、お久しぶりでございます。お目にかかれるのを今か今か、とお待ち申し上げておりましたのよ」

馬鹿《ばか》丁寧な言葉遣いをする金原藍子が、ビール瓶を片手に目の前に座った。今日は、赤地に白い菊花模様の派手な着物だ。黒い帯を胸高に締めて、苦しそうである。相変わらず、ダイヤで作った菱形《ひしがた》の帯留めを付けていた。藍子の格好は、この座敷のように、南蛮趣味の日本風とでも言うような、不思議なものに見えた。

藍子は黙って、私のグラスにビールを注いだ。

「この間はごめんなさいね。用事が出来てしまって、ホテルを出られなくなってしまったの」

私は藍子の境遇に興味を覚えていたのに、約束を反故《ほご》にしたままになっていたことが申し訳なかった。

「いいんですよ、先生。何かとお忙しいのは伺っておりますから」

「あら、今日は弟さんは？」

私は周囲を見回して尋ねた。

「昭人は、ちょっと出掛けておりますの。でも、いつ帰れますか」

藍子は語尾を曖昧《あいまい》にした。

「何か、よくないことでもあったのですか？」

戦時中なら何でも起きる。嫌な予感がした私は、注いで貰《もら》ったビールに口を付けながら、小声で尋ねた。

「はい、この間、うちの小さな会で、私たち、調子に乗ってあれこれ喋《しゃべ》りましたでしょう。それが誰かの耳に入りましてね。弟も友達も、クチンの本部に連行されました」

わけがわからなくなって、私は藍子の青く隈取《くまど》られた目や、真っ赤な口紅が塗られた口許《くちもと》を眺めた。それらは本質を隠す擬態であるかのように、藍子の眼差しが鋭くなった。

「つまり、憲兵の取り調べを受けているんです」

私は絶句した。

「それはお気の毒ね。収容所に入れられたり、酷《ひど》い目に遭われたのに」

「だから、目を付けられるんですの。ねえ、先生もお気を付けになって。こちらには、軍のスパイがうようよしてますわよ。うちのもどうやら密告されたらしいんですの」

私は驚いて、送別会という名目で集まった邦人たちの顔を眺めた。海軍関係者、朝日新聞社員、藍子のような現地に暮らす人々。総勢三十人ばかりが、久しぶりの内地の味に舌鼓《したつづみ》を打っていた。しかし、この中にスパイがいるとは。

『軍部に尻尾《しっぽ》を摑まれないように』

不意に、窪川稲子の忠告を思い出した。こういうことなのだろうか。ぼんやりしていると、藍子が目を伏せたまま、早口に言った。

「厭戦《えんせん》思想だそうです。私たちが苦難の道を歩んだということを先生に申し上げましたよね。あれがいけなかったらしいのです。私は先生がそれっきり見えられないので」

「私を疑ってらしたのね？」

「そういうわけでは」

と藍子は否定したが、迷っている様子だった。

「私はそういうことはしませんし、聞けば胸が痛みます」

「わかっています」と、藍子は私の目を見た。「多分、真鍋じゃないかと思いますの」

真鍋は、ボルネオ新聞の記者ではないか。小娘が何と怖《おそ》ろしいことを口走るのだろう。私は、強い口調でたしなめた。

「藍子さん、人前でそんなことを言っちゃいけないわ。あの人は、れっきとした記者さんですよ」

肩を寄せ合って鍋《なべ》を突《つつ》いているのだから、名前を言うのさえ憚《はばか》られた。私の叱責《しっせき》に、藍子は肩を落としてみせたが、依然として怒りは消えていなかった。

「先生は明日発《た》っておしまいになるから、それでいいかもしれませんが、先生がいらしたことによって、私たちが我慢していたものが噴き出してしまったようにも思います」

まるで私の来訪によって、自分たちの心が粟立《あわだ》ったかのような言い方だった。

「私のせいなのに、私が無責任だってこと？」

藍子ははっと気付いて謝った。

「すみません、そんなつもりじゃなかったのです。ただ、先生のような有名な小説家がこんな僻地《へきち》にいらしたので、私たちの心にあることを思いっ切り言いたくなってしまった、という意味です。いつか書いて貰えれば、という。ああ、ごめんなさい。何を言いたかったのか、わからなくなりました」

藍子が額に手を置いて目を閉じた。私は、藍子のグラスにビールを注いだ。

「ちょっとビールでも飲んで落ち着いてちょうだいな」

真鍋はというと、記者仲間の席で、汗みずくになって、鉄鍋に牛脂を塗りたくっていた。いつの間にか、捻《ねじ》り鉢巻に、ランニングシャツ一枚という格好になっている。その滑稽《こっけい》な姿からは、スパイの三文字など想像もできなかった。しかし、人手の足りない新聞社の数少ない一員だというのに、真鍋は編集には疎《うと》く、あまり役に立たなかった、と苦く思い出す。真鍋が見逃した誤植を、何度指摘しただろう。

私は仄暗い気持ちになっていた。藍子の主張は、まったく有り得ないことではなかった。戦時中は、予想もしなかったことが起きる。

私の気持ちを読んだのか、藍子が小声で囁いた。

「先生、私、今度のことで急に怖くなってしまいましたの。オーストラリアの収容所に送られて、アフリカのロレンソ・マルケスまで運ばれて交換船に乗せられ、初めて内地に行って、やっとバンジェルに戻って来られたのが、たったふた月前ですからね。これだけでしたら、普段の生活が戻るのを待てばいいのでしょうけれど、今はいろんな人間がこちらに入って来ています。誰が何者で、どこから来て、何をしているのか、なんてまったくわかりませんのよ。疑心暗鬼で疲れます」

戦前から大農園を経営する家に生まれて、ジャワ島で教育を受けた藍子は、大人びた口調で語った。だが、酒を飲んで声高に談笑する男たちを見る目には、明らかに恐怖があった。

私は、周囲の耳目を誤魔化すために、微笑《ほほえ》みながらビールに口を付けた。世間話をしている振りをする。

「あなたが言うのも、わかるような気がする」

藍子は、私の意図を悟ったらしく、大きく嘆息して、無理に微笑んだ。

「うちの家族は、内地に行った時から目を付けられていたんだと思います。仕方ないですよ。私も弟も、こっちの学校に通っているんですから、日本人の形《なり》をしてますけど、きっと中身は違うんでしょう。華僑《かきよう》やマレー人の友達と仲良く暮らしていたんですからね。内地は、窮屈で仕方ありませんでしたよ。で、やっと戻って来たと思ったら、今度は得体の知れない人がたくさん入って来て、ここは変わってしまった。南方産業開発派遣隊と呼ばれる徴用者がたくさん来て、私たちの仕事を奪っていくんです。先生、私は父が可哀相《かわいそう》でならないの。ボルネオに一人入植して、誰の助けも得ないで、汗水流して働いて財を成した父のような人間を、日本は決して信用しないんですもの」

私は、藍子の膝《ひざ》に触れて諫《いさ》めた。

「駄目よ、藍子さん。大きな声で言わないで。あなたも憲兵にしょっ引かれるわよ。私も、警察に捕まって一週間以上も勾留《こうりゆう》されたことがあるの」

「まあ、どうして」

藍子の下がり気味の目が充血しているのに気付いた。

「友人にお金を貸したのよ。困ってるのを知っていたから。そしたら、その人は共産党員で、私が党に資金援助をしたと疑われたの。何の理由もなく殴られたし、フランスで買った、大事にしていたシュミーズの肩紐《かたひも》もちぎられたわ。怖ろしい経験だった。だから、絶対に捕まっちゃ駄目。あなたは素直な人だから、すぐそうやって口に出すけど、何とか口を閉じて、頭を低くしてやり過ごすのよ」

藍子は無言で頷《うなず》いた。話すうちに、すっかり笑顔を忘れている。でも、傍《はた》からは別れを惜しんでいるようにしか見えないだろう。私は周囲を確かめた後、藍子ににじり寄った。

「ねえ、藍子さん。さっきの話だけど。どうして真鍋さんがスパイだと思ったの？」

「昨日、小原商店の前で、真鍋さんにばったり会ったんです。そしたら、あの人、昭人たちがボルネオ憲兵隊に連行されたことをもう知ってたんです。私が暗い顔をしていたのでしょう。そしたら、親しげに私の肩を叩《たた》いて、『昭人君、大変だね』って。どうして知ってるのだろうと不思議でした。でも今、聖誕祭パーティで私と先生が話していた時に、側《そば》で聞き耳立てていたな、と思い出しました」

「記者だから、民政部で聞いて来たんじゃないのかしら」

藍子は不安そうに首を振る。

「いいえ、そんな感じじゃなかった。私にも脅しをかけているような気がしました」

真鍋は、自分が話題に上っているのを悟ったのか、ビールに酔った顔をこちらに向けた。その眼差しに、先ほどの、遅れて部屋から現れた私を観察する、冷たい芯《しん》のようなものを感じて、私は視線を逸《そ》らした。

昨日、真鍋は舟で涼んでいる私をわざわざ呼び戻して、藍子に出会ったと告げたのだった。

『先生にお会いできないのが残念だって嘆いてました。新年会にもおいで頂けなかったから、何か失礼があったんじゃないか、と気にされていましたよ』

あれは、私の反応を確かめたのではないか。

「真鍋さんと会った時、あなたは、私のことを話した?」

「いいえ、何も。先生には申し訳ないけど、それどころではありませんでした。新年会の翌朝ですから、弟たちが連行されたのは」

寒気がした。私たちはいったい何に取り囲まれているのだろう、と私は怖ろしくなった。安全な場所などどこにもないのだった。そう気付いた時に初めて、特派員だった謙太郎の孤独や、藍子の祖国に裏切られた気持ちに、思いが至るのだった。

「藍子さん、平気な顔して笑っていた方がいいわ。きっと鵜《う》の目鷹《たか》の目で、あなたのご家族を狙《ねら》っている人たちがいるのよ。気を付けて」

「それはいったい誰なんです」

私は周りを気にして、肉と白滝を小鉢に取って藍子に渡した。藍子は素直に受け取ったが、食べる気がないらしく力なく持ったままだ。ボルネオでは手に入れるのも難しいはずの白滝は、割下と肉汁にまみれて、茶色くなっている。

「わからないわ」

私はビールをひとくち飲んだ。温《ぬる》かった。その正体は、戦争というものなのだ、としか言えなかった。「非常時」という事態が、人々から尊厳と信頼を奪う。

「先生。肉、調達して来ましょうか」

野口が突然現れて、私に尋ねた。私が首を振ると、藍子の顔を見た。

「お嬢さん、この暑さの中、着物をきちんとお召しになるなんて、見上げた根性ですな。内地の女は、モンペを穿《は》いていますがね」

「あら、モンペなんてここにはないわ。昨日も小原商店に行ったけど、売ってなかったわ」

藍子がにべもなく言うと、野口も負けずに言い放った。

「もう売り切れたんだろう。あんたが買うのが遅いんじゃ」

藍子の目に悔し涙が浮かんだのがわかったが、私は黙って見ているしかなかった。

最後は三本締めをして貰《もら》って、送別会はやっと終わった。

「先生、私、飛行場にお見送りさせて頂いてもよろしくて?」

そう言って泣く藍子の背をさすって慰め、ようようホテルに戻ったのは、十一時近かった。

私は、人影のないホテルの廊下を、足音を殺し、謙太郎の部屋に向かって歩いた。時折、背後を振り返ったが、後をつけられている様子はない。安心してノックすると、中から返答が聞こえた。

「開いてるよ」

すでに呂律《ろれつ》が回っていない。ドアを開けると、謙太郎がデスクに突っ伏していた。

「謙さん、遅くなってごめんなさい。酔ってるの？」

謙太郎が顔を上げた。デスクの上にあるスコッチウィスキーの瓶が、半分以上空いている。謙太郎は酔眼朦朧《もうろう》としていた。私はドアに施錠して、パン屑《くず》の散らかるデスク上を片付けた。鯖《さば》缶は綺麗《きれい》に空になっている。

「もう寝ましょう」

「俺は抱けないよ」

「抱かなくていいわ。二人でしっかり抱き合って寝ましょうよ」

そうでもしないと、怖ろしくて遣《や》り切れなかった。この部屋だって、誰かが見張っていないとも限らない。私は謙太郎の腕を引いて、立ち上がらせた。服と靴を脱がせて、ベッドに横たわらせる。私もシュミーズ一枚になって、謙太郎の横に滑り込んだ。汗の臭《にお》いが懐《なつ》かしかった。

「謙さん、ここの金原農園の息子が憲兵に連行されたんですって」

「何で」

「人前で厭戦《えんせん》思想を喋《しゃべ》ったからですってさ」

謙太郎が鼻で嗤《わら》った。目を閉じたまま、だらしなく喋る。

「じゃあ、好戦思想って何だよ。ああ、あれか。きみが書いたやつか。『私は兵隊が好きだ』ってね」

体が硬直した。この人はずっとそう思っていたのだ。一緒に寝ているのが辛《つら》くて、私は跳ねるようにして起き上がった。半眼を開けて、謙太郎が私を見上げた。

「どうしたの」

「謙さん、あなたはそう思っていたのね。心の中では、私の書いた物をそんな風に軽《けい》蔑《べつ》していたのね」

「何だ、藪《やぶ》から棒に」

謙太郎はさも面倒臭そうに起き上がり、剝《む》き出しになった腕のあたりを搔《か》いた。

「嫌だな、南京虫《ナンキン》か」

「誤魔化さないで」

「誤魔化してなどいないよ。僕は芙美子を凄《すご》い作家だと思っているけど、気に入らない物もあるということだよ」

「『北岸部隊』も『戦線』もルポであって、小説ではなくてよ」

「わかってるよ」謙太郎は声を荒らげた。「何だ、すっかり酔いが醒《さ》めた。せっかく久しぶりに会えたのに、言葉《ことば》尻《じり》取って喧嘩《けんか》吹っかけるなよ」

しかし、喧嘩を吹っかけているのは、謙太郎ではないか。『北岸部隊』は戦争を肯定している、どころか好戦的だと言われているも同然だった。私は収まらなかった。

「あなたは私に批判的だわ。私が陸軍の言いなりになって、戦争を賛美して、肯定していると思っている。では、あなたはどうなのよ。あなただって、中国にいらした時なんか、毎日のように新聞にそういう報告を書いていたでしょう。なぜ、あなたは、私だけを責めるの。ああ、わかったわ。さっき、窓際《まどぎわ》で泥の色がわからなければここも綺麗って、私が言ったら、あなたは戦争も同じだって言ったわね。あなたは、私が泥の色をこうやって隠していると思っているんだわ。酷《ひど》いじゃないの。私たちが会えなくなったのだって、戦争のせいって、わかっている癖に」

やめたいのに、止まらない。私は涙を流しながら訴えた。

「うるさい、黙れ。黙らなければ」

謙太郎が恫喝《どうかつ》して、言葉を切る。

「殴るっていうの。やってごらんなさい、できるものなら」

「できないよ」

謙太郎は自分を嘲笑《ちようしよう》するかのように肩を竦《すく》め、ウィスキーの蓋《ふた》を開け、ラッパ飲みした。

「およしなさいよ、そんな飲み方するの。あなたが酔うと、見境がないから嫌」

「見境って、何のことだ」

珍しく、謙太郎が色をなして怒った。

「つまり、こういうことよ」

私はたちまち劣勢になって後退《あとじさ》った。下着姿だと心許《こころもと》なくなって、ベッド上のシーツを摑《つか》んで、胸元を隠す。

「こういうことって何だ。きみの軽率なる作家精神について、文句を垂れることか」

「何て酷いことを言うの。あなたの本心がわかったわ。本当は私のことをそう思っていたのね。だけど、誰だって、軍の誘いを断れないわ。断ったら最後、尾行されたり、噂《うわさ》を流されたり、嫌な目に遭う。みんなそうよ。『徴用の徴は懲《こ》らしめの懲』だって噂もあるくらいなのに。そこまで言うのなら、あなたには勇気があるっていうの」

「ないよ、悪かった」謙太郎が乱れた髪に両手を入れて掻きむしった。「勘弁してくれ」

「勘弁だなんて」

私は椅子《いす》の背に掛けてあった、自分のブラウスを羽織った。スカートを穿いて、ホックを留める。

「どこに行く」

謙太郎が、私の腕を摑んだ。

「部屋に帰って、一人で寝るわ」

「ここにいろよ」

謙太郎が私を抱き竦める。私はなされるがままになっているが、心の中はざらついた思いでいっぱいだった。謙太郎はいったいどうしたのだ。二人で共闘しなければ、敵に取り囲まれている状況では生き抜けない。

「二人で協力しなければ、生き抜けないよ」

奇《く》しくも、謙太郎が同じことを言ったので、私は顔を上げた。

「ねえ、金原藍子さんが、ボルネオ新聞の真鍋がスパイだっていうのよ。有り得るのかしら」

「わからん」と、謙太郎は首を振った。「俺には、きみの従卒の野口も怪しく思えるし、すべて変だ。僕らを見張っているように思う」

「なぜ、私たちが見張られるの」

私はあまりの意外さに、声が大きくなった。

「きみは、自分が陸軍の覚え目出度《めでた》いと思っているんだろうね」

その口調に厭味《いやみ》は感じられず、むしろ同情的だった。

私は何と返答していいか、適切な言葉が思い浮かばなかった。

「そうは思わないけれど」

「けれど、何」

謙太郎はいかにも新聞記者らしく、追及に容赦がない。

「覚えが目出度いと喜ぶほど馬鹿《ばか》ではないわ」

「さあ、どうかね」

「馬鹿にしないで」

私は腹が立って、謙太郎の厚い胸をどんと手で突いた。

「してないよ」

謙太郎は優しく私の両手を取った。私はそのまま、じっとしていた。

夜が更《ふ》けていく。謙太郎は、明日の海軍機には、乗れないかもしれない。今度会えるのは、いつだろう。貴重な時間を口喧嘩に費やすわけにはいかなかった。だが、話しても、抱き合っても、喧嘩をしても、見つめ合っても、何をしても、時間が足りなかった。口にはしなかったが、互いに焦燥を感じている。

「謙さん、さっきの答えを聞いてないわ。私たちがどうして見張られているか」

「どうして、わからないの」謙太郎がからかうように言う。「僕らが戦時中なのに、ふしだらだからだよ」

そうね、と私は溜息《ためいき》を吐《つ》いた。その時、鎧戸《よろいど》を開け放した窓から、流星が見えて、あっという間に消えた。何ごともなかったかのように、真っ黒な夜空に点々と星が見える。

「流れ星が見えたわ」

謙太郎が酔った目を窓外に遣って呟《つぶや》いた。

「空気の塊を感じるな。真っ黒な南洋の夜の塊だ。怖い」

こんなボルネオ島で、やっと再会できたせいだろうか。海まで続く濃い闇《やみ》と、川に棲《す》む無数の生物の命のざわめきを考えると、今ここで二人きりでいられる喜びと、それをじきに失う虚《むな》しさが身に迫ってくるのだった。気が付くと、二人とも涙ぐんでいた。

「また会えてよかった」

私は、私の手を摑んで離さない謙太郎の胸に顔を埋《うず》めた。謙太郎が、私の手を包んだまま、強く引き寄せる。ゆっくり会う時間もないうちに、謙太郎も三十代になり、体も逞《たくま》しくなった気がする。

「何をしても、会っている実感を得られない」

「ほんと。夢みたいで儚《はかな》いわ。私たち、長いこと一緒じゃなかったから」

「会えさえすれば、いろんな思いが氷解したのにな」

謙太郎にも私にも、氷の塊のように冷たい思いがあったのだ。

「離れたくない」

「僕もだよ」

さっきまで散々言い争っていたのに、心が再び寄り添うのを感じて嬉《うれ》しかった。

「私、正直に言うわ。実はだんだんと戦争のさなかにいるのが怖《おそ》ろしくなっているの。あなたは、私のルポを批判したけど、確かに私は無自覚だった。私が書くことがお国のためになる、と信じ込んでいた。誰もがそうだったでしょう。でも、今は窮屈なだけ。昂揚《こうよう》なんてない。ただの義務なの。私たち女流作家は、女だから徴用と言われないだけで、嘱託は徴用と同じよ」

「よくわかってるよ。書く内容への制約はどのくらいあるんだ」

謙太郎の長い指が、私の頰をそっと撫《な》でた。

「行く先は、軍報道部の言いなりよ。題材も選ぶことはできない。どこにどれだけ滞在するか。そこで何を視察して、何をどのくらい、どこに向けて書くのか。それを決めるのも私じゃない。あっちから指示されるの。私は素直にそこに行って、言われるだけ滞在して、なるべくいいことを書くだけ」

「それは作家の仕事かい？」

謙太郎は私の顔を覗《のぞ》き込んだ。

「まさか、違うわ。じゃ、あなたにも聞くけど、あなたはどうなの。あなたはジャーナリストの仕事をしているの？」

謙太郎は苦笑する。

「いや、きみと同じだ。厳しい報道管制の中で、大本営発表を記事にするだけだ。独自の取材など、もう誰もできない。きみが南京女流一番乗りだの、漢口一番乗りだのをやってのけたのは、牧歌的な時代だった。うちと朝日が取材競争の一騎打ちをしていたなんて、信じられないよ」

謙太郎は、再び酒瓶に手を伸ばして、直接口を付けた。渡して寄越したので、私も行儀悪くラッパ飲みしたが、うまくできずに胸にこぼした。私は笑いながら、ブラウスをハンカチで拭《ふ》いた。

「私が書いた物は、必ず検閲を受けて、通れば発表されるけど、通らなかったら、その理由も言われずに、ボツになるだけ。兵隊さんの葉書みたいに、墨で黒く塗られるのならともかく、何が悪いか指摘はされない。尻尾《しっぽ》を出すまで、泳がされる気がするの。それが怖いわ」

私は思わず、誰にも言ったことのない真情を吐露していた。

三年前、私の満州についてのルポ「凍れる大地」の題が、満州の印象を損ねる、と注意を受けたことがあった。その時は、題についての注意だけだったが、厳しい自然を厳しいと書いてはいけないのなら、それは騙《だま》しと同じではないか。私は内心、反発を感じた。

しかし、今は反発を感じたことすらも、隠しておかねばならなくなった。片鱗《へんりん》でも反軍思想や厭戦《えんせん》思想を持っていると疑われたら最後、目を付けられる。そして、証拠を摑まれたら必ず逮捕される。証拠のでっち上げなどいくらでもある、と聞いたこともある。要は、睨《にら》まれたらおしまいなのだ。

私が、『北岸部隊』や『戦線』で書いたルポは、銃後の国民を熱狂させた。文壇の誰もが戦線を視察に行き、そのほとんどが勝ち戦に昂奮して戻って来た。尾崎士郎などは、対談で「戦争は美しい」と口走りもした。

今は、誰も口にはしないけれど、いつの間にか、底なし沼に足を取られて、もう脱け出られないのではないか、という恐怖があった。南方を取った取った、と浮かれている今この時、昭和十八年一月でさえも。

何か悪いことが起きる。私が抱いている密《ひそ》かな虞《おそれ》を謙太郎に話したかったが、謙太郎は苦い顔でウィスキーを流し込むばかりだった。

「ねえ、どうして私とあなたが付き合っていることを、軍部が知っているのかしら」

「馬鹿だなあ、芙美子は」

謙太郎は、私を憐《あわ》れむように言った。

「なぜ馬鹿なの」とむっとする。「あなた、前にもそう言ったわ」

「文壇やその周辺にいる人なら、僕らのことを誰でも知ってるよ。きみは有名作家だからな、周知の事実だ。いいかい、芙美子。きみは、それを単なる文壇の噂に過ぎない、と高を括《くく》ってるんだろう。だが、それは情報というものになって、あるところに集められるんだ。映画界でも政界でも同じだよ。醜聞や犯罪、人々の弱みを摑んで、利用しようとするんだ」

誰が、と聞きたかったが、私は沈黙する。誰かはわかっていた。国家という名の、実体のわからないものだった。実体がわからないのは、一人一人の人間の姿をしているからであり、その人間の悪意や虚偽や底意地の悪さが、まるで国家の吐き出す毒に見えることだった。

私は、酒が飲みたくなり、グラスにスコッチを注いだ。

「ラッパ飲みはしないのかい。似合っていたのに」

謙太郎が笑う。

「どうせ、私は蓮《はす》っ葉《ぱ》ですよ」

私は琥珀《こはく》色の液体を眺めてから、口を付けた。氷も水も入っていないウィスキーは辛くて、唇が灼《や》けそうだった。ひと口飲んで咽《む》せ、ベッドサイドに置いてあるガラス製の水差しを手に取る。

バンジェルマシンでは、飲用に適した水がないので雨水を溜め、濾《こ》して使っているのだった。私は、スコッチに、その水を足した。

「あれだけ川があるのに、どれも飲めないなんて不思議ね。でも、雨水って甘い。ジヤングルの湿り気が空に上がるからかしら」

そうだね、と謙太郎が気がなさそうに頷《うなず》いて、煙草《たばこ》に火を点《つ》けた。二人共、話を核心に近付けたくないのだった。

「ねえ、私たちが付き合っていることが、なぜ目を付けられることなの？」

「ひとつ目、公序良俗に反するから。ふたつ目、俺が英米双方にいた特派員だから。みっつ目、きみも英仏に旅行したから」

「それがどうして」と、問いかけた私は、あっと声を上げた。

「まさか、あなたがスパイの疑いをかけられているということ？」

しっ、と謙太郎が、唇に指を当てた。私は、開いている窓を意識して口を噤《つぐ》んだ。

「そうだ。館山《たてやま》沖で尋問を受けた。でも海外から帰って来た者は、みんな怪しまれるということさ。そういう俺と付き合うきみも、例外ではないよ」

私は、窪川稲子の言う「尻尾」の正体がやっと呑《の》み込めたのだった。軍部に摑《つか》まれる「尻尾」とは、私の場合、謙太郎だった。

「じゃ、私たち、どうしたらいいのかしら」

「どうもこうも、俺もきみも、ともかくこの任務を終えて、日本に何とか無事に帰ることだ」

この戦争がどうなるかわからないし、無事に帰れたところで、また、このような時間を持てるとは思えなかった。英語の得意な謙太郎は、新聞社にいる限り、きっとどこかへ派遣されるに決まっている。そして、私といるよりも、その任務の方を望む謙太郎がいるのだった。謙太郎は、英語圏での暮らしを好んだ。

「私、あなたとずっとここで暮らしたいわ」私は駄々をこねた。「いいえ、バンジェルなんて嫌。ジャカルタか昭南で暮らしましょうよ」

謙太郎が首を振った。

「無理だよ。どこにも楽園なんてないんだ。きみもさっき言ってたじゃないか。金原農園の息子が憲兵にしょっ引かれたって。日本軍のいるところ、憲兵はどこにでもいるんだ。僕らは逃げられない。戦争に閉じ込められたんだ」

暗い気持ちが蘇《よみがえ》ってきた。

「じゃ、もう話すのはやめて、一緒に寝ましょう」

私はベッドに横になった。午前一時を過ぎていた。謙太郎は、机の前でスコッチを飲み、煙草を吸っている。私はその横顔を見ながら、暑い暑い、と団扇《うちわ》を使っているうちに、眠ってしまった。

明け方、首の下に男の太い腕を感じた時、私は幸福感に包まれた。が、この幸せはすぐに失われるのだと、悲しくなった。

朝まだき、私は謙太郎の部屋を出て、ホテルの薄暗い廊下を足音を忍ばせて歩いた。誰かが私を見張っているような気がして、不安でならなかった。やっと自分の部屋に辿《たど》り着き、そっとドアを開けた時、メモが差し込まれているのに気付いた。

「林芙美子先生　明日の海軍機は午後二時の出発だそうです。一時にお迎えに上がります。真鍋」

出発の朝は、よく晴れて異様に暑かった。いずれ、嵐《あらし》でもきそうなほど大気が熱せられて、どこかに危うさを孕《はら》んだ好天だった。

謙太郎とダイヤを買いに行く約束をしていたから、私は荷造りした後、臙脂《えんじ》と白のすっきりした縦縞《たてじま》のブラウスと、揃《そろ》いのスカートを身に着けた。スカートは、ウエスト部分だけ、縞を横に使った洒落《しゃれ》た意匠だった。南方行きが決まった後、銀座の行きつけの洋装店で仕立てた服だ。すでに、布も手に入りにくくなっていたのに、その洋装店の倉庫には、外国製の高級布地がたくさん隠されていた。この生地はスイス製だった。

このような贅沢《ぜいたく》も、謙太郎の言うように、どこかに「情報」として報告されているのだろうか。だが、夜が明けてみると、謙太郎と二人で話したことどもが、途轍《とてつ》もなく大袈裟《おおげさ》に思えてならないのだった。私が軍の不興を買っているなんて。そんなはずはあるまい。

私は約束の十時少し前にロビーに下りた。ダイヤモンドは、マルタプラに行って買うことになっていた。

ロビーで謙太郎を待つ私に、野口が近付いて来た。

「先生、飛行機、午後だもんで」

カーキ色の開襟《かいきん》シャツに、半ズボン。相変わらず、軍装にはアイロンがかけられて身だしなみはいい。が、食事が終わったばかりなのか、口の中で舌を動かしていた。次第に傍若無人になる野口の行儀の悪さが、私は気に入らなかった。

「わかってるわ。荷物は部屋にあるから、後で下ろしておいてちょうだいね。私、ちょっと出て来ます」

野口が問いたげな顔をした。

「最後だから観光に行くの」

「お供しますけ」

「いいのよ」と、断ったところに、謙太郎が下りて来た。謙太郎は、白いシャツに、白いズボンだ。すっきりと男前に見えて、私は嬉しくなる。手を振ると、謙太郎は残念そうに告げた。

「林さん、今日はご一緒できません。飛行機は満席だそうです」

「あら、いつわかったの」

私は失望を隠して尋ねた。

「部屋にこのメモが入ってました」

謙太郎は、歩きながら紙片を見せた。

「斎藤様　海軍機満席です。数日お待ちください。次は一番でご案内します。民政部」

私の部屋に入っていた紙片と同じ筆跡だった。私の部屋のメモには「真鍋」の署名があったのに。嫌な気がしたが、黙っていた。

「一人でどうなさるの」

「ボルネオ新聞でも手伝いますよ」

謙太郎の冗談に笑う。いつまでも謙太郎と過ごしたかったが、別れる時間は迫っている。

マルタプラの、埃《ほこり》っぽい貧弱な通りに、宝石屋と名乗るのはおこがましいような石屋がずらりと並んでいた。謙太郎は、中で一番大きな店に入った。店員が、安っぽい青いビロードを張った盆の上に、石を並べて見せた。

謙太郎が摘《つま》み上げたのは、大豆ほどの大きさの原石だった。黄色味を帯びた光が時折、ぎらりと目を射た。

「これは綺麗《きれい》になりそうだ」

「日本でカットすればいいのかしら」

私の問いに、謙太郎はこう言った。

「二人の思い出なんだから、原石のままで持っていて。思い出を忘れそうになったら、カットして磨いて、うんと光らせてくれ。この石は二人の子供みたいなものだよ。そんな美しい光に生まれ変わると思うと楽しいじゃないか」

謙太郎は、まるで薬包のようにセロファンにきっちり包まれた固い石を、私の手に握らせて笑ったのだった。

第五章　傷《きず》痕《あと》

I

斎藤謙太郎様

バンジェルマシンのお天気はいかがです？　今日は何をしていらっしゃるのかしら？　それとも、もうバンジェルを発って仕舞われましたか？　もしかすると、こうしている間にも、こちらに向かっていらっしゃるのかもしれませんね。だったら嬉しいけれど、私たちの運命が、そうそううまく運ぶはずはない。翻弄されているうちに、すっかり悲観的になっているふみこです。

ああ、今、「バンジェルマシン」という文字を書いていて、泣きそうになりました。茶色い川、雨、小舟、泥の色、そしてダイヤモンド。私は一生、あの土地を忘れることはできないでしょう。お願いだから、あなたも、どうぞ忘れないで。

お互いに、「バンジェルマシン」と言うだけで、同じ心の部屋に入れることを祈っています。私はあの土地であなたにお目にかかれて、本当に幸せでした。バンジェルマシンという地名が、私の心の鍵になりつつあります。

ところで、あなたのお乗りになる飛行機は決まりましたか？　だいたい、いつ頃お乗りになれるのか、おわかりになりまして？　今度はどちらに向かわれるの？　そして、その土地では、どのくらい滞在なさるのかしら。決まりましたら、真っ先にふみこに教えてくださいませね。

私はあなたに尋ねてばかりですわね。君のせっかちと心配性は、何と鬱陶しいことよ、と苛々されるお顔が浮かびます。

でも、私はあなたのことは、どんな小さなことでも知りたいのです。あなたのおそばにいたいのに、それも叶わず、昔の人だとて容易に交わせていた文でさえも、届かなかったり、失せたりする困難な時代を生きているのですから。

私たちはきっと、あっちへこっちへと揺られる振り子のように生きているのですね。いいえ、お互いに振り子だったら、まだマシかもしれません。交差する瞬間は何度かあるのでしょうから。

謙さん、私がせっかちになることを、赦してください。人生は、そうは長くないのです。悩むほどに長くはないし、怒るほどに長くもない。愛し合うにも、充分な長さはない。きっと私たちは、こうして擦れ違ったり、誤解を重ねたりして嘆いているうちに、死んでいくのでしょう。

寂しいことを書いていますが、今日、七日は休養日です。私は今、伸びやかな気持ちで、あなたにこの手紙を書いているのです。

何だかとても、あなたに長い手紙を自由に書きたい気持ちになっています。これまで自制していたせいでしょうか。それとも、あなたという人の記憶が、まだ私の中で生々しいせいでしょうか。

あなたのいる場所に向かう飛行機に手紙を載せさえすれば、あなたの手元に届く。何と素敵なことでしょう。あなたは、自分たちは見張られているのだから気を付けろ、と仰いましたが、今の私には止められそうもない。そうです、今日のふみこは緩んでいます。

外は怖ろしいほどに晴れ渡り、青空の下に芝生が萌えて、赤いブーゲンビリアや、カンナの花が咲き乱れています。空の澄んだ青、花の赤は、バンジェルにはなかったものですわね。

あなたと一緒に目覚めて、この鮮やかな色彩を眺めたかった。そうしたら、私たちの愛も、もっと色鮮やかで心躍るものに変わったかもしれませんね。状況によって、愛の色が刻々と変わる。あなたと確かめたかったことのひとつです。

私の方は、昨夜七時過ぎ、スラバヤ飛行場に到着しました。ええ、道中無事ですわ。ご心配なく。前にも泊まったことのある大和ホテルにまず荷物を置き、それから朝日新聞社の支局に顔を出しました。真っ先にしなければならないことだからです。

あなたも新聞記者だからご存じでしょうけれども、軍報道部からの指示が軍政監部を通じて支局に届いています。支局と相談して、その指示に対する交通手段とか宿、新聞取材の日程などを取り決めるのです。

その後、すっかりくたびれてしまって、ホテルに戻って出直すのも億劫だと、朝日の支局の人たち数人と遅い夕食を食べに行くことになりました。

そうそう、ロンドンに赴任していらしたという、鵜飼《うかい》さんという方がご一緒でした。あなたのこと、ご存じでしたわよ。勿論、私は余計なことは何も言いませんから、ご安心なさって。なのに、野口がこう言ったんですの。

「バンジェルで、毎日の記者の斎藤さんとお目にかかりました」

余計なことを、と私は少し腹立たしかったのですが、鵜飼さんは、「そうですか」と、懐かしそうに目を細めていらしたわ。

「斎藤君は、僕が帰る頃に入れ違いでいらしたんです。それでも数カ月、ロンドンでご一緒したな。彼は、ついてなくてね。僕が帰った後、半年くらいして空襲が始まったんですよ。日本は火事の恐怖ですが、ロンドンの空襲は生き埋めの恐怖ですよ。石造りの街が壊れるんだから、どんなにか怖かったことだろう」

私は、野口が、私とあなたの「原稿」の約束に言及するのではないか、とはらはらしましたが、さすがに何も言わなかったのでほっとしました。万が一、「原稿」に話が及んだら、嘱託ということもありますから、朝日も面白くないでしょう。

それと気になったのですが、朝日の記者さんも(毎日新聞も同じでしょうけれども)、皆が皆、正規の社員ということはないのでしょうね。

ボルネオ新聞のMさんは、本当の記者だったのかどうか、実は私は怪しんでいますの。軽率なことを書くな、と怒るあなたの顔が見えます。これだけにしますから、どうぞ、残られたあなたも、気を付けてください。

話を元に戻しますわね。

それで、朝日の支局の人と何を食べに行ったかと言うと、これが面白いのです。

打ち合わせが終わったのは、十時前でした。すっかり遅くなってしまって、主だった食堂はもう閉まってしまったというのです。途方に暮れていると、野口が、地元の店に案内してくれました。

謙さん、私たち、何を食べたとお思いになる？　真っ黒なタンシチューです。牛タンを使っているのですが、そのスープはどういうわけか、墨のように黒いのです。付け合わせは、ぼそぼその長米とガチョウの茹で卵でした。茹で卵はピータン同様、少し発酵していて、鶏の卵よりも遥かにコクがありました。

「先生、よく食べられますね。女の人は皆駄目かと思っとった」

案内した当の野口が驚いていましたが、私は平気でした。素朴な味付けでしたけれども、案外美味だと思いました。謙さんはご存じですよね。私がとても好奇心が強いことは。でも、あの黒い汁は、謙さんはお嫌いかもしれません。イギリスのタンシチューとは、まったく違います。

ええ、野口は、ジャワの軍政監部の将校の従卒でしたから、こちらにはとても詳しいのです。スラバヤに着いた途端、どこか嬉々としております。今日は休養日ですから、きっと慰安所かどこかに入り浸っているのでしょう。

また、話がずれました。昨夜は、食事の後、お風呂に入らずに寝てしまいました。そして、今朝、ジョンゴスたちの話し声で目を覚ましたというわけです。

一瞬、私はどこにいるのかしら、とわからなくなって、うろたえました。部屋は真っ暗、けれどそこに鎧戸の隙間から一条の光がすっと真横に射して、壁の一点を明るく照らしているんですの。それがちょうど、スラバヤの古い港の写真なんです。まるで映画のようにその写真が闇に浮かんで、時間と場所がわからなくなった私がいる。とても幻想的でした。

バンジェルの大和ホテルは、鎧戸が閉まらなかったり、穴が空いていたりで、あちこちから光が射していましたから、暗い部屋で目覚めるなんてことが一度もなかったのです。

ああ、スラバヤに帰って来たのだったな、と思い出し、鎧戸を開けて外を見たら、庭木の手入れをしている男たちが、笑いながら私に手を振りました。戦時中なんて嘘のような、平和な光景でした。

今、ジョンゴスに葡萄酒を持って来て貰いました。食欲がないので、葡萄酒を飲みながら、貴重な休みをだらだらと過ごすつもりです。濃い紫色の液体を見ていると、昨夏のことを思い出します。

ところで、謙さん、ご存じ？

あなたとホテルでお別れしてから、私たち、三時間以上もバンジェルの飛行場に閉じ込められていたのよ。ホテルを出た後、風雨が激しくなったでしょう。

飛行場にやっと着いたはいいけれど、いくら待っても雨が止まないし、風もますます強くなるしで、これは飛行中止になるだろうと、私は高を括っていました。あなたのいる大和ホテルに帰れる。実は内心ほくほくしながら、飛行中止の連絡を待っていたんですの。

そしたら、天候が収まり次第、どうしても飛ぶというので、夜の飛行なんてまっぴら、と野口に言ってしまいました。すると、野口が緊張した顔で周囲を見回すのです。

「先生、海軍の偉いさんが乗るそうです。だもんで、どんなこんがあっても出ますよ」

私は、あなたの座席がなくなったのはその軍人のせいじゃないかと恨みました。しかも、海軍軍人の用事のために、海軍機はむりやりバンジェルから飛び立って、私をあなたの元から引き剝がそうとしているのです。あなたとご一緒できなかったのは、こんな理由があったのよ。

嵐が来て飛行機が遅れ、あなたがいらっしゃらなくて、私は寂しかったけれども、いいこともありました。藍子さんが別れを惜しみに、わざわざ来てくださいました。

藍子さんは、逮捕された弟さんたちのことを心配して、暗い顔をされていたわ。でも、飛行場には軍の関係者しかいなかったので、弟さんの話はせずに、私の『放浪記』についての感想などを伺っていたの。

若いのに、しっかりした意見をお持ちでした。この先、藍子さんたちに何ごともないといいのに、と心の底から願いました。

そうそう、あなたに買って頂いたダイヤを、藍子さんに見せて差し上げました。勝手なことをして、ごめんなさい。

「先生、とうとうマルタプラにいらっしゃいませんでしたね」

藍子さんが、残念そうに仰るので黙っていられませんでした。

「いいえ、午前中に行って来ました。原石をひとつ買いましたのよ」

藍子さんが目を輝かせて、懇願されました。

「先生、よろしかったら、ちょっと見せて頂けます？」

だから、私はお財布に入っていた、ダイヤの包みを取り出して、藍子さんの小さな掌に載せてあげたのです。藍子さんは、大事そうにそっと包みを開けて、あっと声を上げられました。

「先生、とってもいい石です。目利きでいらっしゃいますね」

こう仰るのです。私は、あなたとの会話を思い出して、自分の子供が褒められたように嬉しかったわ。勿論、そんなことは言いませんから、ご安心なさって。

「先生、セレベスで指輪にしませんの？」

藍子さんがふざけて仰るので、私は首を振りました。

「バンジェルの思い出に、このまま原石で持っていようと思いますの」

そう言ったら、驚いたことに、藍子さんは涙ぐまれました。

「それがいいですわ。そうしてくださいませ。そして、私たちのような日本人の家族が、内地から遠く離れた島で生きていることを忘れないでください。ボルネオのことを決して忘れないでください」

「絶対に忘れませんよ」

私も、つい貰い泣きをしてしまいました。

結局、飛行機がようやく飛び立ったのは、午後五時過ぎでした。

滑走路の水溜まりを、海軍の人たちが総出で掃き出したり、バケツで掻き出したりで、何とか飛び立てることになったのです。

バンジェルの美しい景色を見ているうちに、どんどんと陽が暮れてしまいました。

しかし、飛行機から見る夕焼けは、この世のものとは思えないほどの美しさでしたよ。

謙さん、あなたは夜の飛行をされたことありますか。あなたなら、きっとおありでしょうね。私は初めてでした。ほとんどが有視界飛行ですから。

夜の飛行は、粘度の高い闇、羊羹の中をむりやり切り崩して進んでいるようで、とても息苦しかった。すぐ下にジャワ海があるのがわかっていたからでしょうか。

だから、私は何度も小窓から外を覗いていましたよ。でも、外は真っ暗で星も見えなくて、闇の中を進んでいるんだと思うと、心許なかった。いつもだったら、そんな不安な思いも面白く感じられたかもしれません。私は小説家ですから、たった一人の、夜の飛行を怖がる女を小説で描けるかもしれないと、アイデアを書き留めるかもしれません。

けれども、昨夜は不安ばかりが先に立って、落ち着きませんでした。あなたの言葉を覚えていたせいです。

『空気の塊を感じるな。真っ黒な南洋の夜の塊だ。怖い』

あなたは、ホテルの部屋で外を見てそう仰った。そうなんです。その怖い塊の中を、私は一人で進んでいるのだと思うと、寂しくて堪らなかった。いいえ、きっと寂しいからこそ、怖かったのでしょう。

暗闇の中、遥か彼方に、オレンジ色の光がぽつぽつと見えてきました。まるで小さな漁船が蝟集《いしゅう》して漁り火を点しているような、か弱い光でした。

「スラバヤの光が見えますよ」

「こちらは天気がよかったんだね」

エンジンの轟音の中、誰かが大声で話しているのが聞こえました。私は財布からセロファンの包みを取り出して、しっかりと握ったのです。

「二人の思い出なんだから、原石のままで持っていて」。あなたの言葉が蘇って、私はいつの間にか微笑んでいました。ダイヤは、藍子さんが言った通り。「小さくて誰にも知られずに持っていられる」。そして、この小さき物は私の希望でもあるのです。

あなたとは、いずれまたゆっくり会えるでしょう。私はその日のために、懸命に生きます。あなたもどうぞお元気で。

芙美子

2

休養日はよく晴れた美しい日だったが、夜半から雨になった。以来、しとしとと、まるで日本の梅雨のような雨が降りやまない。

すると、里心が付いたのか、これまでの疲れが出たのか、私は急に腹を下して熱を出してしまった。謙太郎に思いの丈を書き綴《つづ》ったために、私を支えていた魂のようなものが、するりと抜け出て、バンジェルマシンに戻ってしまったのかもしれない。それくらい、私の体はへなへなと頼りなくなった。それでも、スラバヤの軍政監部の宣伝部には、今後の打ち合わせのために、顔を出さねばならなかった。

午前中の約束を午後に変更して貰《もら》い、私は何度も手洗いに駆け込みながら、身支度を済ませた。雨も降っているから、出掛けるのが億劫《おっくう》だった。が、億劫なのは、雨や体調のせいだけではない。身裡《みうち》に次第に溜《た》まる黒い不満と不安があるのだった。なぜ、私だけが不必要なほどにあちこちへ、そして忙《せわ》しなく南方を巡らされているのだろう、と。

一昨日、スラバヤに着いてすぐ、私は朝日新聞の支局に赴いて、今後の旅程などを相談してきた。その際、いつものように内地からの手紙や雑誌などを受け取った。中に、美川きよからの賀状も入っていた。美川は、来月頃には帰国する予定、と書いてきた。

林芙美子様

明けまして、おめでとうございます。

今年も、よろしくお願い申し上げます。

ご無沙汰しておりますが、お元気でお過ごしのことと存じ上げます。

一月初めに、ジャワにお戻りと伺いました。ボルネオ島はいかがでしたでしょうか。あちらは、内地ではお目にかかれないような、様々な人がいて、大変に面白いところだ、と支局の方が仰っていました。

僭越ながら、さぞや、よいご経験をされたのではないでしょうか。

しかし、お暑い中、本当に本当にご苦労様でございました。

私の方は、まだしばらくジャワに滞在して、来月には、昭南に戻ることになっています。そして、そのまま帰国致します。

林様にジャワでお目にかかれるかと楽しみにしておりましたのに、擦れ違いで甚だ残念です。

林様の旅は、まだまだ続くと伺っております。

末筆となりましたが、何卒、お体をいとわれて、ご無理なさらないでくださいまし。

皇紀二六〇三年が、林様にとりまして、より佳き年でありますよう、心よりお祈り申し上げております。

美川きよ

美川と比較すると、私の旅程は、この先も果てしなく続くように思われて、さすがの私も意気阻喪したのだった。勿論《もちろん》、謙太郎と会えるかもしれないと思えば嬉《うれ》しいが、それもいつそんな幸運が訪れるかわからないほど、移動に次ぐ移動なのだった。

例えば、私はスラバヤに何週間も滞在して、謙太郎が来るのを待つわけにはいかなかった。四日後には、トラワス村という高原の小さな村に行き、村長の家に一週間近く滞在することになっている。勿論、滞在記を書く約束である。

その後、スラバヤに戻って、バリ島の視察に出発。バリに三泊したら、スラバヤに戻って、今度はジャカルタ入り。ジャカルタで一週間ほど過ごした後は、再び昭南に行き、またジャワ島へ戻ってからスマトラ島へ、と私の旅は続くのだった。際限ない、と言ってもいい。

疲れないはずはなかった。窪川稲子や、水木洋子らも、私ほど長い旅程はこなさないだろう。いや、こなす必要がない。なぜ私だけが、という思いがあった。

おそらく、私がその手の不満を漏らすと、林さんは南京《ナンキン》女流一番乗りで名を馳《は》せたから、とか、有名女流作家だから、などと歯の浮くような世辞を言われるに決まっていた。本当にそれだけだろうか。何か理由があるのではないか。暗い部屋でじっと腹痛を堪《こら》えていると、余計な思いが増していく。どうして、どうして、と。

時間が過ぎたのに、野口は迎えに来ない。軍政監部に遅刻するのが嫌な私は、部屋を出て、広い庭をぐるりと巡っている矩形《くけい》の回廊を歩き始めた。途中で野口に出会えば、それでいいと思ったが、雨の回廊には、野口も、ジョンゴスでさえも姿がなかった。

横殴りの雨が、無人の回廊の石床を濡《ぬ》らしているので、私は何度も滑りそうになった。ある客室のドアには、ヤモリが数匹へばり付いていた。昨日の朝の明るさが嘘《うそ》のような、陰鬱《いんうつ》な雨降りだった。

薄暗いロビーにやっと辿《たど》り着いた時は、スカートの裾《すそ》が濡れていた。野口が、ロビーの椅子《いす》で男と談笑していた。横顔を見せて楽しげに話していた野口が私に気付き、もう来たのか、と言いたげな表情をした。まずいものを見た気がして、私の方が目を背けてしまう。

野口は、知り合いと偶然出会って、話し込んでしまったのだろう。二人は腕時計を見て、名残惜しそうに立ち上がった。

相手は、野口と同年齢くらいの男だった。軍装だったけれども、占領地では、軍人なのか軍属なのか、はたまた徴用なのか、見分けが付かない。相手は、野口と握手した後、私に軽く会釈《えしやく》をして、ホテルを出て行った。

「先生、お加減はいかがです」

野口が、軍帽をぐるぐる回しながら尋ねた。私は、野口の鶏のように前に突き出た首に、喉仏《のどぼとけ》が上下するのを眺めた。

「ごめんなさいね、お邪魔だったようね。お友達と会ってたんでしょう。私のことなんか気にしないで、ずっと話していればよかったのに」

「いいんですよ。同窓の者ですから」

「どこの同窓」

何気なく尋ねた私に、野口はふざけた口調で言った。

「床屋のです」

咄嗟《とつさ》に、床屋なんて大嘘だと思った。野口は私に嘘を吐《つ》いている。私は必死に疑念を隠して、野口の顔を見た。野口は笑っている。

おそらく、野口は本当は姿勢のいい人間なのだ。今、「同窓」の男と握手を交わしていた時、背筋は伸びて首は前に突き出ていなかった。あれは、職業軍人の態度ではないか。

「ねえ、あなた、もともと床屋さんじゃないんでしょう」

私が思い切って言うと、野口は困ったように眉根《まゆね》を寄せた。

「先生、何言っとるんですか。私は再召集された床屋のオヤジですけ」

「じゃ、あたし熱があるから、今夜髪を洗ってよ」

私は何を言っているのだろう、と思ったが、怪しむ気持ちを止められなかった。

「いいですよ。お安い御用です」

もしかすると、私は取り返しの付かない失敗をしたのではないだろうか。野口に、謙太郎への手紙を託したことのある私は、気が滅入った。

私たちは、朝日新聞の小旗が付いた車で、軍政監部の宣伝部に向かった。雨の街を、ベチャやデルマンが行き交って、水しぶきを上げている。私はバンジェルマシンのぬかるむ道を思い出し、そこにまだいるであろう謙太郎のことを考えていた。

「先生」と、野口が助手席から振り向いた。「トラワスに行くのに、この運転手を頼みますから」

運転手は現地の男で、痩《や》せて背が高い。にこにこして愛想がよかった。

「カツミと呼んでください」

上手な日本語で自分を紹介するのだった。

「勝美?」

「はい、私の名はカックマンですから、勝美と呼ばれています」

「勝美は、気が利《き》いて運転がうまいんで、邦人の間では有名なんですよ」

二人は、トラワス村に行く道の相談などを始めた。どうやら、トラワス村にも野口は付いて来るらしい。私は憂鬱になった。

「勝美、煙草《たばこ》吸うか?」

野口がカックマンに金鵄《きんし》を一本手渡した。カックマンは嬉しそうに、貰った煙草を耳に挟んだ。

「勝美さん」

私が呼びかけると、驚いた顔でカックマンが振り向いた。滑らかな皮膚に、うっすらと汗を掻《か》いているのを認めながら、私は野口を指差す。

「この人の本当の名前、何ていうか知ってる?」

「トアンです」と咄嗟に答えて、カックマンが笑った。トアンとは旦那《だんな》という意味である。

私はなぜか敗北感で打ちのめされていた。自分は何と非力な存在だろう、と痛感したのだ。

自分ごとき物書きの女が、戦争に関わったところで、利用されて棄《す》てられるのが落ちだ。命を奪われないだけマシ、と思った方がいいのかもしれない。なぜ、私はそんなこともわからなかったのだろう。

戦地では、兵隊だけでなく、住民も大勢命を落としていた。命や暮らしに関わる、戦争という大きな出来事に、私はどれほどの決心で臨んでいたのか。もう乗った船は止まらない、何かにぶつかって沈むまでは。怖《おそ》ろしかった。私の仄暗《ほのぐら》い気持ちをよそに、野口とカックマンは、冗談を言っては笑い合っているのだった。

宣伝部の谷少尉《しょうい》は、朝日新聞からの召集だった。山下奉文似の、小太りで、ちょび髭《ひげ》を生やした男だ。

「林先生、ご苦労様です」

敬礼をする所作は、堂に入っている。

「林でございます。この度はお世話になります」

「体調を崩されたとのことですが、大丈夫ですか？」

私は多分、青い顔をしていたのだろう。谷は心配そうだった。

「食中《あた》りだと思いますの。お腹《なか》が痛くて、少し熱が出ました。申し訳ありませんが、早く横になりたいです」

「それはいけませんね。しかし、トラワス村への出発は、予定通りでよろしゅうございますか？　村長のスプノウが大変喜んで、歓迎の式典もすると言っているものですから」

有無を言わさぬ調子だった。どこへ行っても同じだった。予定はすでに決まっていて、記事の内容も概《おおむ》ね決められている。作家・林芙美子は、そのレールに乗って動くだけなのだ。

「そこに一週間近くもいて、どんなことをすればいいんでしょう」

谷は猪首《いくび》を竦《すく》めた。

「インドネシアの民の生活が見たい、現地の人間と心の交流をしたい、と先生が仰《おつしや》ればいいんですよ」

「わかりました」

「では、談話などを伺って、適当に記事を作らせますから」

私は思い切って、谷に尋ねた。

「あのう、美川さんは、同じく朝日の派遣ということになっていますけど、来月ぐらいには帰国されると聞きました。私は五月頃まで南方にいるように命じられましたが、どうして私だけが残るんですの？」

谷は驚いたように、両眉を大きく上げた。

「林先生は何と言っても、有名作家ですから、ご協力お願いしますよ。『放浪記』は、国民の誰もが知っている名作です。それに先生は、女だてらに漢口一番乗りをやってのけた。朝日新聞を一位に押し上げた功労者ですから、こちらもすぐにはお帰ししませんよ。先生には、こちらで是非とも、『ジャワ放浪記』を書いて頂きたいですな」

谷がそう言うと、居並ぶ者がすべて笑った。顔を巡らせると、野口も一番後ろで大笑していた。

これは、昭和十八年一月十二日の朝日新聞に載った、私の記事である。ちなみに、カンポンとは「村」という意味だ。

「原住民と融合ふ心

林女史　新生活入の決意を語る」

大本営陸軍報道部から派遣されて、南方戦線にペン行脚を続けてゐる林芙美子女史は、およそ〇日間にわたるボルネオ視察の旅を終へ、このほどスラバヤに帰つてきたが、繊細な女流作家の神経が命ずるままに今度東部ジヤワのカンポンで下層階級のインドネシア人と一緒に生活をしようと決心、スラバヤ内政部長守屋主一郎氏の世話でニツパ椰子と竹の家の原住民生活から新生ジヤワの人生記録を汲みとらうと日本人としては初めての実践の世界へをどりこむことになつた。

作家といふ立場からといふよりも、日本の女性として〝カンポン生活〟を体験しようとするこの女史の決意は、早くも原住民の間にも日本人の間にも伝へられて、すさまじい話題となつてゐるが、香りも高い〝ジヤワ放浪記〟の珠玉篇が女史のこの新しい生活を通して描きだされる日も近いであらう。

谷に夕食を誘われたが、体調の悪い私はそれを辞して、大和ホテルに戻って来た。同じくカックマンの運転で、野口が付き添って来た。

「先生、私、約束だもんで、頭洗いましょう」

野口が厭味《いやみ》のように言う。

「いいわよ、冗談ですから」

「気にしなくていいです。気持ちいいですから、洗ってあげましょう。何、洗面台に頭を突き出して頂くだけですけ」

野口はそう言って、私の部屋まで強引に付いて来た。私が、床屋ではない、と言ったことでムキになっているようでもある。

「先生、私は従卒ですから、遠慮せずに何でも仰ってください。知ってますよ、私。先生が洗濯物とかをお出しにならないのを。失礼ながら、奥床しいご婦人だなあと思ってました。実は私、小説家なんてろくなもんじゃなかろうって思っとりました。失礼ながら、この世の倫理に外れとる存在じゃろうって勝手に思っとったんですよ。でも、先生は違う。立派な方です」

どうした風の吹き回しだろう。私は、野口の変化が薄気味悪かった。

「だから、私にできることで尽くさせてください」

「結構よ」

私は野口の小指の爪《つめ》を思い出して、断った。だが、野口は、甲斐甲斐《かいがい》しく鎧戸《よろいど》を閉めて回ったり、湯船に湯を張り始めた。私が脱ぎ捨てた物を片付けて、畳んだりしている。バンジェルではしなかった当番兵の仕事を急にやり始めた。

私はぐったりとソファに座ったきり、動く元気もない。

「先生、こちらに来て、ここに顔を突っ込んでください」

野口は、洗面台の前に椅子《いす》を置いて、私を呼んだ。私が動こうとしなかったら、

「先生」と、野口が私の手を取って立ち上がらせた。野口に手を取られたのは初めてだった。不快だったが、野口は心底から心配している様子でもある。

「ほんと、お疲れのようですけ、私が洗って差し上げましょう。たまには、そのくらいさせてください」

「いいってば」

私は野口の骨張った大きな手を振り払った。野口は、困惑した表情になった。そこまで邪険にされるとは思わなかったのだろう。

野口の驚きを見て、私の中で急に荒々しさが目覚めた気がした。訝《いぶか》しいものを一気に白日の下に晒《さら》して、隅々まで眺めてやりたいような衝動だった。

「しつこいよ、野口さん。床屋はそんなことしないだろう」

威勢よく言うと、野口は立ち竦んだ。ほんの少し考えた後、白い歯を剝《む》き出して笑った。

「ばれましたか」

「何がばれましたか、だ。作戦を変えたのかい。あんた、従卒の癖に嘘《うそ》なんか吐《つ》くんじゃないよ。あたしを馬鹿《ばか》にしないでくれないか」

私は怒って啖呵《たんか》を切った。ソファに投げ出してあったバッグを探り、中から金鵄《きんし》の箱を出す。一本くわえてから、野口に向かって箱ごと投げた。そうでもしないと収まらなかった。野口が、事態を収拾するかのように、床に落ちた箱を素早く拾う。

「ねえ、野口さん。あんた何者なのよ。気持ち悪いから正直に言ってくれない？　そりゃ、戦時中だから、いろんな人が南方に流れて来てるのは知ってるよ。だけど、得体の知れない人を側《そば》に置いておくのだけは、ご免だからね。軍政監部が、あたしを見張るためにあんたを付けたの？　何を見張るのか教えてよ」

野口は拾い上げた煙草の箱の中を、存外冷静な顔で覗《のぞ》き込んだ。

「先生、これ、あまり残ってませんけど、貰《もら》っていいですか」

私は頷《うなず》いた。

「じゃ、頂きますよ」

野口が煙草を一本引き出して、器用な手つきでマッチを擦った。私は煙を吐き、黙って野口を眺めている。長い首を突き出す仕種が鶏に似ている男。こんなところをうろちょろせずに、その嘴《くちばし》で地面を突《つつ》いて歩けばいいんだ。

疲労と猜疑《さいぎ》心とじくじく降る雨とを一気に振り払ってゴミ箱に投げ入れてしまいたい。私はせっかちで乱暴な心持ちになっていた。

「野口さん、あんた、床屋のオヤジで予備役とか言ってたけど、怪しいよ。床屋じゃないなら、憲兵じゃないでしょうね」

思い切って口にする。万が一、憲兵だったら、私は野口を完全に敵に回すことになる。

「憲兵だなんて人聞きが悪い。やめてください。人に聞かれたらどうします」

野口が鼻から煙を出しながら慌《あわ》てた風に言った。真剣な顔をしているだけに、滑稽《こっけい》だった。

「予備役は本当ですよ。床屋というのも、あながち嘘じゃないんです。親父が浜松で床屋をやっとりました。もう死にましたが、店は長兄が継いでいます。調べて頂ければいいですよ。野口理髪店と言いますけ。次兄も満州で床屋やっています。私は三男坊ですが、見様見真似《みまね》で、バリカンくらいは使えますけ。でも、床屋の三男坊なんてどうにもなりませんもんでね。私は東京に出て、小さな建設会社の事務仕事をやっておりました。ただ、こう見えても勉強は好きだったもんで、夜学で明治大学の商科に通い始めてね。途中で学費が続かなくなって辞めましたけど頑張ったんですよ。先生のことは、よく存じてます。私が一緒に住んでた女が、先生の本が大好きだったですけ。だから、先生の従卒を命じられた時は、嬉《うれ》しかったもんです。女に知らせてやりたいと思ったけど、もう別れてずいぶん経《た》っとるし、女の方も、私がまた兵隊に取られて南方に行ってるなんて知らんわけだし。知ったところで、とうに私なぞ死んだ、いい気味じゃ、思ってるかもしれませんしね」

急に自分のことを語りだした野口を、私は奇異に感じるとともに興味を覚えた。野口は、私の視線を泰然と受け止めた。

「あなた、前に奥さんとお母さんと子供さんが二人いる、と言わなかったっけ？」

野口は頭を掻《か》きながら笑った。

「それがそもそもの間違いでしてね、先生。確かに、女房と、女房の母親と子供はおります。私は、向島の女房の実家に住まっておりましてね。女房の実家は井戸屋なんです。父親は死にましたから、私が薄給で生活を支えていました。しかしね、先生、全部女なんですよ。女の子が二人出来たもんでね。男は私一人。何かあると、女たちは結託して、私の方に向かってくるんで、うるさくてうるさくて堪《たま》らんでしたよ。そしたら、私、いつの間にか、夜学の事務をする女と出来てしまってね。女の下宿に転がり込んで、一緒に暮らすようになったんですけ。その女はまだ二十歳《はたち》くらいで、青森の農家の娘でした。どういう伝か、明治大学の夜学の事務をやってたんですわ。真面目《まじめ》でなかなか賢くてね。まるで先生の若い時みたいな、健気《けなげ》で感心な女でした。私ら、仲良うやってましたよ」

野口の口から、女の話が出るとは思ってもいなかった。だが、かねてから不思議だった野口の馴《な》れ馴《な》れしさが、どこからきたのか腑《ふ》に落ちて、私はしぶる腹を押さえて、聞き入っていた。

「だけどね、男ちゅうもんはしょうもなくて、私は、若いけれども田舎出の初《うぶ》な女に次第に飽きてしまってね。やがて、商売女と付き合うようになってしまったんですけ。これがまた、不感症のとんでもない浮気性でね。すったもんだ、あっちでもこっちでも男と出来て、ずうっと揉《も》めとるうちに、私、もう女なんかまっぴらだと逃げてしまいたくなったんですわ。で、私が逃げようとした途端に、すべてが破綻《はたん》しました。若い女が女房のところに文句を言いに行き、商売女は、金を騙《だま》し取られたと会社に訴えに行き。そうこうしているうちに、予備役からまた兵隊に取られたわけです。先生、人生はうまいこと回っていきます。私はほっとしましてね。これで新規蒔《ま》き直しと思いました。勿論《もちろん》、歳《とし》は取ってるし、老兵だけど、お国のために役に立ちたいと心から思ったんですわ。しかし、戦争はやはりきついですな。私、マレーの輜重《しちょう》部隊に入れられましてね。皆でジャングルの中、戦車運ぶ手伝いですわ。これがきつうてね。もう駄目だ、と思いましたですね。日本はこんなことしとるけど、人力でやってちゃ駄目じゃ、負けるんじゃないかと。だってね、先生。ジャングルの道なき道を、戦車にロープ引っ掛けてね、兵隊が手で引っ張るんですわ。一尺動かすのに、百人で一時間もかかる。大砲も全部ばらして担《かつ》ぎましたがね。これも重いんですよ。駄目だ駄目だ、こんなことしとったら、と思いましたもん。先生、ご存じでしょうが、イギリス軍はトラックでガンガン運んでおりましたよ。それに先生、知っとられますよね。逃げてしまったマレーの華僑《かきょう》の家なんかに行くとね。家具がそのまま残されておるんですが、みんなどこもかしこも立派な物ばかりでね。驚きました。一番感心したのが冷蔵庫ですわ。どの家に行ってもある。そして、本棚を見ますとね、その教養に感心するんです。シェークスピヤとかね、そういう立派な革装の本がぎっしり揃《そろ》えられていてね。私ね、こう見えても本が好きでしてね、先生。だから、いつか先生と文学論なんか戦わせたいと思ったりもいたしましたです。いやいや、勿論、そんなの大それた夢ですから、早く忘れてください」

野口は、嬉しそうな顔で乾いた唇を舐《な》めた。ちらりとピンクの舌が見えた。正月に慰安所に行ったと語った時の生々しさを思い出す。

それにしても、憲兵と疑った野口が、厭戦《えんせん》思想を口にするとは。安心する反面、急に緩んだ野口という人物が捕らえどころのない不確かなものに思われて、不安になるのだった。

「野口さん、あまり大きな声で言わない方がいいよ」私はドアの外を指差した。「壁に耳あり、障子に目あり、でしょう」

野口は我に返ったように口を閉じた。吸うのを忘れた煙草《たばこ》の灰が、ぽとっと床に落ちた。

「これは失礼致しました」

野口は指に唾《つば》を付けて、煙草の灰を器用に灰皿まで運び、汚れた指先を擦《こす》り合わせた。

「いいわ、もうあなたのことはわかったから。疑って悪かった」

私は疲れを感じて言った。

「先生、もう私の話を聞いてくださらないんで？　がっかりですわ。失礼ながら、せっかく、心が通った感じがしたもんで」

野口が剽《ひょう》げた顔をしてみせた。私は苦笑する。

「また今度ね。もう寝るわ。具合悪いし」

すみません、と野口が立ち上がるや否《いな》や、「先生」と真剣な顔で言う。

「こんなこと申し上げていいのかどうか、わかりませんけどね」

「言ってちょうだい」

「先生は、あの新聞記者の人と恋仲なんですけ?」

謙太郎のことだった。面食らった私は、視線を逸《そ》らした。

「何言うのよ。唐突に」

「いやね、バンジェルで新聞社の人たちが騒いでおったもんで」

真鍋ではなかろうか。私はきっと向き直った。

「誰が何て言ってたの」

「先生がなかなか送別会にいらっしゃらないので、どうしたんだろう、と誰かが言ったら、愛人がはるばるマカッサルから会いに見えたんじゃや、仕方あるまい、と笑う方がおられました」

私は名前を聞くのをやめた。事実だし、バンジェルに戻って怒るわけにもいかない。ただ、若い藍子にも聞かれたかと思うと、顔から火が出るほど恥ずかしかった。しかも、そろそろボルネオ新聞に約束の原稿を送らなければならない。私は、気持ちが沈むのを防ぎようがなかった。

「ところで、先生は何年生まれですけ」

突然、野口が尋ねたので、驚いて答える。

「明治三十六年よ」

「なら、私と同じですけ」野口が嬉しそうに言う。「何月生まれですか」

「大晦日《おおみそか》なのよ」

「大晦日ですか、そりゃ珍しいですな。しかし、私の方が兄貴ですね。私は五月生まれですから」

私は自分が兵隊だったら、野口のように「老兵」と呼ばれ、偉い人の従卒でもしているのかと苦笑した。

「それがどうしたの」

「だからね、先生もうんと恋をするといいと思ったんですよ。私ら、もうそろそろ最後ですよ」

私は意外さに笑った。

「何を言うかと思ったら、そんなことなの」

野口は、真面目な面持ちを崩さなかった。

「あの記者さんはまだバンジェルに留まっておられるんでしょう。バンジェルから来る飛行機は二十日までありませんけ」

私は落胆した。昨日手紙を書いたので、誰かにバンジェルに往復する便のことを聞こうと思っていた矢先だった。

「私が言いたいのはね、先生」野口が私の方を見た。「今は、いつ死ぬかわからん状況ですから、今のうちにお会いになるといいってことです。さっきも言ったでしょう。私は、イギリス軍の残していった物を見ました。トラックも弾薬も、缶詰もみんな凄《すご》い物ばかりでした。じきに日本は物資が不足して、酷《ひど》い目に遭います」

「南方から取り寄せても駄目なの？」

「先生、どうやって運ぶんですか。輸送船はほとんど撃沈されとるんですよ。南方で豊かな物資を手に入れても、内地に運ぶ手立てがないんですけ。だから、会えるうちにせいぜい、命の灯《とも》点すこってす。でないと後悔しますけ」

確かにそうだった。怪しんでいた野口に鼓舞されて、私は密《ひそ》かに昂揚《こうよう》していた。

「ありがとう、そうするわ」

「先生もあまり葡萄酒《ぶどうしゅ》ばかり飲んでないで、明日は買い物でも行きましょう。トラワスは何もないところだそうですから」

昂揚した心が、少し萎《しぼ》む。野口はどうして、私が部屋から出ずに、一日葡萄酒を飲んでいたことを知っているのだろうか。が、一瞬の疑念を、野口はまたうまく掻き消した。

「いのち短し恋せよ乙女、です。先生、この野口が応援しますもんで、大丈夫ですよ。どこまでも付いて行きますんで」

私は戸惑いながら礼を言った。

「先生、私は先生の従卒になれて幸せです」

「どうして」

「先生は大名旅行だもんで。ほんに楽しいです」

そんなことか。私は微《かす》かな失望を感じながら、野口を部屋から追い出したのだった。しかし、気持ちは晴れて、希望が生まれていた。

斎藤謙太郎様
バンジェルでは、いかがお過ごしですか。次の便は二十日だと聞きました。たったひと便逃しただけで、一週間も滞在しなくてはならないとは、何と不便なことでしょう。さぞかし退屈なさっておられることでしょうね。どうぞ、あまり、飲み過ぎませんように。
私の方は、モジョケルトを経由して、トラワス村というところに来ていますの。とっても小さくて、可愛らしい村です。

「知ってるよ。カンポン生活をして、新たにジャワ放浪記を、と新聞に書いてあったからな」と私をからかう、あなたのお顔が目に浮かびます。

トラワス村はまるで軽井沢か野尻湖のような爽やかな高原にあって、とても涼しいんですの。白樺はありませんけれども、穏やかな並木が続いて、とても美しいところです。

村長のスプノウさんというご夫婦のお宅にお邪魔しています。滞在は一週間の予定です。その後は、スラバヤに一度戻って、バリに行くことになっています。

途中、少し遠回りをしてスメル山を見ました。富士山に似た火山でとても美しいんですの。スメルという名の語源は、須弥山だと聞いて、やはり、ここはアジアなのだ、という思いを強く持ちました。

アジアと言えば、途中の道は、すべて日本語で標識が作られ、整備されていました。でも、インドネシアはいつまでこの姿でいるのでしょうか。二人の思い出があるからこそ、先々が気になりました。

私は、あなたという人に今生で相見えた偶然に感謝して、生きていこうと思います。

では、お気を付けて。

芙美子

3

林芙美子はいい気なもんだ、と言われるだろうか。あちこちの戦場では兵隊が戦っているというのに、内地では物資がなくなりつつあって、人々が耐乏生活に喘《あえ》いでいるというのに。私は平和で静かなジャワの生活をすっかり気に入ってしまった。この世に楽園という場所があるのなら、パリとジャワのことに違いない。

パリは美しい街だった。街を歩く人々は、男も女も老いも若きも、小粋《こいき》で洒落《しゃれ》た服装をして、商店の品はリンゴひとつとっても愛らしく、いつまで眺めていても飽きなかった。まだ若かった私は、楽しい迷路に入り込んだ子供のように、石畳に下駄《げた》を鳴らして、路地を歩き続けたものだ。

おや、ご覧、あの小さな東洋の娘を。あの不思議な履き物は何だろう。人々の目が、下駄をしげしげと観察してから、私の顔を見て笑いかける。人々の好奇心を感じる度に、私は、自分もパリに溶け込んでいる、と感じて嬉《うれ》しかったものだ。パリの街の一員になる、それが私の大きな喜びだったからだ。

一方、ジャワは、豊かな自然と、人々の穏やかな笑みとで、四十歳になんなんとする私を、心の底から和ませてくれる。パリのように、慣れるように無理じいされることもない。慣れようと、蛮勇を振るうこともない。ひもじい思いをしてお金を倹約することもないし、必死に言葉を覚えなくても、ここでは生きていける。私は豊かなジャワの自然に受け止められて、いつの間にか溶け込んでいる自分を発見していた。

どこに行っても、萌《も》えるような緑と、聳《そび》え立つ美しい形の山。ジャングルにはバナナやマンゴーが実をつけ、嗅《か》いだこともない芳香を放つ花が咲く。庭には、猿やトカゲが悠々と現れる。こんなに美しい国はどこにもない。ジャワは桃源郷である。旅を続けるにつれて、私はそう感じるようになった。

とりわけ、トラワス村は気候に恵まれていた。高地にあるため涼しく、どこよりも過ごしやすかった。軽井沢ほどに洒落てはいないが、信濃《しなの》追分のような素朴な風情《ふぜい》のある村、とでも言えばいいだろうか。

山に向かって、緩やかに上り下りを繰り返す並木道を歩けば、頭に薪をいっぱい載せた女が向こうからやって来て、私に挨拶《あいさつ》をする。そのたおやかな仕種《しぐさ》。

畑では、農耕牛が黒い土を耕起している。富士山にそっくりなペナングアン山の火山灰が、村に様々な作物をもたらしているのだ。

小さな集落は、粗めの石畳が続いて、その両側に、こんもりと藁《わら》を載せた家が軒を連ねている。まるで、浮世絵に見る宿場町のようだった。軒下に入れば涼しく、薄暗い家の中では、誰もが穏やかに笑いかける。戦争など、どこの国の出来事かと訝《いぶか》るほどに、平和な暮らしがあった。

私は、村長であるスプノウ氏の家に起居して、奥さんや子供たちと楽しく暮らした。スプノウには、三人の子供があった。一番下の子は一歳半で、いつも奥さんに抱かれていたが、上の子供たちは村の小学校に通っていた。子供の手を引いて行ってみれば、小学校はまるで幼稚園のように小さく、素朴な造りだった。隣にはモスクが建てられていて、人々が朝晩集まって、敬虔《けいけん》な祈りを捧《ささ》げる。

子供たちは、学校が終わると家に飛んで帰って掃き掃除をしたり、水を汲《く》んだり、よく働く。外国人の私が珍しいと、子供たちが連れ立って見に来たりもしたが、声をかけてもはにかんで、なかなか近寄ろうとはしなかった。

スプノウの家は、村では一番立派だった。金原藍子の邸宅と同様、床には、よく磨かれた白い大理石が敷き詰められ、壁に両親の古い写真額が掛けられていた。石の床はいつも清潔に掃除されて、塵《ちり》ひとつない。だから、裸足《はだし》で歩くと、足裏から冷やされて気持ちがよかった。

供されるトウモロコシの粥《かゆ》。木陰に寝そべる白い犬。半裸で遊ぶ子供たち。小川で跳ねる魚。何もかもが、日本の原初的な風景に似ていた。

勿論《もちろん》、こなさなければならない行事はいくつかあった。小学校を訪問して授業を見たり、子供たちに日本語を教えたり。はたまた、村の広場で、この地方の伝統的な踊りを見物することもあった。その度に、スラバヤから来る朝日の写真班が、私とスプノウの写真を撮った。これらは、「林女史、カンポン生活を楽しむ」というような見出しで、紙面を飾ったはずである。

野口は、すぐ裏の藁葺《わらぶ》きの家に寄寓《きぐう》しており、私たちはスプノウ家で一緒に食事をした。

今になって思えば、日本軍に命ぜられたからこそ、村人は私たちを歓待してくれたのだろう。スプノウは、常に白い背広を着て、緊張した様子だったから。だとすれば、気の毒なことだったが、トラワスでの生活は、偽装病院船ではるばると渡って来て、あちこちに移動する私を休養させるには充分だった。

私は、原稿のためにメモを取ったりもしたが、あまりの心地よさに何もできず、行事のない日や雨の日は、日がな一日寝て過ごした。

「先生、お疲れは取れましたかね？」

野口は、私の顔を見る度に、心配そうな顔で尋ねるのだった。

野口は、村でも変わらず、薄茶の開襟《かいきん》シャツにカーキ色の半ズボン、という軍装だった。さすがにアイロンは掛けられず、薄茶の開襟シャツは洗いざらしで寝押しをした物に変わっていったが、それでも従卒らしく、小綺麗《こぎれい》にしていた。

だが、私はスプノウの妻に貸して貰《もら》った、ジャワ更紗《さらさ》の衣装をよく着た。長いスカートに、ブラウス。ブラウスは腰を覆《おお》うほどに長く、腰から下はボタンを留めずに着る。私がジャワの衣装を着ていると、野口が褒めた。

「先生、お似合いです」

私は野口のギョロ目を見返す。

「ありがとう。ねえ、野口さん。ずっとここにいたいね」

野口が、恥とも言えそうな自分のことを話してくれて以来、話しやすくなっていた。

「何言ってるんです、先生。先生は、スラバヤに戻って、恋人に会わなきゃ駄目でしょう。大事業が残ってますよ」

野口は眉《まゆ》を開いて、笑うのだった。従卒に、逢《あ》い引きするように尻《しり》を叩《たた》かれている私は苦笑する。

「よしてよ、勝手にそんなこと言うの。噂《うわさ》に過ぎないんだからね。私はそんな噂、認めてないよ」

「おや、そうですけ？　先生も喋《しゃべ》りたいんじゃないですか。いいですよ、私、聞きますよ」

野口はにやにや笑って、煙草《たばこ》に火を点《つ》ける。野口は、私に素姓を明かして以来、積極的に、自分の話をした。

「先生のとこも、ご母堂がいらっしゃるんですよね。そりゃ大変だ。いえね、ご主人のことですよ。先生、女房の親までいる家の亭主ほど大変な思いをする男はいませんよ。いえ、本当です。私がそうでしたから。何かあると、すぐに結託するんですよ。帰りが遅いって喧嘩《けんか》になると、母親が薄暗い台所でじっと聞き耳を立ててるのがわかるんです。素知らぬ顔して、状況を把握しようとしてるんですわ。で、女房の方も、それを容認してるんです。喧嘩になるでしょう。すると、頃合いを見計らって出て来るんですよ。あんた、そんなに旦那《だんな》さんを責めてどうするのってね。一見、私の味方しているように見えるでしょう。違うんですよ。私、それが嫌でね」

「うちは、うまくやってるわよ。女中もいるし、書生もいるし」

だが、野口は首を振って、自信たっぷりに言う。

「そりゃ、先生のところはお大尽だから、家が広くて、そうそう喧嘩になりゃしませんよ。でもね、ご主人は我慢されてますよ、間違いなくね。まして、先生は恋人います でしょう。困ったもんですね」

なぜか、いつも謙太郎の話になった。私はその度に不機嫌な顔をした。

「大きな声で言わないでちょうだいよ。恥ずかしいじゃないか。本当のことじゃないんだからね」

野口は笑った後に、大きく伸びをした。

「ああ、暇ですな。先生、退屈じゃないですか」

「別に。のんびりしていいわ。本当に戦争なんかしてるんだろうか」

「まったくです。戦争なんて、どこでやってるんですかね」

「さあ、どこだろう」

首を傾《かし》げながら、私は、昭和十二年に果たした、南京女流一番乗りや、昭和十三年の漢口一番乗りを、遥《はる》か昔のことのように思い出したのだった。あの時は、命を懸けて従軍した私がいた。戦争とは、いつ死ぬかわからない、足元から震えがくるような怖《おそ》ろしいものだった。

なのに、打って変わったジャワの静けさ。この平和は本物だろうか。占領はいつまで続くのか。日本人は皆、南方を我が物のように考え、ジャワの人を支配した気でいるのだ。

そう、私がジャワを極楽と感じるのは、日本人が思うように振る舞える占領地だからだ。そして、私自身も、従軍作家として成功を収め、流行作家の地位を確保し、表向きは陸軍に優遇されているから、でもある。私の居心地のよさというものは、私が日本軍の勝利と同じ道を歩んでいるから、手にしていられるのだ。

不意に、あるオランダ人夫婦を思い出した。夫婦の家は、セレクタという保養地にあった。オランダ人の生活も見たいだろう、ということで、美川きよと訪問の予定に入ったのだ。

中年夫婦と、妻の姉の三人がいて、私たち一行を歓迎してくれた。

貿易商の夫は、私にもコーヒーの碗皿《わんざら》を慇懃《いんぎん》に手渡してくれた。妻も、その姉も、細かい小花を散らした夏のドレスを着ていた。姉の方は頭に白いターバンを巻き、常に煙草を手にしていた。

夫が、全員で庭のブランコに座らないか、と誘った。ブランコの意味がわからず首を傾げた時、ふと夫の顔に走る苛立《いらだ》ちを認めて、私はどきりとした。そこにいる全員が、必死に蔑《さげす》みを顔に出さないように努めていた。アジア人など、オランダに代わる宗主として認めない、という意地が見え隠れしたように思ったのは、私の錯覚だろうか。

どんなにジャワの自然に癒《いや》されても、漠然とした不安はなくならないのだった。運命がどう変転するかわからない、黒い思いが忍び込んでくる。私たちの乗っかっているのは、泥の舟ではあるまいか。

「どうしたんですけ」

私の顔に不安が過《よぎ》ったのだろう。野口が訝った。

「何でもない。ねえ、兵隊さんが戦っているのに、私たちはこんないい思いをしていいのかしらね」

野口は、庭土をほじくる鶏を眺めながら、言うのだった。

「ええんです。先生はお国のために仕事しとるんだもんで。ジャワで日本がどんだけ現地人を教育して、立派な臣民として育てているかを見て、内地の人間に報告すりゃええんです。ええ文章で、うまい表現して。そうすりゃ、内地の人にも伝わるし、前線で兵隊さんも意気に感じるってもんですけ」

そうだろうか。私はよくわからなくなっていた。このトラワス村に住んでいる人たちは、オランダも日本も、外から来て勝手に国をいじくっているだけだと思っているのではないか。平和な暮らしは、誰の恩恵でもなく、自分たちが働いて、神に祈りを捧《ささ》げ、恙《つつが》ない日々を送っているからこそ成り立っているのであって、外国人のお蔭《かげ》などでは決してない。そう、思っているのではないか。

こんな不安を感じたのは、初めてだった。おそらく、ジャワが楽園だと思うからこそ、強い陽射《ひざ》しの作る影が黒く見えるように、くっきりとした不安が生じているのかもしれない。

私が黙っていると、野口が腕組みをした。陽に灼《や》けた腕に、筋肉が盛り上がっていた。

「先生、日本は南方を取ったんですよ。広くて、資源がたくさん眠っているジャワが日本の領土なんですけ、えらいこってすよ。これからもどんどん版図は広がっていきます」

野口は、スラバヤの大和ホテルで、逆のことを言わなかったか。

「あんた、こないだ違うこと言ったじゃない。豊かな物資があったって、内地に運ぶ手立てがないって」

野口は陽気な声で笑った。

「そんなこと言いましたっけか。そりゃまずいなあ。先生、忘れてください」

「私は忘れないよ」

野口は撫《な》で肩《がた》を竦《すく》めた。

「参ったなあ。ところで、先生。バリの後、スラバヤに戻りますが、その後、ジャカルタに行くのに、汽車の旅にしませんか。こっちで汽車に乗るのもいいんじゃないですかね」

「そうだね」

「じゃあ、軍政監部と朝日の人にそう言っておきますよ。何、先生のご威光なら、どうにかなるでしょう」

『先生は大名旅行だもんで』。うっかり本音を洩《も》らした野口は、私を利用しようというのだろうか。私の意志とは関係なく、旅は続くのだった。苦痛に思う自分がいる。

「でも、先生、トラワス村、いいでしょう。気持ちいいですよね」

「うん、すごくいいところだよ。来てよかった」

私の返答を聞いて、野口は満足げに何度も頷《うなず》くのだった。

まるで、美川きよや窪川稲子と比較して、私だけがあちこち行かされて帰国が遅い、と不満を垂れたことに対する、慰撫《いぶ》のように感じられてならなかった。

「先生、二十日に斎藤さんがバンジェルから来ますから、それに合わせてスラバヤに戻りますか」

「もう少しトラワスにいよう。カンポン生活を書くと言って鳴り物入りで来たのに、一週間しかいないんじゃ何も書けないよ」

謙太郎に会いたくて仕方がないのに、私は思わず断っていた。私と謙太郎のことに、他人の野口が気を遣うのが煩《わずら》わしく、また秘密が公《おおやけ》になってゆくようで怖ろしかった。噂を肯定したわけではないのに、野口は謙太郎が私の恋人だと信じている。それが真実だけに、私はどうしたらいいかわからなかった。

情報は、『あるところに集められる』。謙太郎が私に言った言葉が蘇《よみがえ》る。もしや、と野口を見たが、野口は人の好《よ》い表情で言うのだった。

「いや、前にも言いましたがね、先生。こんなご時世です。近くにいるんですから、万難を排してお会いしましょうよ」

結局、トラワス村を十七日に出て、スラバヤに戻ることになった。私は間に合えば、十七日にバンジェル行きの便に手紙を載せ、謙太郎は私の手紙と共に、私の待つスラバヤに戻ることになる。私の意志ではなく、すべて野口が決めたことだった。いや、そう思いたい私がいるのだった。

4

野口が、どうやら風邪を引いたらしい、と冴《さ》えない顔で報告に現れたのは、スラバヤに戻る日の朝のことだった。じきに、運転手の勝美こと、カックマンが迎えに来て、帰らねばならないのに、何とも具合が悪いので吐いたりして粗相をすると申し訳ないから報告しておく、と言う。

「そりゃ可哀相《かわいそう》に。本物の鬼の霍乱《かくらん》だね」

私は、情けない風情《ふぜい》の野口を初めて見たので、元気づけてやろうとからかった。

「どういう意味ですか」

野口はだるそうに問う。

「霍乱っていう言葉の本当の意味はね、暑気あたりって意味なんだよ。鬼は裸で暮らして元気な癖に、暑さに参るとはこれいかにってことよ」

私が適当なことを言うと、野口は感心した。

「先生、さすが文学者ですね。よくものを知っている」

「こそばゆい。鬼の霍乱ごときで文学者なんて言われたくないよ。で、どんな具合なの」

私は真顔になって聞いた。今日はどうしても、スラバヤに戻りたかったから、内心は冷や冷やしている。

帰りたい理由は、謙太郎に関わることだった。夕方、スラバヤからバンジェルマシン行きの便が出る。その飛行機に謙太郎への手紙を積んで貰《もら》いたい、という勝手なものだった。

三日後、謙太郎はその便に乗って、スラバヤに帰って来るのだ。会えるのをずっと楽しみに待っていたのだから、野口には私の思いがわかっているはずだ。

「はあ」と、野口が大きな溜息《ためいき》を吐《つ》いた。「どういうわけだか、夕べっから目の奥が痛くて、頭痛がしましてですね。私、頭痛なんか、女しか罹《かか》らない病かと思ってたもんで、初めて女に同情しました。頭が痛いってのは、辛《つら》いもんですな、先生。そしたら、今朝から熱が出たもんで、こりゃやっぱり風邪引いたんだと。ここらは朝方結構涼しいですけ、寝冷えでもしたんでしょう。ほんと、申し訳ありません」

野口は青い顔をしていたが、それでも私と喋《しゃべ》りたそうだった。

「旅の疲れじゃないの？」

野口は苦笑いした。

「それは私が先生に言う台詞《せりふ》ですけ。すみません。先生は丈夫なのに、従卒の私が具合が悪いなんて、立場なくて情けないです」

「じゃ、私だけ帰ろうかな。あんたはここで養生してなさい。必ず迎えに来るから」

私がせっかちに言うと、野口は一緒にスラバヤに戻ると言ってきかない。

「先生、そんな殺生なこと言わんでください。ご一緒させてください」

しかし、昼過ぎ、カックマンが迎えに来た頃には、野口の熱も高くなって、苦しそうだった。私はただの風邪とも思えなくなり、村長のスプノウに付き添って貰って、スラバヤに連れ戻ることにした。

野口と一緒に泊まっていた朝日の写真班の男は、取材が終わった後、とうに帰っている。スプノウが同行したのは、朝日から謝礼を受け取る目的もあった。

トラワス村の人たちとの別れは、野口が車の座席にへたり込んで、悪寒《おかん》で震えていたために、手早く行われた。私はもっと別れを惜しみたかったが、仕方がなかった。

「すみませんね、先生。私のせいで余韻なくて」

気が回る野口は、苦しい息の下、こんなことを言うので、私は苦笑せざるを得なかった。

だが、道中、ひどい暑さにも拘《かか》わらず、野口は悪寒で震えていた。哀れになって、私はスーツケースから黒の毛糸のジャケツを取り出して貸してやったほどだった。

スラバヤに着いて、真っ先に陸軍病院に連れて行ったところ、野口の病気は風邪ではなく、デング熱だとわかり、すぐに入院することになった。

デング熱とは、蚊が媒介する熱病である。マラリアと並んで有名な南方の熱病なので、マレー半島でもボルネオ島でも、蚊には刺されないように、とさんざん注意を受けていた。

デング熱は、縞《しま》模様のあるネッタイシマカという蚊が媒介する。ネッタイシマカは、澄んだ綺麗《きれい》な水にも卵を産むので、意外に家の中にいることが多いのだ。

私は、旅先で病気になるのを怖れて、日中はなるべく長袖《ながそで》で過ごしていたし、寝る時はかならず蚊帳《かや》を吊《つ》るようにしていた。おかげで、疲労や多少の食中《あた》り以外は、病気らしい病気もせずに息災に過ごしていた。常に半袖半ズボン姿の野口は、油断したと見える。

その日、がっかりしたのは、野口のデング熱騒ぎで、謙太郎への手紙をバンジェル行きの便に載せられなかったことだった。一刻も早く読んでほしい、そして私との再会を楽しみにしてほしい、と願っていただけに落胆もひとしおだったが、じきに謙太郎本人と会えるのだから、と私は気をとり直した。

デング熱に罹ったら、ひたすら安静にするしかない。翌日の午後、私は市場に寄って、赤と黄のガーベラを大量に買ってから、野口を見舞いに行った。野口は白い蚊帳の中に寝ていた。

私が、ガーベラの花をガラスの花瓶に挿して窓辺に置いてやると、野口は蚊帳越しに花を見上げてから、私に謝るのだった。

「先生、すみませんね」

野口らしくないしおらしさに、私は思わず笑った。

「何がすまないのよ」

「いや、私のせいで、飛行機に手紙、載せられなかったのと違いますか」

「どうして知ってるの」

一瞬、不審に思ったが、野口は私と謙太郎が再会できるかどうか、気を揉《も》んでいたから、そのくらい想像が付くのだろうと思った。案の定、野口はこう言う。

「わかりますよ、そのくらい。先生の顔色が悪いもんで」

私はきまりが悪くなって周囲を見回した。病室は六人部屋で、明らかに兵隊とわかるのは二人だけ。残りは徴用か軍属らしかった。戦傷者は誰もおらず、入院理由も、盲腸や肺炎、脚気《かっけ》、骨折などで、いたってのんびりしていた。

「先生と一緒の村にいたのに、何で私だけがデング熱に冒されたんでしょうね」

野口が残念そうに言うので、私は笑った。

「あんたがあまりマンデーをしないからだよ。私は、インドネシアにはお風呂《ふろ》がないから不潔なんじゃないか、と思ってたわ。こっちの人は、よくマンデーするけど、水が綺麗なわけじゃなかったりするしね。でも、あれは偏見だった。郷に入っては郷に従えよ。マンデーは理に適《かな》っていると思うようになったわ」

「マンデーじゃなきゃ駄目ですかね」

野口は、自分が責められているような顔をした。

「つまりね、水浴びをして膚《はだ》を常に清潔にしていれば、蚊には刺されないんだよ」

「だったら、風呂の方がいいでしょう」

「風呂は一回だけで、そうそう何度も入れるものじゃない。熱い風呂に入れば、また汗を掻《か》く。蚊に刺されないためには、膚から汗っ気を取るのが大事なんだから、風呂に一回きりじゃ駄目なんだと思った。蚊は汗の臭《にお》いに吸い寄せられるのよ」

「なるほどね。ご明察。さすが文学者ですな」

「そんなことで文学者なんて言わないでよ」

熱があるのに、野口は愉快そうに笑った。それから私は、肌着は絹ではなく木綿がいいこと、一日一回は着替える必要があること、南方の旅には大判タオルとサンダル、皮膚病の薬が必需品であること、などを、とうとう語った。野口は病に倒れたことが申し訳ないと思ったのか、疲れた様子も見せずに、私のお喋りを楽しそうに聞いていた。

私は、病人相手に長話をして悪いとは思ったものの、どこかに野口という、旅の道連れがいなくなって寂しい思いがあったのだ。野口が自分の過去や心情を吐露して以来、また、私と謙太郎の恋を探り当てて以降、私の中には野口を恃《たの》む気持ちが生まれてきている。

何と弱いことよ、と思わないでもなかったが、そうでもしないと、女一人で戦時下の南方を旅行するのは、そうそう簡単にできることではなかった。

「そろそろ帰るわ。野口さん、何か欲しい物はないの。二十五日からバリだから、それまではせっせと通って来てあげるわよ」

「ありませんよ、先生。それより、私の入院は最低でもあと十日間だと聞いております。バリにもご一緒できないし、この分では、汽車でのジャカルタ行きも無理だと思います。だから、代わりの当番兵を付けて貰いますから」

私は驚いて野口の顔を見た。

「要らないわ、一人で何とかできるから。それに、朝日の支局に言えば、各支局で一人ずつくらいは付けてくれるでしょうし」

野口は枕《まくら》に頭を付けたまま、必死に首を振った。

「いや、それでは軍政監部の方でも申し訳ないですから、誰か先生の宿に差し向けるように取り計らいますけ。先生、私は治りましたら、すぐに追いかけますんで、その者を野口に代わって、可愛《かわい》がってくださるよう、お願いします」

高熱で落ちくぼんでいる野口の目に、うっすらと涙が浮かんだ。私も思わず貰い泣きしそうになった。

「嫌だわ、野口さん。ほんの少しの間のことじゃないの。だから、待ってますよ。私は他の人じゃ嫌だからね」

すると、野口は真剣な顔をした。

「先生、今はよくても、戦争ちゅうのは、いつ、どう変わるかわかりませんから、油断せんでください。野口が先生をお守りできないので、慣れない輩《やから》が行くかもしれませんが、ほんの少し、ご辛抱を願います。野口が快癒したら、駆け付けますんで。何《なに》卒《とぞ》、何卒」

野口が手で拝むような仕種《しぐさ》までする。ふと、私は野口の右手の小指の爪《つめ》が、いつの間にか短く切られているのに気付いた。

「小指の爪どうしたの」

ああ、これ、と野口は自分の指を見た。

「先生、目敏《めざと》いですね。看護婦に切られてしまいました。不潔だから、と言われて。当節の看護婦は、ひどい物言いしますもんで」

それで、野口の印象が何となく違って見えたのか、と私は可笑《おか》しかった。小指の爪が短くなっただけで、野口が清潔で健気《けなげ》に見える。

「まるでサムソンだね」

「何ですか、それ」

「サムソンとデリラの、サムソンだよ。髪を切られると力が抜けるんだ。あんたの場合は、小指の爪だったんだろう」

私はそう笑って、小首を傾《かし》げる野口に別れを告げ、大和ホテルに帰って来たのだった。

夜は、朝日支局の人々と、夕食の約束があった。久しぶりの都会の食事だから、と日本料理を食べることに決まっていた。

行水をしてから、珍しく持って来た浴衣《ゆかた》を取り出した。野口に南方の心得を喋《しゃべ》ったら、ちっとも着物や浴衣を着ていないことを思い出したのだ。たまには浴衣を着て、食事に行こうかと思い立つ。

煙草《たばこ》を吸いながら涼んでいたら、ノックの音がした。洗い髪を纏《まと》めて、小さな覗《のぞ》き窓から見ると、夕暮れのホテルの庭を背景に、見知らぬ男が立っていた。

「林芙美子先生でいらっしゃいますか。軍政監部から参りました、松本と申します」

ああ、早速、野口の代わりがやって来てしまった。あんなにいいって断ったのに。

私は面倒に思いながら、ドアを開けた。

夕闇《ゆうやみ》を背に、私よりほんの少し大きいだけの、ずんぐりした男が立っていた。太っていて、軍装がきつそうに見えるのが暑苦しかった。挨拶《あいさつ》のために軍帽を取ると、禿《は》げている。団子鼻や色の悪い厚い唇など、男の様子がひどく悪いので、私はがっかりした。

「初めまして、林です」

松本は苦しそうに太った腕を上げて、敬礼した。

「野口の代わりに参りました松本です。当番兵という立場ですが、どこまで先生のお言い付けに従えるかは、やってみないとわかりません。正直に申しますと、女流作家の当番兵など、勤めたこともありません。しかし、せいぜいお役に立てるよう、頑張ります」

松本の物言いには、高みから見下ろしているような傲《おご》りが感じられて、不快だった。

「ありがとうございます。とても頼もしいわ」

冗談めかして言った時、松本の目に不快な色が走った。それを認めた私は、少し薄気味悪くなった。他人に自分の感情の動きを見せても平気な人は、よほど自分に自信があるのだ。松本の自信の源は何だろう、と気になった。

野口はどこかいい加減な風で、誰にも本心を見せなかった。軍隊など適当にやればいいんだ、と思わせておいて、尻尾《しっぽ》は摑《つか》ませないところがあった。野口を信用できずに疑心暗鬼になったこともある。怪しいが、そこが魅力でもある。

しかし、松本は明らかに、私が近付きたくないタイプの兵隊だった。つまり、融通の利《き》かない、威張る兵隊である。私は野口のいない間に、松本と一緒に謙太郎に会い、松本とともにバリに行くのか、と憂鬱《ゆううつ》になった。

ふと気付くと、松本が部屋に入りたそうに中を覗いている。

「十五分したら行くから、ロビーで待っててちょうだいな」

私が締め出すと、恨めしそうな横目でまだ中を見ている。不気味だった。何だかくさくさしたので、また洋装に替えた。洗いたての白いブラウスに、縞《しま》のスカートを穿《は》き、白いサンダル。さっき、花と一緒に市場で買ったストロー製のバッグを持って、表に出た。

すると、松本は芝生の庭で待っているではないか。暗闇の中で、目が光った。

「あら、いいのに。ロビーで待っててって言ったじゃないですか」

少し気分を悪くして詰《なじ》ると、横に来て、仁丹臭い息で囁《ささや》いた。

「ねえ、先生、先生って、男に言わせて平気ですか? 私ねえ、女流作家に先生って言うの、すごく抵抗あるんですよ。林さんは言われ慣れているんでしょうけれども」

「じゃ、言わなきゃいいでしょう」

私は怯《ひる》んで小さな声で言ったが、松本ははっきりと答えた。

「野口はずいぶんと甘やかしていたみたいだけど、私は違いますから」

松本の弁を聞いて、私の頭に血が上った。

「野口さんが甘やかしていたって、どういうことですか。あなたは、私がまるで小さな子供みたいな言い方をするのね。私の方から『先生』と呼んでくれ、と頼んだことなんて、一度もないのよ。そちらが勝手に呼んどいて、『先生』と呼びたくない、なんて失礼じゃないですか。呼びたくないのなら、呼ばなきゃいいだけでしょう」

私は、暗闇の中に立っている松本の細い目を睨《にら》んだ。初対面の男が、なぜ、こんな無礼な口を利くのか、わからなかった。しかも、松本は、野口の代理の当番兵である。従卒として仕えるために来た男がなぜ、と私は不満だった。

もとより、女の物書きを、意味もなく嫌う男は少なくない。特に、故郷を持たない、その日暮らしの貧乏女を書いた私は、厭《いと》われることも多かった。

『放浪記』は道徳的に退廃した女の話だ、社会に害毒を流すな、と詰られたこともあるし、行商をしていた母のことを、お母さんは品物と一緒に春も売っていたって本当ですか、と面と向かって聞いた男もいた。

それでも、私の著書を読んで何か言うのなら、まだよかった。一番嫌なのは、松本みたいに頭から決め付けて攻撃してくる輩だった。

だから私は、突然、顔に泥をなすり付けられた思いがして、呆然《ぼうぜん》と立っていたのだ。サンダルの中の素足が、芝の露で濡《ぬ》れて不快だった。

松本が何も答えないので、焦《じ》れた私は、藍色《あいいろ》の夜空を見上げた。ちょうど真上に、オリオンの三つ星があった。日本では南の空の中ほどに見える星座なのに、赤道直下では真上なのだ。

「林先生は甘やかされていますよ。内地じゃこんなもんじゃない」

松本が、再度言ったので、私は星を見上げていた目を松本に向けた。

「もう一度聞くけど、それはどういうこと？　私は陸軍から南方に派遣されたんですよ。誰にも何も甘やかされた経験はありません。むしろ、私は他の女流作家の人よりも多く仕事をこなしていますし、長くお勤めしてるつもりですのよ」

なるべく気色ばんで聞こえないように気を配ったつもりだったが、腹立ちのあまり、声が甲高くなった。甲高くなった分、気取って聞こえたのだろう。松本の顔に、嘲笑《ちょうしょう》が浮かんだように見えた。

松本が、女の声音を真似《まね》て復唱してみせた。

「長くお勤めしてるつもりですのよ、か」

松本の態度に、私は激怒した。だが、松本はにやにやしている。軍装の薄茶色の開襟《かいきん》シャツの腋下《わきのした》が汗で黒く濡れているのが、堪《たま》らなく不潔に感じられて、私は顔を顰《しか》めた。思わず言わなくてもいいようなことが口を衝《つ》いて出た。

「松本さんは、ご存じないかもしれないけど、私は大本営報道部の谷萩那華雄《やはぎなかお》大佐とは懇意なのよ」

「ほう、そうでしたか」

松本が小馬鹿《こばか》にしたように驚いてみせる。

「ほう、そうでしたかって、あなたはずいぶん失礼な人ね。私は、陸軍のために協力してきたってことを言いたいんです。昭和十二年に南京女流一番乗りをして、その翌年は漢口一番乗り。帰国後も講演会であちこち巡ったり、満州国境に慰問に行ったり、ずっと協力してきたわ。報道部の平櫛《ひらくし》少佐はもう内地にお帰りになったと思うから、あなたはついているわ。なぜなら、私があなたの無礼を平櫛さんに直接言い付ける機会を失ったからよ。お国のために南方に来てるっていうのに、こんな無礼な言い方をされては、黙っちゃいられないわ。そうでしょう？　その通りだと認めて謝りなさい」

私が啖呵《たんか》を切っても、松本は平静な顔で聞いていた。

ちょうどその時、庭を囲む回廊を巡って、ジョンゴスがこちらに歩いて来るのが見えた。ジョンゴスは、私たちの姿を認めて、いち早く目を伏せた。私たちの間に、何か禍々《まがまが》しいものが漂っているのだろうか。私は心配になった。

「報道班員はね、陸軍報道部とはもっとも近しいんです。それを甘やかすって仰る《おつしや》の？」

松本は分厚い肩を竦《すく》める。

「林先生は、報道班員ではないでしょう。先生は徴用ではなく、派遣されたんです。それも朝日の嘱託として。林先生は軍の協力者であって、軍と対等じゃない」

「軍と対等な人なんて、どこにいるんです。あなたは何を言いたいの」

「そうそう威張りなさんなってことです」

「威張ってるんじゃないのよ。あなたがつまらないことを言うから、その傲慢《ごうまん》な態度を改めて貰《もら》いたいと思っているだけですよ」

私なりの嫌味を言ってから、溜息《ためいき》を吐《つ》いた。何をしても、何を言っても、松本の前には徒労だった。林芙美子という流行作家の「威光」も通じなければ、報道班員よりも待遇が保証されている、朝日新聞の嘱託という私の立場も、理解されていない。どうにも苛立《いらだ》ちが収まらなかったが、逆に、前を塞《ふさ》ぐ岩なら、素知らぬ顔で諦《あきら》めて、迂《う》回《かい》しようという気にもなっていた。

私は気もそぞろに腕時計を眺めた。午後七時半になろうとしている。早くこんな無礼な男から逃れて、顔見知りの記者たちと冗談を言いながら、ビールでも呑《の》みたかった。

「間に合わなくなるから、行かなくちゃ。もう話すのやめましょう。一人で行くからいいわ」

私の腕時計は、何度もガラスの蓋《ふた》が外れて、そのたびに修理に出した。戦場で眠れない夜、このコチコチと鳴る音を聞いていると、気持ちが落ち着くのだった。落ち着きたくなった私は、耳に時計を近付けた。

「林先生、朝日との食事は断っておきました。先生はお疲れだ、とさっき言っておきました。だから、時間はたっぷりあります」

私は唖然《あぜん》とした。

「何で私に聞かないで、そんな勝手なことをするの。私は朝から駆け回ったから、お腹《なか》が空《す》いているんだよ」

思わず怒鳴ると、松本が冷笑を浮かべた。ほら、身勝手な作家先生が我《わ》が儘《まま》を言いだした、と思ったのかもしれない。

「林先生といろいろ打ち合わせをしておきたいからに他なりません。私は野口が復帰するまでの十日間を勤める当番兵です。だから、今のうちに話しておきます」

「当番兵と何を打ち合わせるっていうの」

私は腹立たしさを抑えようと必死になる一方で、松本の言い方に不安が募った。この男は何者なのか。私は密《ひそ》かに怯《おび》え始めた。冷たい汗が滲《にじ》み出る。

「この庭で話しますか。それとも林先生の部屋で？」

それで中を覗《のぞ》き込んでいたのか、と思い当たった。

「じゃ、部屋に行きましょう」私は渋々頷《うなず》いた。「ところで、今夜の夕食はどうするつもりなの？」

松本は首を振った。

「先生も私も少し太り気味ですから、たまには夕食を抜いた方がいいんじゃないですか」

これが野口だったら、「余計なお世話だよ」と言い放つことができるのだが、松本には冗談が通じない。容貌《ようぼう》の冴《さ》えない男なのに、喉元《のどもと》まで出かかった軽口を飲み込ませる威圧感があった。

朝日新聞の人々と、夕食に行く約束が消滅した、と思った時、私は急に寄る辺ない不安を感じた。南方の占領地を、たった一人で彷徨《さまよ》う心許《こころもと》なさ。いつの間にか、旅の相棒になっていた野口が恋しかった。野口は今頃、陸軍病院の白い蚊帳《かや》の中で何を思っているだろう。

しかし、松本は、間違いなく野口が遣わせた男なのだ。私は野口も信頼できなくなり、混乱したまま、部屋のドアの前に立っていた。

いつの間にか、私のバッグから鍵《かぎ》を取り出し、松本がドアを開けていた。私の背中を押して、部屋に入れる。照明を点《つ》けて回り、ドアに鍵を掛けた。

「林先生は、いい部屋を宛《あて》がわれておられますね。特待だな」

部屋には、出て行く寸前に使った行水のせいで、湿気が残っていた。脱ぎ捨てた浴衣《ゆかた》がソファにだらしなく掛かっているのを、松本が呆《あき》れた風に見て、とって付けたように言う。

「私は何もしませんから、大丈夫です」

「そんなこと心配してませんよ」

私は振り向いて松本の目を見た。松本は煙草《たばこ》に火を点けて、マッチの燃えさしを指で弾《はじ》いた。白と黒の石のタイルが張られた美しい床に、燃えさしが落ちて煙を上げ、黒い痕《あと》を残した。最早、その狼藉《ろうぜき》に怒る元気もなくして、私は松本が何を言うのか待っていた。

「先生、座ってください」

「ねえ、先生って言うの、嫌なんでしょう？」

私は浴衣を畳みながら、ソファに腰掛けた。浴衣は汗を吸って、少し湿っていた。

「はあ。嫌ですけど、こうして使うと存外便利ですな」

松本は分厚い唇を歪《ゆが》めて笑った。

「何が便利なんです」

「林さんでもないし、あなたでもない。お前でもないし、あんたでもない。呼びかけるべき言葉がない時にちょうどいいです」

私は笑う松本など見たくないと、顔を背けて聞いた。

「で、松本さんは私と何を打ち合わせたいんですか」

「防諜《ぼうちょう》についてです」

松本ははっきりした口調で、すぐさま答えた。あまりにも意外な言葉に、私は驚いた。

「防諜？ 私が何をしたんです」

松本は、実は憲兵なのではないか。私は硬直した。たちまち、恐怖の体験として、中野署での出来事が蘇《よみがえ》る。いきなり頬を張られた痛みは、肉体的な痛みではなかった。自由を奪われて、他人のいいようにされる恐怖の象徴だった。

今は、どんな作家も学者も、書いた物はすべて、日記からメモから調べ上げられる。だから、常に言動に気遣わなければならないのだった。厭戦《えんせん》、反戦の思いを持つのも禁じられているのだから、ただ此度《こたび》の戦争を賛美し、肯定するしかなかった。私は陸軍にも協力していたし、完璧《かんぺき》にやっている。だから、松本の言葉は意外だった。

「私は軍に協力しています。朝日新聞には、南方がどんなところか実際に体験して書いていますし、兵隊さんがどんなに苦労しているかも前から書いてきましたよ」

「先生じゃないですよ」松本は早口に言った。「あんたの愛人の方です」

急に、「先生」から「あんた」に呼称が変わったのは、愛人を持つ女としての私を軽蔑《けいべつ》するあまりだろう。松本の心根の卑《いや》しさが感じられて、私は驚愕《きょうがく》しながらも不快さを隠せなかった。

「愛人ってどういうこと」

「とぼけなさんな。知ってますよ」

謙太郎のことだ。野口に知られて、私は否定し続ければよかったのに、言質《げんち》を取られるような発言をしてしまった。私は羞恥《しゅうち》で顔を向けられなかった。

「斎藤謙太郎。毎日新聞社学芸部記者。現在、バンジェルマシンの大和ホテルに滞在中。明後日、スラバヤ行きの便に乗るはずです。先生に会いにね」

「私に会いにいらしたんじゃないですよ。斎藤さんは、南方特派のお仕事でいらしてるんですよ」

松本が腕組みをした。腋下の汗染《あせじ》みが脇腹《わきばら》の辺りまで広がり、黒々と目立った。

「いや、先生のお原稿を取りに、と聞いてます。どんな手紙にも原稿のことが書かれているそうですな」

ああ、何もかもばれている。おそらく、野口から伝わったのだ。私は怖《おそ》ろしくなった。にしても、私と謙太郎は何に囚《とら》われようとしているのだろうか。

　謙太郎がバンジェルマシンのホテルで話してくれたように、本当の戦争はあの川の茶色の泥のような姿をしていて、私たちを取り込んで離そうとしないのだ。私は、先ほど、顔に泥を塗られたような思いを抱いたことを思い起こし、泥は戦争の象徴なのだと思うのだった。

「斎藤は、ロンドンに駐在し、一旦《いったん》帰国した後、ニューヨーク特派員になった。その二カ月後、真珠湾奇襲作戦の成功で、我が国が大東亜戦争に突入。斎藤は、八月に日米交換船で帰って来ますが、アメリカでは一度も抑留されていない。当時から、邦人の間では、斎藤がスパイじゃないかという噂《うわさ》が出ていた」

　私は目を閉じて聞いていた。謙太郎の態度が腑《ふ》に落ちなかったが、すべての辻褄《つじつま》が合うのだった。度を超す飲酒癖。揺れる心。話し合って心がひとつになれば、謙太郎は優しい恋人になるのに、少し離れると、私を傷付けることを平気で口にした。アメリカで何かあったの、という私の質問に、謙太郎は交換船でアル中になっただけだ、と答えた。周囲の疑惑の目に晒《さら》されて、さぞかし辛《つら》かっただろう。

『俺には、きみの従卒の野口も怪しく思えるし、すべて変だ。僕らを見張っているように思う』

『なぜ、私たちが見張られるの』

私はあまりの意外さに、声が大きくなった。

『きみは、自分が陸軍の覚え目出度《めでた》いと思っているんだろうね』

バンジェルマシンでの夜、謙太郎と交わした会話を思い出した。ああ、正しかったのだ。あなたは正しかった。私が無知だっただけ。

私の頰にいつの間にか涙が流れていた。謙太郎をこれほど愛《いと》しいと思ったことはなかった。

「斎藤さんは、決してスパイなどではありません。絶対に違います」

私は静かに言った。

「でも、反戦思想は持ってるだろう。英語を喋《しゃべ》るインテリは皆そうだ。特に米英で暮らしたことのある奴《やつ》は」

松本が憎々しげに言った。

「そんなことありません」私は必死に抗弁した。「私はパリに半年いたことがあります。ロンドンにも行きました。そこで見たのは、白人社会の中にある厳しい差別です。

白人社会で暮らしますと、黄色人種はとても差別されるのです。だから逆に、今に見ていろ、と復讐心《ふくしゅう》を燃やすことになります。きっと、斎藤さんも今度の戦争を当たり前だと思っていると思いますわ」

そう言いながらも、私は謙太郎に謝っていた。ごめんね謙さん、と。そして、嘘吐《うそつ》き、嘘吐き、と言霊《ことだま》が私を痛め付け、私を損なうのがわかっていても、私は嘘を吐き続けなければならないのだった。

「あの人は、真の愛国者ですから、いかなる噂も信じてはいけません」

「先生、だったら、証拠を見せてくれませんか」

愛国者であることを、何の証拠を以《もっ》て、どうやって示したらいいのか。私は絶句した。進んで祖国を売りたい者など、いないはずだ。けれども、国を愛する気持ちを他人に証明するのは難しい。ジャーナリストである謙太郎は、言葉でも態度でも、まだまだ表現が足りない、と言われているに等しかった。

松本は、私を試すように睨《ね》め回しながら、薄い眉《まゆ》の辺りを盛んに掻《か》いている。短軀《たんく》で太った体に比して、その指は女のように細く白い。私は嫌悪《けんお》を必死に抑えながら言った。

「そんな難しいことを言われてもできません。だって、私たちは報道に携わることで、報国しているんですから。斎藤さんだって、新聞記者として懸命にやってこられたと思います。絶対に誤解です」

「先生は弁が立つね。さすが、文学者だ。文学者の先生だ」

野口にそっくりな「文学者」という揶揄《やゆ》に、私の膚《はだ》が粟立《あわだ》った。軽口と思って、野口と笑い合っていた私が馬鹿《ばか》だった。おそらく、野口と松本は、そんな冗談を始終言っては、私と謙太郎を嘲笑《あざわら》っていたに違いない。野口への怒りが湧《わ》き上がり、私は心中で地団駄を踏んだ。自分でも思っていなかったほど、その怒りは、私の心の深いところから発していたらしい。怒りを悟られないように、出てきた言葉は馬鹿丁寧で、我ながら気持ちが悪かった。

「では、松本さんは、ご自分が愛国者であることをどうやって示されているんですの。私に教えてくださいましよ。文学者の私にだって、お手本を教えてくださらなければ、わかりませんことよ」

私が平静を装《よそお》おうとしたのを認めて、松本は面白そうに目を輝かせた。

「お手本かどうかわかりませんがね、先生。文学者の先生と同じだと思います。私は自分の仕事に邁進《まいしん》することが、報国の行為そのものだと思います」

「あなたの仕事って、いったい何ですか」

私がいきり立つと、松本は真剣な顔で向き直った。

「先生、猿芝居やめましょうよ。時間稼ぐのやめましょうよ」

私は怖ろしかったが、怒りはまだ続いていた。

「猿芝居なんて失礼な。時間だって稼いでいません。ただ、あなたの誤解を解きたいだけです」

突然、松本が貧乏揺すりを始めた。貧乏揺すりは次第に激しくなり、松本は苛立《いらだ》ったように、床を踏み鳴らした。

「先生、ジャカルタの憲兵隊本部に行きますか。誤解って言うなら、そっちで懇切丁寧にご説明しましょうか？　ご同行願えますかね」

私は咄嗟《とっさ》に耳を塞《ふさ》いだ。暴力的なことは一切嫌いだった。男の怒鳴り声も、長靴《ちょうか》を鳴らす音も、打擲《ちょうちゃく》も。何もかもが。

「やめてください、お願いだから。私は絶対に行きません」

藍子の弟たちが連行されたという話が蘇り、私は怖ろしくて堪《たま》らなくなった。本部に連れて行かれれば、拷問《ごうもん》だってされるかもしれない。戦時下で有り得ないことなど、何もないのだ。屈服したつもりはなかったが、敗北感のようなものを覚えて、気が滅入った。

「先生、こんなこと言って悪いけどね。本当に女の文学者なんて、碌《ろく》なもんじゃないですよ。あんたと一緒にマレーに行ったのがいるでしょう、窪川って女。プロレタリア作家とか言われているようですね。あれだってね、まだシンパじゃないかと疑われている。子どもがいるし、さんざん恫喝《どうかつ》されてこっちに連れて来られてますからね。とんでもないことはしないでしょうけど、わからんですよ。物書きなんてどいつもこいつも、世の中のことなんか何もわかっちゃいない癖に、生意気で、信用できない奴らばかりです。先生が書かれた『放浪記』だってね、ルンペンの話でしょう。ルンペンってことは、プロレタリアの中でも一番下じゃないですか。先生も党員だったりしてね」

松本は、テーブルの上にある葡萄酒《ぶどうしゅ》の瓶を見遣《みや》った。

「すみません、怒鳴ったら喉《のど》が渇いた。飲んでもいいですか」

私は仕方なく頷《うなず》いた。松本は、何の躊躇《ためら》いもなく、コルク栓を取って、瓶に直接口を付けた。口の端から、赤い液体がだらしなくこぼれて、顎《あご》を伝い、太い首筋に流れる。松本は、本当に喉が渇いていたらしく、滴《しずく》を手の甲で拭《ぬぐ》いながら、飲むのをやめなかった。

ラッパ飲み。うまくできずにスコッチをこぼした私を、謙太郎は笑いながらからかっていたっけ。あの時は、こんな事態が待っているなんて想像もしなかった。

だが、謙太郎は、まるで心の底に横たわる暗い思いを見据えるかのように、時折、沈んだ眼差《まなざ》しで部屋の隅を眺めていたのを思い出す。何かあったのだ。

「葡萄酒って、初めて飲みました。意外と渋いですな」

松本は、葡萄酒の瓶にコルクの栓を捻《ね》じ込もうとした。コルクが割れて、テーブルの上に欠片《かけら》が散った。その乱暴さに、私は思わず眉を顰《ひそ》めたが、何気ないふりをして問うた。

「野口さんも憲兵なんですね？」

松本は薄く笑った。

「そんなこと言えませんがね。先生はね、軍人じゃないんだから当番兵なんか付きゃしませんよ」

やはり、そうだったのだ。窪川稲子が忠告した通りだった。謙太郎が怪しんだ通りだった。私は大きな溜息《ためいき》を吐いた。疑いはしたものの、トラワス村に行ってからは、野口との間に信頼関係が生まれたと思っていたのだ。

病院の白い蚊帳《かや》ごと、野口を記憶から捨て去りたくなっている。だが、松本とのバリ島視察から帰れば、また野口との旅は続くのだ。憲兵に見張られる旅が。私は堪らなく憂鬱《ゆううつ》になった。

「斎藤は現在、アルコール中毒の症状が出ているそうですね。祖国を裏切った良心の呵責《かしやく》ではないか、そう見る向きもあるそうですな」

「それって、野口さんが言ったんですか？」

さあね、と松本は曖昧《あいまい》に言う。では、バンジェルマシンにいて記者を装った真鍋が報告したのか。

誰もが信じられなくなって、私は小刻みに震える手で煙草《たばこ》に火を点《つ》けた。俯《うつむ》いたまま煙を吐き出してから、やっと言う。

「斎藤さんは、繊細な人ですから、飲んででもいないとやりきれないのでしょう」

「何がやりきれないのですか」

さあ、と松本を見ずに首を傾《かし》げる。お前のような者の存在が、と心の中で言う。

そして、あの人は繊細なのだ、と私は密《ひそ》かに繰り返した。だが、どこかで、謙太郎が、大好きな英米に追従していたとしても仕方がないではないか、と思う気持ちもあるのだった。戦争中のこととて、重大な裏切りであるのは確かだが、人間は急に心を分けたり、心を閉じたりすることなどできない生き物なのだ。その人間の不可思議さについて考えを巡らすのが、小説を書くという、私の仕事ではなかったか。謙太郎の、報道という仕事の芯《しん》ではなかったか。しかし、謙太郎には、英米との戦端を開いてしまった愚かな日本に対する嫌悪がどこかにあるのかもしれない、とも思えた。考え込んでいる私に、松本が尻《しり》ポケットから手帳を出して、ぱらぱらめくりながら、「先生」と呼びかけた。

顔を上げた私に、松本は手帳を見ながら言った。

「恋人のあんたも全部は知らんでしょうから、教えてあげましょう。斎藤は、昭和十六年十月、毎日新聞ニューヨーク駐在員に任命されました。その二カ月後の十二月八日に真珠湾攻撃。在米駐在のほとんどの者が収容所に収容されましたが、斎藤だけは自由でした。これは、ニューヨーク州で抑留された朝日新聞社の記者が書いた、ニューヨークでの抑留生活についての報告です。文学者の先生も、敵国において、邦人がどんなに苦労したか、お知りになりたいでしょうから読み上げましょう。どうです、聞きたいですか？」

私は目を閉じて頷いた。松本の長い朗読が始まった。

「昭和十六年十二月七日、日米開戦、夜半よりＦＢＩに連行せられ、取調後エリス島移民収容所に収容さる。エリス島は元来、ニューヨーク港に出入りする船舶の移民収容所であるが、開戦後、その施設を敵国人収容所に利用したもの。数十名が入れる大きな部屋に、鉄製の上下二段の寝台を並べ、ひと月三十名宛《ずつ》、一週三日に限り運動場の散歩を許された。

十二月下旬、敵性外人としての資格決定のため、審問開始。

昭和十七年二月十一日、第一班四十五名エリス島よりキャンプ・アプトンに到着。

二月十六日、第二班二十八名、エリス島よりキャンプ・アプトンに到着。

二月二十三日、第三班十三名、三月四日、第四班十八名、キャンプ・アプトン到着。

三月九日、第五班七名、エリス島より、キャンプ・アプトン着。

三月十六日、キャンプ・アプトンの全員が、ドイツ人、イタリア人約百三十名と共にフォート・ジョージ・ミードに移転す。

六月一日、交換第一船に乗船者通告あり。

六月十日、九十五名乗船のため、ニューヨークに向け、キャンプを出発。

六月十一日、非道なる身体検査の後、ホテル出発。交換船『グリップスホルム』号に乗船す」

松本が言葉を切ったので、私は再び顔を上げた。煙草がすっかり短くなって、灰が床に落ちていた。謙太郎が、この惨《みじ》めな収容所生活から逃れていたというのだろうか。まったく知らなかった。私は吸い殻を灰皿に投げ捨てて、二本目の煙草に火を点けた。

私の動揺を見て、松本は満足そうだった。咳払《せきばら》いをひとつしてから、またメモを読み始めた。

「続けます。今度は、我が日本人が、敵国の審問会でどんな屈辱を受けたか、についてです。同じく、朝日新聞記者の報告です。

開戦直後、FBIの手により全米各地で一斉検挙されたる在留邦人は、各キャンプに収容抑留されたが、一、二月頃より各地の審問公判に呼び出されて厳重取調を受けた上、米国流の愚にもつかない忠誠問答を行い、審問判決を決する。これにより、連邦検挙総長ビドルが抑留被告の釈放、自宅監禁、戦争期間中抑留の処分を宣告する。審問公判はキャンプ所在地の最寄りの都市の裁判所で行う。審問公判にて、被告たる在留邦人に訊問《じんもん》される忠誠問答は次の如《ごと》きものなり。

①日米両国、いずれの勝利を欲するや？

②日本人スパイが家の中に逃げ込みたる場合、同国人の誼《よし》みを以《もっ》て隠匿《いんとく》するや、又は法に従い米国官憲に引き渡すや？

③日本軍が米本土に侵入の場合、米国国防のため、日本軍と砲火を交えるや？

④銃を与えられて日本兵を射殺しろと命ぜられたる場合、如何《いか》にするや？

⑤東条将軍がホワイトハウスに乗り込んで来ると思うか？

⑥米国に忠誠を誓いて、もし日本軍上陸の場合に鉄砲を向ける勇気ありや？
かくの如き悪性の愚問は、抑留邦人の士気を阻喪せしめんとする敵国の巧妙なる謀略なるも、邦人は内心、憤慨しながらも、断じて敵国の奸策《かんさく》に乗らず、いずれも次の如く返答す。①かくの如き愚問は中止されたし。②日本人として、日本の勝利を望むは当然なり。

夫はキャンプに、妻や子供たちは『集団移住地』または『集団拘禁所』に一家四散して敵国内に呻吟《しんぎん》する在米邦人の嘆きは深刻である」

松本は、「以上」と大きな声で言って、卓上の葡萄酒をまた手にした。私の顔を見ながら、さっき捻じ込んだコルク栓を再び抜いた。記者が書いた物を読んでいるうちに、激昂《げきこう》してきたのか、態度に腹立ちが感じられた。

「斎藤はたった一人だけ、こんな目に遭ってないのですよ」

松本は、私の責任であるかのように、言った。

「なぜ斎藤さんは、収容されなかったのでしょう」

「斎藤しか知らない何かがあった、と誰しも考えますよね。斎藤は、ＦＢＩの審問を受けた形跡もないのです。あまりの特別扱い故《ゆえ》に、斎藤は交換船の中でも、孤立していたらしいです。昭南、館山《たてやま》沖での聴取も念入りに行われておりますが、何も得られなかったと聞いてます」

私はまたしても手にした煙草が虚《むな》しく灰になっているのに気付いた。大変なことになった、と胸がわなないている。

謙太郎は、国を裏切ったという疑いを受けているのだった。死刑も大いに有り得る重罪だった。

「たいしたタマですよ」

松本はまた葡萄酒《ぶどうしゅ》の瓶に口を付け、口の中に入ったらしいコルクの滓《かす》を床に吐いた。この行儀の悪さも、私を怯《おび》えさせるためにしているのだとわかってきたが、私は松本などよりも、謙太郎が搦《から》め捕られそうな罠《わな》の方に、怯えているのだった。

「ゾルゲ一味は特高に取られましたがね、先生。防諜《ぼうちょう》対策には力を入れろというのが、上からの指示です」

「わかっています」

私は低い声で答えた。

「斎藤にも収容されなかった理由を聞いておりますが、本人もどうしてかわからないというとぼけた答えだったそうです。尻尾《しっぽ》も摑《つか》めないので、新聞社の方から、南方派遣にさせました」

「それは私と会わせるためですか？」

動悸《どうき》がした。松本が葡萄酒の瓶を持ったまま頷《うなず》いた。

「南方ならば、少し気も緩むかもしれないと思いましてね。こちらには外国人も多いから、連絡を取ろうと思えばできますしね」

だから、謙太郎はセレベスとの行き来でボルネオを経由させられたのだ。何も気付かなかったが、私たちの泊まったホテルの部屋は、見張られていたに違いない。私たちは野口たちにがんじがらめにされていたのだ。だから、謙太郎の飛行機の座席はいつも思うように取れず、私とはたった一日しか会えないように計画されていたのだ。私は撒《ま》き餌《え》のようなものだった。屈辱と恥の感覚に囚《とら》われて、顔がかっと熱くなった。しかし、私も謙太郎も大きな危難の中にいる。

「松本さん、どうすれば疑いを晴らすことができるんですか」

松本は葡萄酒の瓶を乱暴に卓上に戻した。

「さっき言ったでしょう。先生が潔白を証明してやったらどうです」

無理だ。謙太郎との逢瀬《おうせ》はきっとまた一日。その間、何かボロを出さないかと誰もが鵜《う》の目鷹《たか》の目で、私たちを取り囲んでいるのだから。

5

いつの間にか、夕陽に照らされていたホテルの部屋が、闇《やみ》に沈んでいる。読書灯を点《とも》しただけの薄暗さの中で、立て続けに煙草《たばこ》を吹かしていた私は、驚いて周囲を見回した。

暑さが極限にまで達して空が破れ、激しいスコールがやって来たのが、かれこれ一時間前。スコールは地面を穿《うが》ち、草花を薙《な》ぎ倒し、三十分ほどでやんだ。そして美しい夕焼けが、濡《ぬ》れた草花や地面を乾かしたと同時に、陽が暮れた。

あれこれと惑いつつ、一人考え込んでいる私をよそに、時間はどんどん経《た》ち、謙太郎を私に近付けているのだった。

一昨日、松本が私の部屋を去る際に言い残した言葉が、頭を離れなかった。

「先生、斎藤は大和ホテルに来るでしょう。そのように手を打ってます。が、くれぐれも斎藤には、このことは言わないようにお願いします。もし、斎藤に何か悟られた場合は、先生のお立場も微妙ですからね。報道部の連中も、先生を庇《かば》えないだろう、と申し上げておきましょう」

あの谷萩や平櫛が、私を庇っていたというのか。私だけが散々働かされている、と文句を言い、物見遊山《ゆさん》気分で南方を巡っていた私は、言いようのない屈辱に打ちのめされているのだった。いや、屈辱ならば、まだいい。私一人が我慢すればいいのだから。

からん、と銀のバケツに入った氷が、溶けて崩れる音がした。先ほど、ジョンゴスに、スコッチをひと瓶と、新鮮な氷を運ばせたことを、やっと思い出した。

私は氷を入れたグラスにスコッチを注いだ。素早く指で氷を搔《か》き混ぜて、口を付ける。空腹にスコッチが沁《し》みたが、早く酔ってしまいたかった。

じきに、バンジェルマシンから謙太郎がホテルに到着する。胸が高鳴って、息苦しかった。会える喜びも、勿論《もちろん》ある。しかし、どうやって謙太郎を助けたらいいのか、どうすれば自分たちの危難を避けられるのか、そればかりを考えていた。

憲兵に嫌疑をかけられている事実を、どうにか謙太郎に伝えなければならない。そして、これ以上、疑念を抱かれないように、二人で策を考えねばならないのだった。

だが、闘志が湧《わ》くようなことではなかったし、簡単に戦えることでもなかった。私たちの敵は国家で、あまりにも大きく、しかも危険だった。知恵を絞ろうにも絞りようがなく、ひたすら頭を低くして、疑惑が消えるのを待つしかないような気もする。

こうしている間も、私の部屋は松本や野口の仲間たちに見張られているに決まっていた。ばかりか、盗聴や覗《のぞ》き見をされているかもしれないのだ。私は、無防備な裸で一人、荒野に立っているような気がして、不安で堪《たま》らなかった。

その一方で、何も知らずにやって来る謙太郎を庇護《ひご》し、守ってやりたくて仕方がない。

私はバッグに入れっ放しになっていた手紙を取り出して読んだ。夢見心地だったバンジェルマシンから、一人スラバヤに着いて、まだ高鳴る胸を抑えながら、謙太郎に宛《あ》てて書いた手紙だ。

手紙は、野口のデング熱騒ぎで、バンジェルマシン行きの便に載せられなかったために、まだ手元にあった。幸いだった、と思うのは、常に手元にあるバッグの中に入れてあったため、誰にも読まれずに済んだことだった。これがデスクの引き出しや旅行鞄《かばん》の中に入れっ放しだったら、容易に盗み読めたはずだった。

手紙には、「ボルネオ新聞のMさん」とか、「海軍の偉いさん」などと不用意に書いてあるし、戦地からは書くことを禁じられた、場所や時間なども明記されている。野口や松本の手に入れば、どんな言いがかりを付けられるかわからなかった。

『あなたは、自分たちは見張られているのだから気を付けろ、と仰いましたが、今の私には止められそうもない。そうです、今日のふみこは緩んでいます』

緩んでいたのは、私の方だった。謙太郎が忠告した通りに、私たちは見張られていたのに、野口なんかを信用してしまった。それにしても、謙太郎はなぜ、私たちが見張られていることを知っていたのだろう。昭南や館山沖で尋問を受けたからか。

謙太郎が、ニューヨークに行く前は、ロンドン特派員だったことを思い出して、私は背中に冷たい汗を掻いた。

謙太郎は、本当にスパイなのかもしれない、と思ったのだ。得意の英語で、アメリカやイギリスの政府の人間と密《ひそ》かに連絡を取っていても、何の不思議はなかった。私の戦争ルポを非難したし、何か大事なことを何度も言いかけてはやめた。

私は謙太郎の台詞《せりふ》をあれこれ思い出している。

『貧乏な東洋の島国なのに、世界中を敵に回しているんだからな。ねえ、僕はきみの知らないことも、いろいろ知ってるんだ』

『世界が知ってて、日本人が知らないことは多くあるってことだ』

謙太郎の何かを諦《あきら》めたような言い方に、アメリカで何があったのか、と私が詰め寄ると、謙太郎はこう答えたのだ。

『交換船で何もすることがないから、アル中になっただけだ』と。

しかし、謙太郎に限って、そんなはずはなかった。冷静だから、熱狂的な愛国者には見えないかもしれないが、祖国を裏切ることなどできっこない。私は不安で居ても立ってもいられなくなった。謙太郎の投げ遣《や》りな暗さは、逃げられない罠に嵌《はま》ったせいではないかと思い至ったからだった。

だが、私がこうしている間にも、謙太郎は尾行されながら、私の待つ、この大和ホテルに向かっている。この私自身が罠になって。

私は、読み終えた手紙を破って細かく裂いた。そして、ガラス製の灰皿の上に盛り上げて、マッチで火を点《つ》けた。薄いホテルの便箋《びんせん》は、瞬《また》く間に燃えた。オレンジ色の炎が、五寸ほどの高さになったが、すぐに黒い灰に変わってしまったのだ。炎が燃え盛った時間はほんの一瞬で、まるで私たちが見た夢の儚《はかな》さを表したような短さだった。

ノックの音がした。部屋で何かを燃やしたのを、松本に感知されたのだろうか。心臓が止まりそうになる。私は慌《あわ》てて、きな臭い空気を手で払った。

ノックが続く。私は「はい」と返事をしたが、恐怖で声がかすれた。

「僕だよ」

謙太郎の声だった。私はドアに駆け寄って、小さな覗き窓から確かめた。暗い中庭を背景にして、謙太郎の背の高い姿がぼんやりと浮かんでいた。

黒縁の丸い眼鏡。鳥打ち帽ではなく、パナマ帽を被《かぶ》っている。そして開襟《かいきん》シャツに白麻らしい上着。私が覗いているのがわかったのか、謙太郎は手を振っておどけて見せた。

「ああ、謙さん」

私はドアを開けて、懐《なつ》かしい謙太郎の姿を眺めた。陽に灼《や》けたのか、闇に白い歯が目立った。

「早く入って」

庭の闇に誰かが蹲《うずくま》って、この再会劇を観察しているのは間違いないのに、私は自分を止められずに、謙太郎の手を素早く引いた。謙太郎は、スコールの後の爽《さわ》やかな夜気と共に入って来て、すぐに眉《まゆ》を顰《ひそ》めた。

「臭い。何か燃やした？」

私は答えずに燃え殻を振り返った。灰皿の上で黒く盛り上がった手紙の灰。

「何を燃やしたの」

謙太郎はパナマ帽をソファに投げながら、不安そうな顔で聞いた。

「あなたへの手紙」

「どうして燃やしたの」

「ごめんなさい」

「謝らなくていいよ。燃やす前に読ませてくれればよかったのに」

謙太郎は屈託なく笑って、私の頰を右手で撫《な》でさすった。

「だって、あなたがいつ来るかわからなかったし、まずいことをたくさん書いちゃったから、誰かに読まれるのが怖かったの」

謙太郎は真面目《まじめ》な顔をして、私の顔を覗き込む。

「何かあったの。顔色が悪いよ」

スパイの嫌疑がかかっていると脅された、などと恋人に言えるはずがない。私は無理に微笑《ほほえ》んだ。

「何もないわ。再会の乾杯をしてから、お食事に行きましょうよ。何を食べましょうか?」

「とりあえず乾杯しよう。喉《のど》が渇いたよ」

謙太郎はいかにも渇いて堪らないかのように、喉元に手を当てた。私はカットグラスに氷を入れて、スコッチを満たした。謙太郎に渡すと、謙太郎は嬉《うれ》しそうに、スコッチの銘柄を見遣った。

「ジョニ黒か。スラバヤは都会だな」

私たちはグラスを合わせた。一気にスコッチを呷《あお》った謙太郎は、足りないと見えて、もう一杯、自分で注いだ。二杯目も呷った謙太郎が、ようやく満足そうに嘆息する。

『斎藤は現在、アルコール中毒の症状が出ているそうですね。祖国を裏切った良心の呵責《かしやく》ではないか、そう見る向きもあるそうですな』

松本の無礼極まりない言葉が蘇《よみがえ》って、私は謙太郎に知られぬように眉を顰めた。が、何気なさを装《よそお》って、謙太郎に尋ねた。

「ねえ、飛行機は揺れなかった?」

「ああ、順調だったよ。上空から見たスラバヤの街の光が、とても綺麗《きれい》だった。闇の中に光り輝いて豪華で、譬《たと》えようもなく美しかった。西脇順三郎《にしわきじゅんざぶろう》の詩を思い出したよ。

こういうのだ。

覆《くつがへ》された宝石のやうな朝
何人か戸口にて誰かとささやく
それは神の生誕の日」

謙太郎は上機嫌だった。私と再会できて嬉しいのだ、とわかっていた。だが、私の気は依然として晴れない。

「それは朝の情景を歌ったんじゃないの。あたしには漁船の漁《いさ》り火《び》みたいに侘《わ》びしく見えたわ」

謙太郎は首を傾《かし》げて笑った。すでに、軽い酔いが回りかけているらしく、表情が伸びやかだ。

「そうかな。俺には燦然《さんぜん》として見えた。あの光の下に芙美子がいると思ったら嬉しかったせいかな」

謙太郎は再びスコッチを飲み干して、またグラスに注いだ。飲むのが早過ぎる、と注意しようと思ったが、黙っていた。謙太郎が酒に頼る背景を知った今、止めることなど到底できなかった。

謙太郎はソファに身を沈め、三杯目の酒を神妙な顔で飲んだ。やっと味わう余裕ができたらしい。

「やれやれ、バンジェルに二週間もいたのか」

吐き出すように言う。

「お疲れになったでしょう」

私は謙太郎の隣に腰を下ろした。

「まあね。ところで、僕の部屋は、本館の二階だよ。ここまで歩くのに、三分くらいかかった。きみの部屋は奥まっているけれども、落ち着くね。こっちの方がいいな」

フロントのある本館の部屋を宛《あてが》われたのは、松本の策略があるのだろうか。私がそんなことを考えていると、謙太郎がいきなり私の唇に接吻《せっぷん》した。スコッチの匂《にお》いがした。

「先生、お原稿はいかがです」

「あなたのために書いているわ」

そう答えた途端、思いがけず涙が溢《あふ》れた。謙太郎が笑って、手の甲で拭《ぬぐ》ってくれた。

「どうしたの、急に泣いたりして」

「何でもない。また会えてよかった」

謙太郎は何も気付かない様子で、私の手を撫でさすった。

「子供のような小さな手だ」

「前もそう言ったわ」

「そうだよ。僕はあなたを可愛《かわい》いと思っているから」

謙太郎に抱き寄せられて、私は体を硬くした。野放図に、体が溶けていくような喜びを感じることは、最早できなかった。この人を守らなければ、という気負いと、それでも守り切れないだろうという諦《あきら》めとが相半ばし、私は緊張でわなないているのだった。

だが、謙太郎は別のことでも考えているのか、のんびりと言う。

「バンジェルは長かったが、後半は実に快適だったよ。金原さんのお宅にお邪魔してたんだ。藍子さんが誘ってくれてね。あそこはいい農場だね。戦時中とは思えないほどのんびりできた。毎日馬に乗ったり、泳いだり、テニスをしたり、楽しかったよ。あの農場のことは一生忘れないだろうな。藍子さんがあなたのことが大好きらしくて、また会いたがっていた。よろしくってさ」

「私も会いたいわ」私は微笑んだ後、声を潜めて尋ねた。「ところで、弟さんたちは帰って来たの？」

「友達は先に帰されたらしいけど、弟さんはまだだ」

藍子の弟たちが逮捕されたのが正月だから、かれこれ三週間近くは勾留《こうりゅう》されていることになる。

「ああいう若い人は、別に思想的背景なんかないんだから、早く帰してやればいいんだよ。外地で育ったから、視野が広いだけなんだ。芯《しん》は、祖国を思っているのに」

それは自分のことではないか。謙太郎の声が響くので、私は気を揉《も》んだ。松本が窓の下に蹲って耳を澄ましているような気がして、不安だった。外で食事でもした方が世間話に終始できていいかもしれないと思い、バッグと帽子を手にして立ち上がった。見張られている部屋にいるのが窮屈だった。

「謙さん、とりあえずお食事に行きましょう。話はその後でね」

謙太郎は戸惑った風に立ち上がって、私の顔を見下ろした。

「芙美子、何かあったのかい」

私は慌《あわ》てて頭を振った。あまりにも強く否定し過ぎて、逆におかしいと途中でやめる。すると、謙太郎が、私のバッグと帽子を取り上げて、ソファの方に投げた。

「だったら、ジョンゴスに頼んで、サッテでも買って来て貰《もら》おうよ。あとビールでも運ばせて、ここで少し話そう」

「何を話すの」

「何をじゃないよ。久しぶりに会ったんだから、のんびり語り合おう。ねえ、きみはこの間とは違う感じがするよ。具合でも悪いんじゃない？」

鋭い男だ、と思いながらも私は顔を背けてしまった。もし、謙太郎が本当にスパイなら、何とか翻心させねばならないと思うし、このまま二人で遠くへ逃げてしまえばいい、などとも思うのだった。

ボルネオの金原農園のようなところに身を潜めて、戦争が終わるのを待つのはどうだろう。それとも、マレー半島辺りで、マレー人として暮らすのはどうか。私はそんな埒《らち》もないことをあれこれ考えていた。

「電話を借りるよ」

謙太郎がフロントに電話をして、サッテやビールなどを持って来るように頼んでいる。

謙太郎の声を聞きながら、松本たちはこんな電話まで盗聴しているのではないかと、怖《おそ》ろしくなった。私たちが何を飲み、何を食い、何を語って、何をしているのか。会話を一言一句聞いている者がいる。行動を逐一見張っている者がいる。

私たちの言動は、「情報」とやらになって、憲兵隊本部の書類棚を埋め尽くすのだろう。そして、私たちや家族を一生苦しめるのだ。用済みになるのは、謙太郎が無実の罪を着せられ、私も幇助《ほうじょ》の罪で捕らえられ、何らかの決着が付いた時なのかもしれない。

私は恐怖で声を上げそうになった。ゾルゲ事件に連座した尾崎秀実《ほつみ》も、朝日新聞社の記者だった。同じ新聞記者の謙太郎は、猜疑《さいぎ》という黒い霧の中に一人包まれている。合言葉のように「防諜《ぼうちょう》、防諜」と言われて久しい。私も軽薄に口にしたことはある。が、ひとたび、我が身に疑いが降りかかれば、逃れることはできなかった。疑いを晴らす手立てがないために、猜疑だけが限りなく膨張していくからだ。

私は、窪川稲子に泣いて縋《すが》りたいような情けない心持ちになっていた。しかし、ここには誰も頼る者はいない。ええい、だらしない、と私は自分を奮い立たせた。この狭い部屋だけが、二人の砦《とりで》だった。奇蹟《きせき》のように再会できたのだから、二人で助け合って生きていくしかない。私は子供の時分から、そうして漂泊して生きてきたではないか。

私は肝を据え、何人も侵入させない、と鎧戸《よろいど》や鍵《かぎ》に目を走らせた。外はしんと静まり返り、夜風が木々を揺らす音や、ヤモリや虫の鳴き声が聞こえるのみだった。

しかし、私たちを取り巻く悪意は厳然としてあった。白と黒の滑らかなタイルを交互に張った美しい床には、小さな黒い染《し》みが残っていた。松本がマッチの燃えさしを投げ捨てた狼藉《ろうぜき》の痕《あと》だ。私はマッチの脂《やに》が付着した醜い疵《きず》を眺めながら、謙太郎に打ち明けた方がいいのか、黙っている方がいいのか、まだ迷っていた。

電話を切った謙太郎が、扇風機の前で開襟シャツのボタンを外した。シャツが風を孕《はら》んではためいた。振り向いた謙太郎が、悪戯坊主《いたずらぼうず》のように笑う。

「行儀が悪くてごめん」

「いいわよ。マンデーしたら？」

「いいかい？　着いてすぐに来たから、風呂《ふろ》を使う間もなかったんだ。真っ先に、芙美子の顔を見ようと思ったから」

涙がじわりとこみ上げる。謙太郎がたとえ国賊だろうと、非国民だろうと、私はこの男を心から愛している。もしも、謙太郎が本物の売国奴だったら、どうやって安全な場所に逃せばいいのだろうか。行く先はあるだろうか。私も一緒に逃げられるだろうか。その場合、資金を用意しなければならないが、円など持ち出しても戦時中では意味がなかろう。では、金は、落ち着き先は、方法は、と心配はとりとめもなく広がっていく。そして、二人で自由になりたい願いだけが、暗い夜空に向かって飛んで行くのだった。

謙太郎がバスルームを使っている間に、ジョンゴスが注文の品を持って来た。冷えたビールが三本、鶏のサッテが十本、綺麗《きれい》に盛られた巻き寿司《ずし》まである。チップを渡すと、ジョンゴスが片目を瞑《つぶ》って、「ゴユックリ」と日本語で言った。松本が遣わせた男か、と私は顔色を変えた。ジョンゴスは驚いた風に目を丸くし、両手で宥《なだ》めるような仕種《しぐさ》をした。私はドアを閉めて鍵を掛けてから、目を閉じて気を鎮《しず》めた。すべてに疑心暗鬼でいるのは、心が苦しかった。

「さっぱりしたよ、ありがとう」

マンデーを終えた謙太郎は満足そうに、ランニングシャツとズボンだけの姿で現れた。巻き寿司を見て、破顔する。

「何か食う物を、と頼んだのに気が利《き》いているな。さすがスラバヤの大和ホテルだ。寿司は久しぶりだよ」

私は思い切って尋ねた。

「アメリカではどうだったの」

「寿司なんてあるわけない。たまに先輩の家に呼ばれて、奥さんに米の飯を馳走《ちそう》になったりする。それが楽しみだった」

「じゃ、あなたは毎日、何を召し上がっていたの」

「まずいパンばかりだ。まったく願い下げだよ。しかし、飯が一番まずかったのはロンドンだな。ニューヨークはまだましだった。日本料理屋もあったし、中華街も近い」

謙太郎は懐《なつ》かしそうに言った。

「あなたは開戦の報《しら》せを聞いて、どう思ったの」

「とうとう来たか、と思った。いつかは、と覚悟していたからね。俺が赴任したばかりなのに、と焦《あせ》ってもいた」

謙太郎は言葉を切って、私のグラスにビールを注いだ。

「それからどうなさったの」

謙太郎は肩を竦《すく》めた。

「どうもこうもないよ。皆と一緒に収容所に連れて行かれて、審問されて、交換船に乗せられた」

私は愕然《がくぜん》とした。謙太郎は、なぜ私にまで嘘《うそ》を吐《つ》く。

私は無言でビールを飲み、サッテの串《くし》を手にした。これ以上、謙太郎の嘘を聞きたくなかった。謙太郎も黙り込み、ビールを慌ただしく飲み干した。そして、「ねえ」と私の顔を見遣《みや》った。

「何」と、目を合わせる。

「マルタプラのダイヤモンド、ちゃんと持ってる?」

謙太郎が笑いかけた。

「持ってるわよ、私の宝だもの」

微笑《ほほえ》んだ謙太郎は、自分のグラスにビールを注ぎながら言う。

「藍子さんが言ってたよ。芙美子さんにダイヤを見せて貰ったって。とてもいい石だったって」

「あなたが自分で選んだんだって、言った？」

「言いたかったけど、黙ってた」

謙太郎が羞《は》じらって言う。何て可愛《かわい》い男だろう、と私は改めて思った。些細《ささい》な嘘を吐こうと、スパイだろうと、愛しているのだ。どうしたらいいか、わからなかった。

「ねえ、芙美子。まだ、カットして指輪なんかにしちゃ駄目だよ」

私は愛《いと》しくなって、謙太郎の胸に顔を寄せた。

『二人の思い出なんだから、原石のままで持っていて。思い出を忘れそうになったら、カットして磨いて、うんと光らせてくれ』

バンジェルでの夜を忘れるな、と謙太郎は言いたいのだ。

「ずっと原石で持ってるわ」

謙太郎が口づけした。私の使っている石鹼《せっけん》の匂《にお》いがする。私たちは愛撫《あいぶ》を始めた。そのうち夢中になり、空腹も忘れて、ソファの上で愛し合った。歓《よろこ》びは深く、何度もやってきた。松本が私の叫び声を聞いているかもしれないと思ったが、自分を抑えることはできなかった。

「今日の芙美子は感じやすいね」

謙太郎の声が耳許《みみもと》でしたが、すぐに聞こえなくなった。いつまでも続く歓び。でも、なぜか、これが最後かもしれない、と自分が自分に囁《ささや》いているのだった。私たちはベッドにも行かず、窮屈な姿勢で愛し合った。最後は、二人で冷たいタイルの床に転がり落ちたが、それでもやめられなかった。

どのくらい時間が経《た》っただろうか。私は、荒い息を吐く謙太郎の頭を胸に引き寄せて、強く抱き締めた。謙太郎は、マンデーをしたばかりなのに、また夥《おびただ》しい汗にまみれていた。私のために汗を流す男。愛おしくて堪《たま》らない。こうして抱き合っていれば、互いの信頼は増して、愛は強靭《きょうじん》になるはずだった。愛さえあれば、国家の罠《わな》など平気だ、と思う。

だが、私たちはすぐに引き離されてあちこちに連れ回され、そして、また引き合わされるのだ。ボロを出すまで永遠に。このことを屈辱と言わずして、何と言うのだろう。この先、どうなる。

私は不安になって、思わず涙をこぼした。涙の粒が流れて、私が抱き寄せた謙太郎のこめかみ辺りにこぼれた。

「どうした。なぜ泣くの」

謙太郎が顔を上げて、私の目を覗《のぞ》き込んだ。

「今度はいつ会えるのかしら、と思ったら悲しくなって」

私は嘘を吐いた。

「ジャカルタ、メダン。俺の支局のあるところだったら、また会えるだろう。なぜかわからないが、今度はジャワを視察してこい、という指示を受けている」謙太郎がそう言ってから、自嘲《じちよう》するように付け加えた。「情けない話だ」

「どうして情けないの」

私の問いには答えず、体を起こした謙太郎は、手を伸ばしてビールを飲んだ。

「温《ぬる》くなった」

謙太郎は何を言いたいのだろう。私は謙太郎の目を見つめた。謙太郎も私の目を見た。互いが互いの真意を知ろうと、必死に目を覗き込んでいるのだった。

「芙美子、今日が最後だよ」

謙太郎の言葉を、信じられない思いで聞いた。

「今、何て言った」

「これきり会わない」

「どうして」

その方が賢いやり方だ、とわかっているのに、謙太郎の口から出れば、嫌だ、と泣き叫ぶ自分がいる。

「理由は言えないよ」

謙太郎は低い声で囁いた。

「じゃ、私が言う」と、言いかけたところで、謙太郎の大きな手が私の口を塞《ふさ》いだ。

「何も言うな。頼むから言わないでくれ」

頷《うなず》くと、謙太郎は手を離して、煙草《たばこ》に火を点《つ》けた。

「俺は疑われているんだ」

「疑われているのなら、潔白を証明しましょう」

「無理だ」

「無理なことはないわ。二人で何とか方法を考えるのよ」

私は叫んだ。

「潔白の証明なんてできない。死ぬしかない」

「それだけはやめて」私は謙太郎の手を握った。「絶対に方法があるはずよ。証明できたら、あなたも助かるって言われたわ」

必死になったが故《ゆえ》に、思わず口を滑らせた私は、慌《あわ》てて噤《つぐ》んだ。だが、謙太郎の目が鋭く光った。

「そんなこと、誰が言ったんだ」

体温が急に低くなったような物言いに驚いて、私は身を縮めた。私を恫喝《どうかつ》した人間だ、とは言えなかった。

「誰だ。きみの従卒殿かい」

謙太郎は皮肉な言い方をして、素早く起き上がった。衣服を身に着け始めた。そして、温くなって泡も立たないビールを飲み干し、テーブルの上にあったスコッチを、空いたビールグラスに乱暴に注いだ。怒りのせいか、動揺か、手元が震えているのがわかった。

「グラスが違うわ」

「どうでもいいよ」

謙太郎の豹変《ひょうへん》ぶりに、私は口が利《き》けないほどうろたえた。慌てて、私も床に散らばった衣服を拾って、身に纏《まと》う。

「芙美子、誰が言ったんだ。答えろよ。野口か？　あいつ、いけ好かない野郎だからな」

「野口はデング熱で入院しているわ。代わりに来た松本という人」

「どんな奴《やつ》だ」

「嫌な男」

「そんなことは聞いてないよ」と、謙太郎は乱暴にテーブルを叩《たた》いた。私は反射的に目を閉じた。

「どんな奴だ」

「憲兵みたい」

私は小さな声で答えた。謙太郎は怒りのために青ざめた。

「憲兵みたい、だって。よくもそんなことをしゃあしゃあと言えたものだな」

最初は、その怒りが私に向けられているとは思わなかった。あくまで松本や野口に向けたものだと思っていた。ところが、謙太郎はこう言うのだった。

「俺が馬鹿《ばか》だった。本当に、お目出度《めでた》い馬鹿者だった。南方に行って支局を手伝って来い、と言われた時は、罠じゃないかと怪しんだ。当たり前だろう。俺は帰国してから、さんざん尋問を受けたよ。疑われているんだ。俺だけがアメリカで特別扱いだったというだけの理由でな。でも、それがアメリカという国のやり方なんだ。怪しい奴を一人作って、本当のスパイを匿《かくま》うんだよ。俺はその罠にまんまと嵌《は》められた可哀相《かわいそう》な男なんだ。そのことを訴えても、日本人にはわからない。そんな間諜《かんちょう》のやり方ひとつ覚束《おぼつか》ない野蛮国だからな。おっと、そんなことを言えば、非国民だということもわかっている。きみだって、言動に気を付けているものな。さて、南方に行けと言われた時、俺はきみに会えると思ったから、嬉《うれ》しくて堪らなかった。これも罠かもしれないと心配したが、すべては覚悟の上だった。昭南からスラバヤに来てみれば、思った通りだったよ。見張られていることも、尾行が付くことも、支局に顔を出せば、皆に白い目で見られ、誰も俺となんか飯も食わないことも。朝日だって同盟の連中だって、俺の噂《うわさ》を知っているから、近付きもしない。きみは俺の噂を知らなかったんだろう。自分の愛人がスパイだと疑われているなんて。だから、きみは利用された、俺を釣る餌《えさ》としてね。その意味では、俺はきみに同情もしている。だけど、『証明できたら助かる』はずなんかないんだ。そんなことで騙《だま》されるなよ、作家の癖に。きみの甘さが腹立たしい。いいか、国家に一度疑われた人間は、もう二度と浮上できない。無実の証明なんかできないんだ。俺はそれがよくわかっている。いっそのこと、なれるものなら、スパイになって、こんな国など綺麗《きれい》さっぱり売り払ってやりたいよ。こんな国、滅びればいいんだ。俺は日本に生まれたことを憎む。日本に生まれた男を憎む。日本に生まれた女を憎む。きみは好きだが、あの一番乗りのルポはいかん。軍の思惑に乗せられた馬鹿な女のルポだ。いいかい、きみの書いた物など、十年後には何ひとつ残っちゃいないんだよ。そうだな、『放浪記』は、歴史的検証物として残るかもしれない。だけど、他の作品は一切残らないぜ、絶対に。俺が断言するよ。そんなことを言って悲しくないかって？　いや、悲しくなんかない。俺が好きな女は、その程度の作家だったんだからさ。だけど、女としては可愛《かわい》かった。いい気になって従軍して、軍部の手先になって、馬鹿な文章を書き残した。そんな程度の女だ。占領された村の、村長の家で安全に暮らし、村人の生活を味わったと、平気で記事を書くような女だ。そして、従卒を付けて貰《もら》い、そいつが俺を狙《ねら》う憲兵だと気付きもせずに、下着を洗わせているような女なんだよ。だけど、俺は嫌いじゃない。だから、寝たし、可愛がった。でも、もう終わりだ。すべて終わりだよ」

謙太郎の言葉が鋭い刃《やいば》となって、私の体に突き刺さった。刃は、体内を引っ掻《か》き回した挙げ句、灰色の腸《はらわた》を引きずり出して、床にぶちまける。

私は、驚愕《きょうがく》と痛みとで声も出せなかった。鈍くなった頭で考えようとしたが、何も考えられずに、薄馬鹿のように突っ立ったままだった。

謙太郎ハ、ソンナ風ニ思ッテイタンダ、ソンナ風ニ思ッテイタンダ、と呟《つぶや》きながら。

私は急に年老いた気がして、疲れを感じた。思わずソファに倒れ込むと、謙太郎が低い声で詫《わ》びた。

「すまない」

「どうして謝るの」

私は謙太郎の方を見ずに問うた。私の声には、まったく力がなかった。聞こえなかったのか、謙太郎は視線を落としたまま、もう一度謝った。

「すまない。言い過ぎたようだ」

「そうかしら。あなたの本音なんでしょう？」

謙太郎がぎょっとしたように顔を上げた。私は謙太郎を見ずに、静かに続けた。

「あなた、そう思っていたのよ」

「そうって？」

謙太郎の声に怯《おび》えがあるのを感じたが、私はすでにどうでもよくなっていた。

「私が書いた物が残らないって言ったわ。自分が好きになった女は、その程度の作家だったんだって言ったわ。あなた、そう思っていたのね」

感情を籠《こ》めずに繰り返す。

「いや、『放浪記』は残ると言ったじゃないか」

「でも、『歴史的検証物として』と言った」

「だったら、これから素晴らしい作品を書けばいい」

「ひどいことを言うのね」

泣くこともできずに、私は、床にぶちまけられた自分の灰色の腸を冷ややかに眺めていた。それらは再び腹の中に納まることもできずに、湯気と臭気を立てながら、次第に萎《しぼ》んでいくのだった。

「ものの譬《たと》えじゃないか。後で時代を考える時に役立つし、そういう作品を書く力はある、と言ってるんだ。褒めてるんだよ」

「だけど、あなたは、私が軍部の手先になって、馬鹿な文章を書き残した、とも言ったわ」

「作家はみんな協力させられたんだから、仕方ないだろう」

「そうは言わなかった」

私は呟いた。気が付くと、やっと涙が流れていた。言われた内容に対して泣いたのではないことはわかっていた。一番好きな男が、私を根本から損ねていることに対する悲しみだった。そして、最後の別れに際して、思い遣《や》りのない振る舞いをされた失意の涙だった。

謙太郎は、私の涙に気付いたらしく、慌てて謝った。

「いや、言葉が足りなかった。謝るよ、許してくれ。いいかい、きみが悪いわけじゃない。すべて時代の要請だったんだよ。傷付けるつもりじゃなかった」

謙太郎は私の様子を窺《うかが》った。許される兆《きざ》しがないことを知ると、苛立《いらだ》ったように髪を掻きむしった。

「本当だ。傷付けるつもりなどなかった」

「そうかしら」私は首を傾《かし》げる。「もし、本当にそう思うのなら、私を責める言い方はしないでちょうだい。あなたの新聞社だって、作家をさんざん利用して、部数を伸ばしたじゃない。南京女流一番乗りの時は、私を南京に送って利用したでしょう。私は、かなりあなたの会社に貢献したはずよ。漢口作戦で吉屋さんを起用したのだって、吉屋さんが新聞小説で成功した人気作家だったからでしょう。人気作家が戦地ルポを書けば、部数が伸びると踏んだからよ。あなたも毎日新聞の社員で、その給料で家族を食べさせているんだから、私たち作家にだけ責任があるとは言わせないわ。それに、あなただって軍寄りの記事をたくさん書いたじゃない」

「今度は俺を責めるのか」

謙太郎は嘲笑《あざわら》うように言った。私は首を振った。

「責めてなんかいない。だって、私はあなたが嫌疑を受けているのを知っているから、心から心配したのよ。そうだ、あなたはこんな記事も書いた、こんな記事も書いている、だから大丈夫だ、と。だけど、あなたは私を傷付けた。私のことを、心の中ではそう思っていたんだと知って、私はすごく驚いているの。その驚きからまだ抜け出せてないのよ」

「俺があなたを裏切ったと思ってるんだね？」

まさしく、その通りだった。だが、私は答えなかった。煙草《たばこ》に火を点《つ》けて、深く吸い込む。頭がくらくらして、右目の奥に痛みが走った。偏頭痛の兆候だった。一度始まった偏頭痛はしつこく残って、しばらく悩まされるだろう、と私は憂鬱《ゆううつ》になるのだった。気分がどんどん沈んでいった。

作品は一切残らない。俺が断言する。軍部の手先。馬鹿な文章。その程度の作家。従卒に下着を洗わせて平気な女。

振り払っても振り払っても、謙太郎の言葉が蘇《よみがえ》る。その言葉は、最早、腸をぶちまけるような悪さはしない代わりに、裸足《はだし》で磯に入った時のように、あちこちに細かい疵《きず》をたくさん作った。小さな疵に、海水がしみて痛い。私は、思わず「いやっ」と声を上げた。

「どうしたの」

驚いた顔で謙太郎が見る。

「何でもないわ。もうお別れね。私たちも、これで底を打ったのよ。さよなら、謙さん」

私は顔を上げずに口早に言った。謙太郎が怒った声で答えた。

「芙美子、顔を上げろよ。別れを告げるのなら、俺の顔を見ながら言ってくれ」

それでも俯《うつむ》いていると、謙太郎が私の顎《あご》を手で無理やり掬《すく》った。やっと目が合う。

涙で滲《にじ》んだ私の目を、謙太郎が覗《のぞ》き込んだ。

「泣いてるの？」

「当たり前じゃない。最後にこんな深手を負わせないでちょうだい」

「この方が別れやすくなるよ。あなたは俺を憎むだろうから」

謙太郎は苦い顔で言う。

「そうね、その通りだわ。あなたにも手酷《てひど》い疵を負って貰いたいわ。私を一生憎むように。何よ、スパイの癖に。売国奴、非国民、狡《ずる》い男」

私が罵《ののし》ると、謙太郎は苦笑した。

「そうだ。俺はスパイだ、売国奴だ。俺みたいな非国民と付き合うと、作家先生の経歴に疵が付くよ」

「心にもないことを」

私は顔を背けた。私の顎を掬っている謙太郎の手に力が加わった。

「芙美子、よく見てくれよ。俺はスパイじゃない。ただの新聞記者だ。時代の真実を見たいだけだよ」

「私だって見たい。私だって時代の真実が見たいから書いてきたわ。ねえ、馬鹿《ばか》にしないでよ。あなた、自分が上だと思っているんじゃない」

「違うよ」謙太郎は首を振った。「俺はあなたが好きだよ。だから、誤解しないでくれ」

誤解などしていなかった。謙太郎との別れが遂《つい》に訪れたのだ。この喪失感が、いずれ自分を打ちのめすことはわかっていた。

しかし、同じ別れでも、私は謙太郎の真心を見失って、惑い続けている。謙太郎ハ、ソンナ風ニ思ッテイタンダ、と。

「これから、どうなさるの」

私は、相変わらず目だけ背けて尋ねた。

「社の命令に従う他ないよ。次はきっとジャカルタ支局とメダン支局に行く羽目になるだろう。きみもスマトラ島に行くんだろう？　だったら、また会えるかもしれないね。憲兵殿の取り持ちで」

謙太郎は嫌味を言うのを忘れなかった。やっと私の顎を持っていた手を離す。私は解き放たれて自由になったが、闇《やみ》の中で手を離されたような気がして、どこかうろたえているのだった。しかし、発した言葉は威勢がよかった。

「どんなに取り持たれても、あなたには、もう二度とお目にかからないわ」

「お目にかからない、か。急に丁寧な言葉になるんだな。きみの心が見えるよ。きみは僕の言葉に衝撃を受けたんだ。きっと内省したり、これまでに書いた物を自身で検証したりして過ごすんだろうね」

「そうよ、悪いかしら」

「悪くなんかない。きみは糞真面目《くそまじめ》だからね。今回も、宇野千代みたいに断ればいいものを、わざわざ病院船に乗って南方までやって来たんだものな」

「それが、私の仕事だからよ。軍の命令には従わねばならないという気持ちは確かにあったけれども、どこかに、戦争というものを見たい、真実を探りたいという純粋な気持ちもあったわ。作家の思いなんて、あなたにはわからないでしょうけれども。それに、書いて生活の糧《かて》を得たいとも思った。だって、書かなきゃ食べられないんですもの。書く場がなければ、私たちはたちまち飯の食い上げよ。そんな私たちと、部数を伸ばして儲《もう》けたい新聞と、どっちがどれだけ偉くて、どんな差があるのかなんてわからないわ。でも、私たちは署名原稿を書いている。だから、原稿に責任を負うのよ。一度書いたからには責任がある。私が軍のお先棒を担《かつ》いだとしても、それが間違いだったとしても、恥じてはいないわ。仕方がないことだったのよ。責めたいのなら責めるがいいわ。少なくとも、人を騙《だま》そうとして書いた物ではないんだから。これが本当の歴史的検証物になるのよ。私は、あなたを何としてでも助けようと思ったけれども、私の根本を非難する人なら、私もあなたなんか要らないわ。特高にでも憲兵にでも捕まって、拷問《ごうもん》でも受けるといいわ。一人で何とか凌《しの》いでください。どうせ、お酒ばっかり飲んでいるんだから、そんな根性もないでしょうけど」

私が一気に喋《しゃべ》ると、謙太郎が嘆息した。

「凌いでください、か。冷たいね。でも、その方があなたにも好都合だろう。なあ、元気で過ごしてくれ。もし、互いに無事に帰国できたら、そして、俺の疑惑が晴れていたら、また東京で一年に一度くらいは会おうよ」

「お断りよ。あなたに会うことはもうないでしょう。お願いだから、早く部屋を出て行ってちょうだい」

そんなことを言いながらも、すぐに謙太郎が恋しくなって、自分の言葉を後悔するのはわかっていた。

だが、謙太郎は今、本音を吐露したのだ。その本音は、私を殺すほどむごい。いっそ謙太郎が売国奴だったら、どんなにいいだろう。そしたら、もう二度と会うことはないのだから。私は苦しさのあまり、そんな卑劣なことまで考えるのだった。

「僕ら、もう終わりなんだろうか」

謙太郎が寂しそうな声を出した。

「すべて終わりだ、と言いだしたのは、あなたの方よ」

私は懸命に微笑《ほほえ》んで言った。

「そうだったかな」

謙太郎は首を傾げて、ぐずぐずしていた。いざとなれば、去るのが名残惜しそうだった。

「終わりって、何かの始まりだってよく言うけど、恋の終わりって何も始まらないわね。本物の虚無よ。何も残らないし、何も始まらない。無惨《むざん》な焼け跡よ」

私は独りごちた。しばし沈黙の後、謙太郎がドアの前に立って、振り向いた。

「じゃ、行くよ。元気で」

謙太郎がドアを開けると、その背後に濃い南国の闇と、卵の黄身のようにねっとりと黄色い満月が見えた。私は何も言わずに、両手で顔を覆《おお》った。謙太郎が戸口に立って、私を見つめているのはわかっていたが、私は手で覆い続けた。何も見たくなかった。

やがて、ドアの閉まる音がした。私は両手を外し、誰もいない部屋を眺めた。それから、再び両手に顔を埋《うず》めた。涙が溢《あふ》れたからだった。

翌朝早く、私は食堂に向かうために、回廊を歩いていた。酔いが少し残っていた。すると、回廊の先に、開襟シャツに半ズボンという軍装姿の男が立っていた。松本だった。清々《すがすが》しい朝の大気に、美しい光にそぐわない醜い男。

「先生、おはようございます」松本はわざとらしく、驚いてみせた。「あれ、どうなさったんです、先生。お顔が腫《は》れてますよ」

私は、松本を絞め殺してやりたいと思ったが、何食わぬ顔で答えた。

「あら、そうですかしら。夕べはね、しつこい蚊がいて、そこらじゅうをぶんぶん飛び回るんで、うるさくて眠れなかったのよ。そう言えば、その蚊はデブだったわ。人の血を吸って肥え太ったんですって」

松本は笑おうとしたが、怒りを抑えられなかった。たちまち、顔が紅潮した。私の側《そば》にやって来て、耳許《みみもと》に囁《ささや》く。

「先生、斎藤に何か言いましたね」

私は涼しい顔で首を振った。

「いいえ。どうして、そんなことを仰《おつしや》るの」

「斎藤は、朝早く発《た》ちました。社の命令を無視して勝手に出ました」

「あら、そう」

私は平静さを装《よそお》った。謙太郎と食堂で会ったらどうしようと思っていたから、むしろ、いない方が有難かった。だが、もうこの地にいないと知った途端、激しく落胆もしている。

「早朝、車を雇って、さっさと出ましたよ」

「陸路で？」

「マランか、その辺りに行くんでしょう」

松本のことだから、誰かに尾行させているのだろう。

「そう、勤勉なことね。昨日、原稿を渡したから、ゆっくりと読むつもりなんでしょう。私は原稿を渡してしまったから、もう会わなくて済むわ。うるさい催促もないし、ほっとしました」

私がさばさば言うと、松本は訝《いぶか》るように私を眺めていたが、何も言わずに踵《きびす》を返した。無礼な男だと思ったが、憑《つ》き物のように私に付き纏《まと》っていた何かが、たった今、落ちたのを感じた。

午後、私は野口を見舞いに、陸軍病院に行った。白い着物を着た野口は、白い蚊帳《かや》の中で文庫本を読んでいた。私が近付くと、慌《あわ》てて本を隠したが、表紙がちらりと見えた。『放浪記』だった。

「これは先生。今、先生のご本を読んでいるところです。いや、面白いですね」

「具合はどうなの」

私は野口の顔を見据えた。野口の鶏を思わせる顔は、高熱のために少し窶《やつ》れていた。憲兵の仲間。きっと、私と謙太郎の顚末《てんまつ》は、この男の耳にもすでに入っていることだろう。

野口は問いには答えず、真剣な顔で尖《とが》った顎《あご》を上げた。

「先生、『放浪記』は傑作です。私の女は目利《めき》きでした。これは後世に残る名著ですよ」

「ありがとう」

私は微笑んだ。うまい具合に涙は出なかった。

第六章　誕　生

I

昭和十八年九月三日

残暑。ヒグラシの声も聞こえなくなってほっとしたのも束《つか》の間《ま》、まるで身裡《みうち》の熱とでもいうべき炎暑がまたやってきた。

蒸し暑さに加え、朝刊で読んだ恐るべき記事が毒のように体内を巡って、不快でならなかった。一夜明けて、誰もがこの毒を体外に排出しようと躍起になっているに違いない。が、それは無理だった。日本じゅうが、戦争という怖《おそ》ろしい病に罹《かか》っているからだ。

記事とは、上野動物園で、空襲の際に逃げて危害を及ぼすのを怖れ、象を含む猛獣、毒蛇を殺したというものだ。とうとう、日本国民はこんな無益な殺生までするようになった。空襲を受けた時に動物たちへの処置を考えればいいではないか。しかも、象まで殺すとは。想像力のなさが、残酷な仕打ちを生むのだ。

謙太郎への嫌疑も同根だったのだろうか。米田源助によると、謙太郎は無事に帰国して社会部副部長になったそうだから、スパイの嫌疑は晴れないまでも、決定的証拠は摑《つか》まれなかったのだろう。

南方での嫌な思い出が蘇《よみがえ》り、私は息苦しくなった。謙太郎の刃《やいば》のような言葉、松本の暴虐《ぼうぎゃく》、野口の陰険。どこに憲兵の、特高の間諜《かんちょう》がいるかわからず、皆、口にかんぬきをかけて、疑心暗鬼で生きる日々だ。私は謙太郎との修羅場を経て後、まるで能面のようになって、後半の旅をやり過ごしたのだった。

スマトラ島では、再び窪川稲子らと会って旅行したが、窪川も私の変貌《へんぼう》に驚いたほどだった。

「林さん、あなた何かあったの」

「私、どこか変?」と、聞き返せば、窪川は言葉を選ぶ振りをしたまま、何も言わなかった。私は窪川に言われるまでもなく、生きる気力そのものを失っていたが、それでも軍部に揚げ足を取られまいと、意地で旅を続けたのだった。

その頃から体調は悪かった。煙草《たばこ》が不味《まず》く、酒を呑《の》むと悪酔いした。食べ物を口にすると、すぐに気分が悪くなってよく吐いた。食中《あた》りかと心配されたが、少し寝ていると治る。私は、気鬱《きうつ》が体に表れたのだと思って、やっとこさ帰国したのだが、まさか妊娠とは思いもしなかった。

午前中、淀橋区《よどばし》の婦人科病院で検診を受けた。

院長は女医で、古くからの知り合い。看護婦も顔馴染《なじ》みだから、私は約束通り、裏口から入れて貰《もら》って、順番を無視して診察を受けた。

待合室では大勢の女たちが診察を待っていた。退屈した幼児の泣き声や、幼児を叱《しか》る母親の喚《わめ》き声の中、こっそりと先に受診させて貰う申し訳なさに、私は密《ひそ》かに身を縮めた。

私は妊娠していた。予定日は十月十五日だという。逆算すれば、スラバヤに滞在していたあたりに授かったことになる。誰の子か、などと考えても意味はない。私は自分だけの子供を産むのだと決意した。南方への旅で授かった赤ん坊。それは、マルタプラのダイヤの原石のように、漂泊していて思いがけず手に入った、大事な大事な宝物なのだ。

しかし、ばれたらおしまい。私が妊娠していることも、南方で授かった子供であることも、すべては秘密にしなくてはならない。即《すなわ》ち、私の子だと誰にも知られずに密かに出産し、貰い子だと称して育てるのだ。私はそんな危ない橋を渡ろうとしていた。

「順調よ、ちゃんと育ってますよ」

院長が、私のお腹《なか》に手を置いて言った。ほっとする反面、つい不安も訴えてしまう。何度繰り返したかわからない、いつもの心配だ。

「先生、こんな歳《とし》で初産《ういざん》だなんて、大丈夫かしら」

六十歳を越えた院長は、マスクを外しながら笑った。検診の時に会うきりだが、このひと月で白髪が増え、一気に老婆《ろうば》になったようだった。

「大丈夫よ。意外と安産よ」

「意外と、ですか」

私が苦笑すると、院長は私の顔を真剣な表情で眺めた。

「あなたはあちこち歩いているから、足腰が丈夫なのよ。きっと出産にも耐えられますよ。ただ、血圧が高めだから、心臓や腎臓《じんぞう》に負担がかかるかもしれないね。怖い病気もあるから、どっか苦しくなったら、すぐに飛んで来なさいよ。それと、お酒も煙草もやめた方がいいわよ」

「わかってます」

酒や煙草を急にやめると緑敏に怪しまれると思って、量を控えているだけだった。緑敏は一緒に住んでいるが、寝室も別だし、始終、アトリエにいるから日がな一日会わないことも多い。信州の実家に帰るのも度々だった。

私も仕事が忙しい時は、書斎に籠《こ》もってしまうから、同じ家にいるのに、一週間くらい顔を見ないこともあった。だから、私の体の変調はまったく気付かれていなかった。

ただ一人、勘のいい絵馬ちゃんには、「少しお太りになった？　それとも、お腹に赤ちゃんでもいるのかな」と冗談めかして言われたことがあった。が、絵馬ちゃんを遠ざければいいのだから、何とか誤魔化せそうだった。

いずれ母には打ち明けたかった。一人くらいは事情を知っておいて貰わないと、切り抜けられそうもない。いや、本当は、たった一人でもいいから、味方が欲しかった。そして、初めての妊娠を祝福されたいのだった。私は、そのくらい孤独だった。

「お産の時は、三、四日の入院で大丈夫でしょう。例の産院には話を通しておきましたよ」

「ありがとうございます」

私は院長に礼を言った。近所の産院の産婆と、手筈《てはず》はすでに決めてあった。産気づいたら、すぐにこの病院で赤ん坊を産み、赤ん坊は近くの産院から貰って来たことにして連れ帰るのだ。

産婆は、こういうことには慣れていると見えて、口が堅そうだった。生まれてくる子は、出征した男と、行儀見習いの若い女の間に出来た子、ということにしよう、と産婆とはすでに口裏を合わせた。

「林さん、余計なことだけど、あちらには、あなたが産むことを黙っていいの？生まれてくる子は私生児になるのよ」

院長は看護婦の目を盗んで、私に囁《ささや》いた。緑敏の子ではないことだけは伝えてあった。

「私生児というより、孤児になるのです」

私は院長にだけ聞こえる、小さな声できっぱり言った。

院長は驚いた顔をした。言外に、それでは可哀相《かわいそう》ではないか、考え直せ、と匂《にお》わせている。院長には、産婆との話の内容は詳しく伝えていなかった。

わかっていた。子供は可哀相だ。しかし、緑敏の子でない以上、そして私が、軍部の覚え目出度《めでた》い作家である以上、吾子《あこ》には孤児という衣を纏《まと》って生きて貰わねばならない。産みの親と一緒に生きていくというのに、何という酷《むご》い運命を背負わせるのだろう。吾子への申し訳なさで、私はつい涙ぐみそうになった。

古参の看護婦も、何か事情があるのだろうと察して、俯《うつむ》いている。

「年末までには、今よりもっと食べ物が手に入りにくくなるらしいわ。子育ては大仕事になるわね」

院長が、カルテに記入しながら呟《つぶや》いたが、子育てと言われても、まだ実感がなかった。

私は着物を直しながら、窓から空を見た。抜けるような青空が広がっている。子供なら、今夏最後の海に行きたいと言うかもしれない。だが、戦況は思わしくなく、日本国じゅうに重苦しい空気が立ち込めていた。

「いずれは本土もやられるんでしょうね。怖いわね」

院長は、口に出しては言わなかったが、動物園の動物たちの運命を聞いて、誰もが覚悟を決めているのだった。

「そうだと思います」

「これは、ここだけの話よ。あなたは外国も知ってるから聞くけど、アメリカとかイギリスとかは、日本と全然国力が違うんでしょう。あなたもやはりそう思う?」

院長は、真剣な顔で私を見遣《みや》った。私は黙って頷《うなず》いた。

「そうよね。でも、そんな中、あなたは子供を産むんだから偉いわ」

偉いだろうか。私は暗い笑みを浮かべる。妊娠に気付いたのが、帰国直後だったのだから、どうにもできなかったのだ。

美川きよが、昨年、博文館から蒙古《もうこ》に派遣される途中、北京《ペキン》で変調を感じ、このままでは死んでしまうと軍の病院で堕《おろ》してしまった、と聞いたことがあった。

その時は何と思い切ったことをするのだろう、と呆《あき》れたが、今はその心境がわかるのだった。いずれ負ける戦《いくさ》の最中、人間を一人産み落とすには、大きな決意が必要だった。死がすぐ隣にあるからだ。それでも、新しい命に賭《か》ける気持ちがある。それは何だろうと私は腹部を押さえた。

診察料を払って外に出たところ、後ろから声がかかった。

「林さん、林さん」

振り返ると、院長が白衣のボタンを外しながら追いかけて来た。驚いて立ち止まる。院長は、白衣をすっかり脱いでしまって、くるくると器用に丸めた。中は白い綿のブラウスと黒っぽいスカート、という質素な姿だった。

「どうしたんです」

「ちょっと日陰に入りましょう」

院長は、私の腕を取って乾物屋の軒下に入った。乾物の匂いはすれども商品はほとんどなく、ワカメやヒジキの袋が少量あるだけだった。これらもすべて配給になるのか、と私は悲しい思いで眺めている。

「ごめんなさいね、呼び止めて」院長は、老眼鏡の中の目玉をさらに大きくして私の目を見つめた。「あなたに言うのを忘れたから、ひと言言っておこうと思って。私、あなたのお産が終わったら、子供や孫たちと田舎に移るつもりなの。そろそろ東京も危ないと言うでしょう。あなたもそうでしょう」

特に決めていなかったから、ぼんやりした。私たちも移住となれば、緑敏の実家がある信州だろう。

「だから、というわけじゃないけど、赤ちゃんが産まれてから、あまりお役に立てないんじゃないかと思って心配なの。それでね、相手の人に伝えた方がいいと思うの。そう、子供の父親の方。あなたにどんな事情があるかはわからないわ。看護婦の手前、もう一度確かめられなかったけども、ご主人ではないのよね？」

「そうです」

「私生児でもなく、孤児と仰《おつしや》ったから、とても気になったの」

すみません、と私は誰にともなく謝った。生まれてくる吾子にかもしれない。

「悪いこと言わないから、相手の人にも話した方がいいわよ。認知はしなくてもいいけど、認識はして貰《もら》った方がいいわ。そんな意地だけで子供を産むと、あなただっていつ死ぬかわからないんだから、永遠に子供は父親、いや母親さえもわからないことになるわよ。いいの？ そんな風に、子供の運命を決めてしまって」

私より二十歳は年長の院長は、熱を籠めて、私を責めた。

「複雑なことがあるんです」

院長はふっと笑った。

「そうよね。あなたは流行作家だから、大騒ぎになってしまう」

「そういうことではないのです」

一人で子供を産むことが、こんなに大変だとは思わなかった。

「先生の田舎はどこですか」

「青森よ」

「それではなかなかお会いできなくなりますね」

「そう。だけど、あなたが無事に出産するまでは、私が責任を持って診ますよ。あなたも子供に責任を持たなければ」

私は無言だった。が、ふと私がこうして手記を書いておくことが、子供への責任を果たすことになるかもしれないとも思った。

するとと、院長が思いきったように言う。

「これは杞憂《きゆう》だと思うから、あまり気にしないで聞いてちょうだい。あなたの歳《とし》になってての出産は、やはり命を縮めるかもしれないわ。あなた、血圧高いし、心臓もよくないでしょう。とても心配しています」

「でも、産みます」

還暦過ぎの院長は、私の肩に手を置いて頷いた。

院長の言葉は胸に沁《し》みた。私が死ねば、吾子に真実を伝える者は永遠にいなくなるということだ。

暑い中、汗びっしょりになって歩いていると、昨年の八月、交換船で帰って来た謙太郎を訪ねて、豪徳寺を彷徨《さまよ》ったことを思い出した。一年後、私が重い腹を抱えているとは誰が想像しただろうか。滑稽《こっけい》な自分が可笑《おか》しくなった。

自宅に戻って来ると、家の中はしんと静まり返っていた。私は母の居室を覗《のぞ》いた。

「まるで真夏に逆戻りじゃ。この暑いのに、どこへ行ってた」

阿波縮《あわちぢみ》のたてしぼのあっぱっぱを着た母は畳の上に寝転んでいた。

「緑さんは？」

母は答えず、何の関心もなさそうに、団扇《うちわ》をゆっくり使っている。

私は改めて母の前に座った。母は顔だけを巡らせて、私の目をみてから、全身を眺めた。

「あんたの顔、最近険しくないか？」

「お母さん、驚かないで。あたし、子供出来たのよ」

思い切って言うと、母は細い肩を竦《すく》めた。

「緑さんのじゃなかろう？」

私が頷くと、母は涼しい顔で言うのだった。

「相手はどんな男さんじゃ」

「ジャーナリスト」

思わず、口からこんな言葉が出た。

「何だ、敵性語なんか言って」と、母は嫌な顔をする。ジャーナリストという言葉の意味がわからないのだ。「で、どうするんだ」

母はやっと起き上がって、煙管《きせる》を持った。私は、まったく動じない母の態度に勇気づけられて、思っていることを喋《しゃべ》った。

「貰い子したことにして育てるよ。ともかく、私がお産したことだけは絶対にばれないようにしたいの」

「お前は太ってるから、臨月になったってわからんよ」

私は笑い、母の前に置いてある麦茶をひと口飲んだ。

麦茶は薄くて温《ぬる》かった。子供の頃、雁木《がんぎ》で遊び疲れて帰り、間借りした家の暗がりで飲んだ時の味がした。もっと冷たくて濃かったら、どんなにか美味《うま》いだろう、という渇望《かつぼう》の味である。

子供の私は、自分が求めているものを、母はどうして気付いてくれないのだろう、というもどかしさを常に抱いていた。そして、私はそのもどかしさを決して口にしない子供だったのだ。

母は七十歳を過ぎても、ほとんど変わりない美貌《びぼう》を保っていた。色白で、細い鼻筋が通り、お雛様《ひなさま》のようにちんまりと可愛《かわい》い顔をしている。団子鼻の私とは似ても似つかない。

「私、石女《うまずめ》かと思っていた。意外だったな」

「ほっとしただろう」

「ほっとしたけど煩《わずら》わしくもある。女って、何か複雑だね」

母は、あははと笑った。

「お母さん、子供を産むってどんな感じなの」

思い切って聞いたが、母は団扇の骨を細い指でなぞるだけで、何も言わなかった。

「ねえ、私の兄弟は、いったい何人いるの」

母は、団扇の骨を、ひい、ふう、みい、よう、いつ、むう、なな、と数えてから、顔を上げた。

「ヒミツ」

母は、自分が何人産んだか、私にさえもはっきり言ったことがない。所在がわかって付き合いがあるのは、鹿児島にいる異父姉のシズのみ。他所《よそ》に、男の子が二人いるのは母も認めているが、私には彼らの名前も住所も明かさなかった。さらに、男の子があと二人いる、という噂《うわさ》もあった。もし、その噂が本当なら、私には、父親の違う姉や兄や弟が、五人はいることになる。

以前にも何度か、他の兄弟について母に聞いたことがあった。だが、母は、誰の子供をどこで何人産んだか、そして、その子供たちはどうなったか、については、一切口を開かなかった。

母は流れ歩いていた女だ。一カ所に腰を落ち着けて、同じ男の子供を複数産むことなど、できなかったはずである。身籠《みごも》れば、野良猫《のらねこ》のように追い出されたり、その土地にいられなくなったり、たとえ留まっても、男の籍になど到底入れて貰えなかったはずだからだ。

漂泊の理由は、年取っても衰えない、この美貌にあるのではないか。私は母の顔に見入った。母は汗ひとつかかないつるりとした顔に、団扇で風を送り続けている。広い額に少しかかった毛が、団扇の風に靡《なび》いている。その髪も、最近ではようよう白くなり始めたけれども、六十代までは真っ黒で、二十歳は若く見えた。

「お母さんはお化けだね」私は思わず口にする。「私は全然敵《かな》わない」

「親娘《おやこ》で勝負か」

母はとぼけた顔をした。

「ねえ、秘密って言ったけど、私の兄弟なんだから、何人産んだか、教えてくれたっていいじゃない」

「あんただって、相手の男さんのことはヒミツにするじゃろ？」

「そうだけど、それとこれとは違うでしょう」

「違わんよ。父親のことは、自分だけのヒミツにして、墓場まで持っていきなさい」

「子供が可哀相じゃない？」

「それは子供の考えじゃろ」母は断じた。「親は違うもん。あんた、子供はええよ。時々、あんたみたいなええ子が生まれて、うちに楽させてくれるもん」

「自分勝手だねえ」

私は呆れて見せたが、母とそんな他愛のない話をしているうちに、何とも心が伸びやかになってくるのだった。肚《はら》が据わった。

「お母さんは何回お産した」

「忘れた」

母は、家の北側のどこからか吹いてくる微風のように笑った。この家は、どんなに暑い時でも、畳に横たわってじっとしていると、微《かす》かな北風が涼しい。

「子供が出来たと気付いた時は、どう思ったの」

急に腹が重くなって、私は畳に横たわった。母が団扇でゆっくりと扇《あお》いでくれた。四十歳近い中年女であるのに、私は子供の頃に戻ったつもりになって、団扇の風を顔に受けた。そのまま寝入ってしまいそうなほど、心地よかった。

「うちが決めるこつじゃないけん、どうというこつもないな」

母がのんびり答える。

「じゃ、誰が決めるとよ」

つい、私もどこの地方かわからない方言を喋った。

「さあ、人間がどうこうできるこつじゃなかもん」

母は澄まして微笑《ほほえ》む。

「なるほどねえ。すべて神のお導きって言うもんね。ねえ、お母さん、私、もうじき臨月になるんだってさ。あとひと月ちょっとで、赤ちゃんが出て来ちゃうんだよ」

私はさすがにせり出てきた下腹をさすった。そっと撫《な》でさすると、腹の中で子供がぞくりと動くのだった。恥骨の上に、胎児の固い部分が横になって当たっていた。背中か頭部だろうか。いずれにしても、胎児の固い骨が感じられて、ここに生き物がいる、と信じられた。

南方で授かった子供が、私の中に生きて育って、もうじき私に会いにくるのだ。何て可愛いんだろう。何て子供っていいんだろう。私はしばらく腹を撫で回していた。

「あんたは私に似て、腹が目立たん質《たち》じゃからよかったな、ばれんで」

母は扇ぎながら、顔色ひとつ変えずに言った。

「背徳的な母親を持つと、こういう娘になるんだ」

「何言うとる。あんだけ子供が欲しい欲しい言うて大騒ぎしてきたんじゃけん、出来てよかったやないの。贅沢《ぜいたく》言いなさんな」

母が団扇の手を止めて言う。

「それはそうだ。ほんとに石女じゃなかった」

私は大きく頷《うなず》いて笑った。

「芙美子、相手が引き取らん子供はしめたもんじゃ。自分だけのもんにすりゃええんじゃけ」

「そうか」

私は憂《う》さや不安も忘れ、すっかり楽しい気持ちになっていた。終わりは始まり。女だけの秘密である。それにしても、子供は、男か女か。いったい、どんな顔をして生まれてくるのだろう。私に似ているだろうか。

誰にも言わず、自分だけの子供として育てよう。育てられる。そう思ったら、嬉《うれ》しくなった。これまで、竹林絵馬ちゃんを養女に欲しいと、絵馬ちゃんの父親にねだって激怒されたり、こっそり乳児院を視察して、どの赤ん坊にしようかと選んだりしていたのに、私はとうとう自分の本物の赤ん坊を手に入れることに成功したのだ。

「本当に女は罪深いね」

私が呟《つぶや》くと、母は楽しそうに高い声で笑うのだった。

「何が可笑《おか》しいの」

緑敏の声がしたので、私は寝転がったまま、見上げた。白いランニングシャツにステテコ姿の夫が、茹《ゆ》でた唐黍《とうきび》を盛った皿を手にしたまま、母の部屋を覗《のぞ》いていた。

「あら、唐黍」

私は腹を手で隠しながら、よっこらしょと起き上がる。小ぶりの唐黍が二本。塩が振ってあった。

「それ、どうしたの」

「さっき坂上君が田舎から持って来たんだよ。だから、茹でさせた」

坂上とは、緑敏の故郷である信州から来ている早稲田《わせだ》の書生だった。

「お母さんも食べる？」

「歯が悪いから要らん」

母はそう言って、また畳に横たわった。最初から唐黍は二本しかないから、緑敏もそのつもりだったのだろう。緑敏には、気を回し過ぎて不興を買うところがあった。そこだけは私に似ていた。

「じゃ、茶の間で食うか」

緑敏に誘われ、移動する。卓袱台《ちゃぶだい》の上には、茶の用意がしてあった。私は膝《ひざ》を崩して唐黍を取り、かぶりついた。固く甘い粒が歯に挟まる。

「芙美子は最近、嗜好《しこう》が変わった」

緑敏が、私の方を見ずに言った。

「どんな風に変わったの」

「西瓜《すいか》が好きになったね」

そう言えば、妊娠してから、やたらと甘くて冷たい物が食べたくて仕方がない。先ほど、麦茶が温《ぬる》いと感じたのも、味がないと思ったのも、そのせいかもしれなかった。

「だって、暑いんだもの。昭南で食べたアイスクリームが忘れられないわ。あんな美《お》味《い》しい物はこの世にないわね」

「戦時中なのに、不謹慎だ」

緑敏は怒った口調で言う。何か知っているのだろうかとどきっとする。が、素知らぬ顔をした。

「坂上君のことだけど、そろそろ学生も徴集されるらしいって噂だ。坂上君も覚悟を決めたんだろうな。だから、田舎に帰ってたんだろう」

私は驚いて夫の顔を見た。夫は嘆息した。その時、夫の首の辺りから、老人の臭《にお》いが漂った。私は驚いて、唐黍を齧《かじ》るのをやめた。初めてだった。私には老人の臭いを放つ夫がいる。なのに、私はじきに初産《ういざん》を迎えるのだ。私はそっと荒い息を吐いた。

「戦局が悪化してるんだ。兵士が足りないんだよ。どんどん死んでるんだろうね。アッツ島玉砕あたりから、傾いてるね」

毎日、新聞をせっせと読んでは戦況を論じるのが好きな緑敏は、何か言いたそうに唇を尖《とが》らせた。

「坂上さんもせっかく早稲田の学生になったのに、可哀相《かわいそう》だこと。戦地によっては、帰れるかどうかわかりませんものね」

坂上は、私が南方に行ってる間に緑敏が呼んだ書生だったから、あまり親しくない。口では可哀相と言いながら、どこか他人事《ひとごと》だったらしい。緑敏が詰《なじ》るように私を見た。その視線の強さにどぎまぎして、私は唐黍に目を落とす。

「東京もそろそろ危ないと聞いたわ」

「誰が言った？」

間髪を容《い》れずに緑敏が聞き返したので、私は返答に詰まった。婦人科病院の女性院長の言葉だった。

「みんな言ってる」と、誤魔化す。「田舎に逃げた方がいいって」

「芙美子も、お母さんを連れて、どこかに逃げるかい？」

「そうね。この家を守りたいけど、そうもいかないでしょうね」

私が天井を見上げると、緑敏がのんびり言った。

「俺が守るから、芙美子は信州に行くといいよ」

「あなたの実家じゃ、気詰まりよ。母も行くんだし」

本当は子供のことを考えているのだが、まだ言えない。

「坂上君の親戚《しんせき》がいる上田辺りに家があるそうだ」

「冬は寒いんでしょうね」

「そりゃそうだよ」

緑敏は、楊子《ようじ》で歯をせせりながら言った。

「唐黍はあるだろうけど」

「夏だけさ」緑敏は、腕に止まった蚊を叩《たた》いた。「冬はきついよ」

戦地にいるばかりが、戦争ではない。動物園の動物が殺されるのも、坂上が学業半ばで出征するのも、私と母が信州に逃げるのも、食べ物がなくなって統制されるのも、すべて戦争の姿なのだった。

もうじき子供を貰《もら》うつもりだ、と緑敏に言っておきたかったが、どこの子だ、とか、こんな時局にどうして、などと詰問《きつもん》されるのが嫌で黙っていた。なるようになるさ。

私は、力を籠《こ》めて唐黍の芯《しん》を折った。

夕方、葉書を二枚書いたので、近くのポストに出しに行った。いつもなら女中に頼むのだが、腹が大きくなった途端に出不精になったので、運動のつもりである。

近頃は、紙の配給も滞り、出版も困難になりつつあった。南方から帰って来た当初は、捌《さば》けないほどきた原稿依頼も、このところ急速になくなっている。

このままでは飯の食い上げ、と作家も必死だ。しかし、雑誌や新聞がどんどん薄くなり、原稿を書いても掲載する場がない。

これも戦争の姿なのだ。私は、自分も加担したかもしれない、この長い戦の姿を、やっとこさ見直し始める気持ちになっていた。

坂を下りて妙正寺川の方向に少し歩いた時、名前を呼ばれた。懐《なつ》かしい声だった。

「林さん」

振り返ると、謙太郎が立っていた。白い開襟《かいきん》シャツに、国民服のズボン、戦闘帽という姿だった。南方と違い、粗末な身形《みなり》だった。

「あら、斎藤さん」

私はそう言ったきり、言葉もない。スラバヤの大和ホテルで喧嘩《けんか》別れをして以来だった。

「近くに用事があったので、もしやお会いできるのではないかと、ここらをうろうろしてました。よかった、会えて。お元気でしたか？」

謙太郎は心から嬉しそうに眉《まゆ》を開いた。まるで、修羅の夜などなかったかのような喜びようだった。

「ええ、お蔭様《かげさま》で元気にしております。あちらでは大変にお世話になりまして、ありがとうございました。あの後、スマトラとマニラや上海《シャンハイ》も回って、朝日機で五月九日に帰国しましたの。あなたはどうなさいました」

私が丁寧に返したので、やや拍子抜けしたのか、謙太郎は戸惑ったように数歩後退《あとじさ》った。

「僕は、ジャカルタとメダン、昭南を回って、毎日の飛行機で帰って来ることができました。南方ではいろいろありましたが、もう大丈夫そうです。どうぞ、ご心配なく」

スパイの嫌疑のことだろうか。しかし、なぜ謙太郎は、私に酷《ひど》い言葉を投げかけたことについて、ひと言も謝罪しないのだろう。

「それはよかったですわね」

私は気が抜けたまま言葉を放ったが、「はい」と、謙太郎は素直に頷《うなず》くのだった。

私は初めて見る人のように謙太郎の顔を見た。実際、初めて会う男のような気がした。

「しかし、林さん。仕事がなくて、あれでしょう？」

心配そうだが、謙太郎の言い方は下卑《げび》て聞こえた。私は苦笑する。

「そう、あれなんですよ。でも、やることもあるし」

「少し肥えられましたかね？」

「やること」については聞かず、謙太郎は楽しげな表情になった。

「はい、お蔭様で。東京の水が一番美味しゅうございます。ところで、斎藤さん、あのダイヤですけど」

「ダイヤ？」と首を傾《かし》げた後、謙太郎は思い出したのか、私の顔を眩《まぶ》しそうに見遣《みや》った。「バンジェルのダイヤ。勿論《もちろん》、覚えてますよ」

「あのダイヤは、もうじき指輪にしますから」

「どうぞ。あなたの物ですから」

面食らった顔で謙太郎が言った。

「ありがとうございました」

私は深々と礼をした。

十月十五日が出産予定日である。それから五日が過ぎた。初産《ういざん》は遅れるとは言うけれど、この子は戦が終わるまで出たがらないのかもしれない。母とそんな冗談を言い交わすほど、兆《きざ》しは何もなかった。

2

予定日の頃、緑敏には、信州で、私や母が滞在できる家を探してくれるよう、頼んだ。

緑敏が何の疑念も持たずに、私の要望を受け入れて信州に向かったのは、予想通り、書生の坂上が、徴集されることに決まったからだった。

早稲田の学生である坂上は、「最後の早慶戦」を観戦した後、別れを告げに、再度帰郷した。緑敏も、上田で開かれる坂上の壮行会に出席するために、付き添う形になったのだった。緑敏は、ついでに家を探すと言う。

勿論、緑敏が一緒にいても、私は自分が出産したと片鱗《へんりん》も気付かせない自信はあった。

だが、緑敏は、私が妊娠しているとは思ってもいないのだから。母は案じていた。

「お産の後はなかなか動けんよ。覚悟しなさい」

「自分はまるで犬みたいに軽いお産したのに、私にはそう言って脅すんだね」

むくれる私に、母は肩を竦《すく》める。

「あたしは、何度もお産したけど、さすがにあんたの歳《とし》でお産なんかせんもん」

その通りだった。私はもう中年女で、しかも初産。産むにはぎりぎりだった。婦人科病院の女性院長の言う通り、命と引き替えの所業、と言われても仕方がない。私は、自分が命を失ったり病を得たり、大きな痛手を負うことに戦《おのの》いてはいたが、覚悟はあった。時間が経《た》つにつれて、腹が重くなるに従って、自分の子供を持つことが楽しみになった。

十月二十日、緑敏は、思うような家が見付からないと、まだ信州に残っていた。だが、坂上は父親と上京して、私のところに挨拶《あいさつ》に来た。翌日、神宮外苑《がいえん》陸上競技場の出陣学徒壮行会に出席するためだった。

学生服姿も凜々《りり》しく、きちんと早稲田の角帽を被《かぶ》っている坂上は、上田温泉で旅館を経営している家の長男である。父親は、いかにも帳場で算盤《そろばん》を弾《はじ》いていそうな如才ない男だったが、跡取り息子の出征に打ちひしがれている様子だった。

「先生には大変お世話になりまして、ありがとうございます。坂上勝男、お国のために戦って参ります」

坂上が甲高い声で別れを告げた。部屋の隅で、いつもなら隠居然としている私の母も、ちんまり座って項垂《うなだ》れている。

私は南方から帰国した直後、坂上が行儀を知らない、と始終怒ってばかりいた。竹林絵馬ちゃんと坂上の結婚を画策したこともあって、その時は、恥ずかしがり屋の坂上がもどかしかった。しかし、まだ学生の坂上たちが戦場に赴くということは、いよいよ日本が総力戦に入ることでもあった。兵隊の数が足りずに、日本の若い男は軒並み、戦地にやられるのだ。私はさすがに万感胸に迫り、涙ぐんだ。

「ご苦労様でございます。言ってはならないことかもしれませんが、若い人の命は惜しいです。何卒《なにとぞ》、無事のお帰りをお祈りしております。お帰りになったら、またうちにいらしてくださいね」

私が頭を下げると、父親も無言で礼をした。しばらく経って上げた顔には、折角、早稲田に入れたのに、と悔しさが滲《にじ》み出ている。だが、国を挙げての戦争ならば、どうにもならないのだった。悔しさが消えて、父親は急に虚《うつ》ろな目をした。

自分に子がなければ、父親の心境など想像もできなかったに違いない。私は、自分が子を作り、人の親になることが誇らしかった。

二人が帰った後、私は突然、破水した。立ち上がろうとした刹那《せつな》、ぱちんと何かが弾ける音がして、まるで小水を洩《も》らしたかのように、そこらじゅう水浸しになったのだ。私は慌《あわ》てて母を呼んだ。

「お母さん、水が出た」

「破水したんじゃろ」

母は、水浸しになった畳に目を遣った。

「じゃ、早く病院に行かなきゃ。行ってくるよ」

「暢気《のんき》なもんじゃのう」

「暢気なのは、お母さんの方じゃないか。ああ、どうしよう」

うろたえる私をよそに、母は熱心に雑巾《ぞうきん》で畳を拭《ふ》き始めた。私はかねてから用意していた鞄《かばん》を抱え、車を呼び、一人で病院に向かったのだった。

吾子《あこ》が生まれたのは、翌日の十月二十一日、壮行会の最中だった。土砂降りの朝、この世に生を受けたのは、戦の世に相応《ふさわ》しい男の子だった。小さな猿にしか見えない赤子は、人間としての始まりを、母親に抱きとめられて満足そうだ。では、この子の生の終わりは、誰に抱かれて、誰に看取《みと》られるのだろう。一人の人間が赤子として生まれ、老人へと変化していく様を想像し、私は不思議な感懐に打たれた。とうとう、母親になることができた。原初的としか言いようのない喜びがいくらでも湧《わ》いて出て、私は母親らしい、穏やかな微笑《ほほえ》みを浮かべることができた。しかし、乳はまったく出なかった。

院長が病室に入って来て、赤ん坊に笑いかけた。

「何て健気《けなげ》ないい子なんでしょう。あなたは、お母さんに負担かけまいと思って生まれてきたのね」

「小さかったですものね」

息子は二千六百十四グラム。三キロもない小さな肉塊が、謙太郎のような背の高い男になるのだろうか。野口のように首の長い男になるのか。松本のように厳《いか》つい男になるのか。不思議だ。だが、私は無事に子供を産むことができて、満足だった。

「林さん、名前は決めたの？」

私は、「命名　晋《しん》」と、名前を大書した半紙を見せた。

「女の子だったら晋子《しんこ》で、男の子だったら晋。左右対称の漢字を選んだんです」

「そう言えば、あなたも林芙美子さんですものね。左右対称だわ」

「はい、据わりがいいでしょう」

私は晋に頬ずりした。赤ん坊の皮膚は肌理《きめ》が細かくて美しく、いつまで見てても、どれだけ触っても、飽きるということがなかった。

数日間は入院した方がいい、という院長の勧めを断り、私はたったひと晩だけ、病院で過ごした。翌日には、緑敏が戻って来る。

吾子は隣のベッドで眠っている。時折、息をしているか心配で、何度も小さな口に耳を付けて確かめた。母乳は出ないから、母親らしい役目は襁褓《むつき》を替えることぐらいしかない。だが、これからは、物資のない世で、子供のミルクを心配しなくてはならなかった。私は、これが最後、と乳首をくわえさせて、出ない乳を必死に吸おうとする子供の焦《あせ》りを上から眺めていた。生きて、生きて、と囁《ささや》きながら。

何食わぬ顔で家に戻ると、緑敏が帰っていた。大量の野菜を担《かつ》いで帰って来た緑敏は、窶《やつ》れた表情で、庭の青柿を眺めている。

「坂上君は可哀相《かわいそう》になあ」と呟《つぶや》く。「親御さんも、兵隊に取られないように、早稲田にまで入れたのに」

「いったいどこにやられるんでしょうね。大学生だから、おおかた下士官になるんでしょう」

「突然、下士官なんかになって、苛《いじ》められやせんかな」

緑敏は、まるで我が子のごとく心配そうだ。私は思い切って言った。

「ねえ、緑さん。あたし、赤ん坊貰《もら》うことにしたよ」

「赤ん坊？　それまたどうして」

果たして、緑敏は驚いた顔をして振り返った。

「知り合いの知り合いがね、赤ん坊を産むらしいのよ。ちょっとわけありで育てられないって言うから、私が育ててやろうと思ってさ」

「よしなさいよ」

緑敏は、私の前で煙草《たばこ》に火を点《つ》けた。私は緑敏にばれないように、紫煙を避けた。

「どうして。いいじゃない。緑さんだって、私が養子を欲しがっていたの、知ってるじゃないか」

「それは知ってるが、何で今時貰うんだよ。学生までが出征する世の中なんだよ。今に、若い男がみんな死んでしまって、女まで戦う国になってしまうかもしれない。そんな国なのに、今さら赤ん坊なんて、苦労するだけじゃないか」

「でも、私は子供が出来なかったでしょう。一度は育ててみたいのよ」

「犬や猫じゃあるまいし。子供を育てるのは、そんな簡単なことじゃないよ」

緑敏は呆《あき》れた風に言った。そして縁から下駄《げた》を履いて、庭に出て行ってしまった。

固い背中に峻拒《しゅんきょ》を感じたが、私も退《ひ》けない。

五日後、私は病院に、貰い子として、晋を受け取りに行った。産婆《さんば》がかねての打ち合わせ通り、手続きもすべて済ませてくれていて、晋は、母親も父親もわからない孤児として生まれてきたことになっていた。

五日会わないうちに、晋は顔の赤みが消えて、赤ん坊らしい顔になっていた。眉《まゆ》が開いて、目が細いのは誰に似ているのだろうか。会ったことがなくても、係累《けいるい》に繋《つな》がる男たちの顔が想像できて、私には濃い血の繋がりが感じられるのだった。

「では、林さん、お元気でね。私は当分、東京には戻りません」

院長も、東京帝大文学部に通っている甥《おい》を出征させることになる。神宮での壮行会は、私のお産のせいで、行けなかったのだ。院長は見るからに憔悴《しょうすい》していた。

「戦争って、別ればかりですわね」

「そうね」

院長は切ない顔をして、晋の頰を撫《な》でた。

慣れない腕に赤子を抱いて、おずおずと街を歩く私に、道行く人々は、何ともどかしい視線を投げつける。「未来ナド、ナイヨ」とでも言いたげな。

「子供を貰って来ましたよ」

私は緑敏に晋を見せた。

「本当に貰って来たのか。芙美子、どこから貰ったんだ。誰の子だ」

緑敏は、私の顔を見遣《みや》った。

「乳児院からよ。この子のお父さんは出征兵士で、お母さんは行儀見習いをしている立派な女の人だそうよ」

告げた途端、緑敏が身を固くして、私と晋の顔を交互に眺めた。嘘《うそ》を見破られたかと焦ったが、私は何食わぬ顔で、晋をきつく抱き締める。晋は薄い瞼《まぶた》を閉じて、ずっと眠っていた。

「芙美子は、自分が欲しいから勝手に赤ん坊なんか貰って来るが、この先、どうするつもりなんだ」

緑敏の言葉の端に微《かす》かな怒りがあるのを、気付かぬ振りをする。

「どうするつもりって、育てるだけですよ」

「犬や猫と違うのは、金がかかるということだよ」

いつもは大声すらも出さない夫なのに、珍しく額に青筋を立てて声を尖《とが》らせた。

「わかってますよ。私の稼いだお金をかけて、大事に育ててますよ」

「どこの馬の骨かわからない奴《やつ》の子でもできるのかい？ それも、この子が大きくなるまでずっとだよ」

馬の骨ではない。だが、晋にはどこの誰かわからない男女の子供、という出自の謎《なぞ》が付き纏《まと》うのだ。私の胸はきりりと痛んだ。吾子に酷《むご》い運命を背負わせた責任からだった。しかし、もうどうにもできないのだった。ばれたらおしまい、なのだ。

「れっきとした家の子なのよ。ただ、事情があって、他人様《ひとさま》には言えないだけなんですよ」

「じゃ、その子が大きくなった時、『れっき』としてても、『事情』があって言えない理由を、この子が納得いくように説明しなければならない時期が必ずくるよ。人間なんだから、当たり前だ。芙美子は、その時どうするんだ。芙美子はそのことを安易に考えていると思う。違うか？」

言葉がなかった。自分の子だと言えないのは、緑敏を裏切ったせいでもある。そして、私が決意したからでもある。すべての矛盾や問題を、晋一人に背負わせた気がして、私は涙を溢《あふ》れさせた。

「泣くなよ、芙美子。責めてるんじゃないんだ」

緑敏は貧乏揺すりをした。

「わかってる。責められてはいないんでしょうけど、なぜか涙が出るの」

私は小さな晋を胸に抱いたまま、その頰に、涙をぽたぽたと落としていた。

私が貰い子をしたという噂《うわさ》は、瞬《また》く間に広まったらしい。やがて、いろんな人が晋を見にやって来た。真っ先に来たのは竹林絵馬ちゃんだった。最近は、絵馬ちゃんとは巧妙に会わないようにしていたから、寂しかったらしい。

「おば様、お元気でしたか」

絵馬ちゃんは抱き付くようにした。晋を産んだ後の私は、急に痩《や》せたと言われないように、腹巻きを重ねて太って見えるようにしていた。

「坂上さんが学徒出陣したって本当ですか？」

絵馬ちゃんは、赤ん坊のことに触れない。おかっぱ頭に、白いブラウス。紺色のセーターを着て、黒い箱襞《はこひだ》のスカートを穿《は》いていた。

「そうなのよ。お父さんと挨拶《あいさつ》に見えてね」

「壮行会って、私の友達も行ったのよ。慶應《けいおう》のお兄さんを見送りに行ったんですって。終わった後、女の人たちがわーっと声を上げて観覧席から飛び降りて、後を追って行ったんですって。みんな泣いてたって」

西洋人の血を引いている美しい少女は、土砂降りの雨の中で若い男たちを見送る少女たちの一体感とは、どうしても相容《あいい》れないものがあるのだろう。しんとした声で言うのだった。その時、奥から晋の泣き声が聞こえてきた。

「赤ちゃん、見てもいい？」

絵馬ちゃんがやっと言った。

「見てやって。可愛《かわい》いわよ」

私の表情に母性でも滲《にじ》み出たのだろうか。絵馬ちゃんが不思議そうな顔で私を見ていた。

絵馬ちゃんが、晋の顔を覗《のぞ》き込んでいる。私はその間、書斎に行ってバンジェルで謙太郎に買って貰ったダイヤの包みを持って来た。

「絵馬ちゃん、これあげるよ」

絵馬ちゃんは驚いた顔で薬包のような包みを開けた。薄黄色のダイヤの原石がころんと出てくる。

「前にも見たことがあるわ、これ」

「バンジェルのダイヤよ。絵馬ちゃん、磨いて指輪にでもするといいよ」

「でも、おば様、どうして私にくれるの」

私には赤ん坊がいるからもう要らないんだよ。そう言おうと思ったが、私は黙って、絵馬ちゃんの白い手にダイヤを握らせて両手で包んだ。

「尖ってて痛い」

絵馬ちゃんが抗議したので、私は笑った。

エピローグ

林　房江様

冠省　林芙美子様の御原稿、確かに拝受致しました。

母が懇意にさせて頂いていたとはいえ、私のような者が、林芙美子様の未発表原稿に接することなど、滅多にあることではありません。

身に余る光栄でございます。

早速、拝読仕《つかまつ》り、御依頼の件、少しでも御役に立てれば、との所存でございます。

しばし御時間を頂ければ、幸甚《こうじん》でございます。

取り急ぎ用件のみにて、失礼致します。

不一

平成三年　六月十九日

黒川久志

黒川久志様

前略にてごめんくださいませ。

叔母の原稿、無事に届きましたようで、ほっと致しました。

黒川様、お忙しいところ、大変申し訳ありませんが、よろしくお願い致します。

それにしましても、黒川様のお手紙がいつもと違い、少し緊張されているようなご様子でしたので、失礼ながら、微笑《ほほえ》ましく存じました。そうは急ぎませんので、ゆっくりと読んでくださいませ。

お母様のお好きな、虎屋《とらや》黒川の水羊羹《みずようかん》をお送り申し上げました。

皆様に、よろしくお伝えくださいませ。

かしこ

平成三年　六月二十二日

林　房江

林　房江様

拝啓　鬱陶《うっとう》しい季節になりましたが、皆々様には、益々《ますます》御健勝のこととお慶《よろこ》び申し上げます。

記念館開館準備の方は、恙無《つつがな》くお運びでいらっしゃいますか。

また、水羊羹、誠にありがとうございました。母が喜んでおりました。房江様によろしくお伝えしてくれ、とのことです。

さて、今日は六月二十八日。芙美子さんの御命日であります。記念館でも、これからは何か行事を企画なさるのでしょうね。

(「芙美子さん」と呼びかける無礼をお許しください。御原稿を拝読しているうちに、つい、芙美子さん、芙美子さん、と友人であるかのように話しかけておりました)

私は芙美子さんの御命日に、この手紙を認《したた》めようと思い立ちまして、今朝は起きるとすぐに芙美子さんを思いながら、仏壇に線香を上げさせて頂きました。

芙美子さんが亡《な》くなられたのは、昭和二十六年ですから、実に四十年という月日が経《た》ったのですね。まさしく、光陰矢の如《ごと》しであります。

四十年前、突然の訃報《ふほう》を伺った時の衝撃を思い出しますと、今でも胸が潰《つぶ》れそうになります。

『あんたが一番びっくりするだろうけど、驚かないで聞いてくれ』

緑敏さんは深夜の電話口で、開口一番、母にこう仰《おつしや》ったのだそうです。年に一度は上京し、落合のお宅で、芙美子さんと尽きぬお喋《しやべ》りをするのが楽しみだった母ですから、まさしく青天の霹靂《へきれき》、悲しみのどん底に突き落とされた、と申しておりました。

しかし、この御原稿を拝読しているうちに、芙美子さんの御声をすぐ隣で聞いているかのような生々しい思いに胸が塞《ふさ》がれ、私は息を詰まらせながらも、二回、三回と読み返してしまいました。

この御原稿を処分した方がいいのかどうか。悩まれる房江さんのお気持ちは、充分にわかっておるつもりです。しかし、「御原稿」と自分で書いていても、違和感は否《いな》めません。これはおそらく、小説ではありますまい。

と言いますのも、この中に、芙美子さんが、南方に発《た》つ夜、母の良子が大阪商船の桟橋にサンパンで食べ物を届けた場面が、余さず書いてありました。あれは、正真正銘の事実であります。

あの日は、突然、船にいる芙美子さんから、母に電話がかかってきたのでした。今夜は門司《もじ》港に停泊しているから、何か差し入れておくれ、という芙美子さんらしい、遠慮のない電話だったそうです。

母は芙美子さんのために何かするのを無上の喜びと思っていましたから、すぐに食べ物を手に入れるべく、私に命じました。

私は、闇《やみ》で何とか、半紙ほどの大きさの蒲鉾《かまぼこ》を一枚と橙《だいだい》、そして松茸《まつたけ》を買って、母の元に届けたのです。

サンパンで、大阪商船の桟橋に向かった時の様子は、まったくそのまま、御原稿に書かれています。それで、僭越《せんえつ》ながら、この御原稿は「回想録」とでも呼ぶのが一番相応《ふさわ》しいのかな、と思うのです。

芙美子さんと母とは、見事に運命が分れてしまいました。

五歳の時から、芙美子さんと仲良しだった母は、少々惚《ぼ》けがきておりますが、御蔭《おかげ》様《さま》で長生きしております。膝痛と高血圧に悩まされはするものの、他は至って元気で、今年で八十七歳になりました。

なのに、芙美子さんが亡くなられたのは、四十七歳のみぎりでした。今の私よりも遥《はる》かに若い年齢に生を断ち切られたことを思いますと、今更ながらに、世の無常を感じざるを得ません。

私は、母の縁で、芙美子さんや緑敏さん、そして房江さんとも親しくさせて頂きました。このことは、何ものにも代え難い宝物である、とつくづく感謝申し上げる次第でございます。

そして、私のような部外者に、意見を聞いてくださった房江さんの篤《あつ》い信頼にも感謝申し上げます。私ができることでしたら、何でも致しますので、何なりとお申し付けください。

さて、房江さん。前置きが長くなりました。

正直に申し上げます。回想録に書かれてあった内容には、私も驚愕《きょうがく》せざるを得ませんでした。

亡くなった晋ちゃんが、貰《もら》い子ではなく、芙美子さんの実子であったとする部分であります。

そしてまた、緑敏さんとの間のお子さんではなく、南方で授かった、とのみ書いてあるくだりでございます。

房江さんがお書きになられたように、もし、この手記を緑敏さんが読まれ、回想録か小説か、迷った挙げ句に後世に残されたのだとしたら、緑敏さんの胸の裡《うち》を察するに、あまりにもお気の毒でなりません。

そして、ここに書かれてあることが真実だとしたら、亡くなった晋ちゃんもまた、気の毒でなりません。産みの母親に育てられていたにも拘《かかわ》らず、晋ちゃんには常に自分は貰い子である、という負い目が付き纏《まと》っていたのではありますまいか。

また、芙美子さんの胸中もいかばかりであったか。スラバヤでの斎藤氏との丁々発止の遣《や》り取りを読んで、私は芙美子さんが可哀相《かわいそう》で落涙しそうになりました。

しかし、芙美子さんが亡くなられた後、緑敏さんと房江さんが、どれだけ晋ちゃんを可愛《かわい》がり、その成長を楽しみにされていたかは、よく存じ上げております。

あれは昭和三十二年頃でありましたか。東京で学会がありました折、御宅を訪問して、晋ちゃんが玄関先で我《わ》が儘《まま》を言っている場面に出くわしたことがありました。晋ちゃんは中学生。学習院の紺の制服姿で、房江さん相手に、ぶつぶつと文句を言っていました。

「どうせ、僕は貰い子だからさ、どうなったっていいんだよ。小さい時から皆に言われてごらんよ。すごくいやだから。いいよ、僕これからは煙草《たばこ》吸って、酒飲んで、不良になるよ」

何と不憫《ふびん》なことを言うのだろう、と私は息を呑《の》みましたが、今思いますと、晋ちゃんは、若い房江さんに甘えていたのでしょうね。その後、すぐに笑い声が響いて、ほっとしたことでした。緑敏さんも房江さんも、芙美子さん亡き後の世間との処し方には、人に言えない御苦労があったことと思います。

さて、回想録をどうするか、という問題ですが、私は母の具合が至っていい時を見計らって、回想録のその箇所を読み上げ、母に聞いてみたのです。

すると、母はこのようなことを申しました。以下、要約致します。

「芙美子さんは、昔から素性のいい女の子を欲しがっていた。探していたら、ちょうど事情があって、子を貰ってくれ、という人がいた。産院に行ってみると、あいにく男の子だったけれども、素性がしっかりしているので、この親の子なら、ということで貰って来たと聞いた。

芙美子さんは、晋ちゃんを想像以上に可愛がった。皆が、貰い子でもここまで可愛がれるのか、と驚くほどだった。緑敏さんも、自分の子でもないものを、よく可愛がれると驚いていた様子だったが、後に『子供の可愛さは血ではない。自分の手で育てて初めて理解出来るものだ』と言っていた。

晋ちゃんも、芙美子さんや緑敏さんの愛情によくこたえた。小さい頃に、小児麻痺《まひ》の病気はしたけれども、すくすくと育って、いい子だった。

芙美子さんが、こんなことを言ったことがある。『晋ちゃんが、父兄会に来てくれって言うので、お父さんに行って貰いなさいよというと、〝だって、父兄会に来るのはお母様ばかりだもの〟と私に言うのよ』と目を細めていたのを覚えている。しかし、芙美子さんが亡くなった後、緑敏さんから手紙を貰ったことがあった。もう手紙は処分してしまったからないが、こんな内容だった。『芙美子の死後、書き物を整理していたら、晋は自分が産んだようなことが書いてあった。もしかすると、本当の子供だったのではないか。知っていることがあったら、教えてほしい』と。

私はまったく知らないので、そんなことは気にしない方がいい、と答えた。緑敏さんは、それからもしばらく悩んでいた様子で、あちこちに手紙で問い合わせた、と洩《も》れ聞いたことはある」

つまり、緑敏さんは、この回想録を読まれて、母に尋ねたのかもしれないのです。でも、以後は、緑敏さんのお問い合わせは、二度となかったそうです。

また、名前が出ている毎日新聞記者の斎藤氏に関してでありますが、同新聞社に勤めている友人にそれとなく尋ねてみました。斎藤氏は、確かに実在の人物で、同社に在籍しておられました。戦後すぐに退職されて、さる大学の文学部教授になられたとのことです。しかし、過度の飲酒がたたってか、昭和三十四年の秋に逝去《せいきよ》されたと聞きました。

斎藤氏の没年を聞いて大変驚いたのは、晋ちゃんが亡《な》くなられた年と同年だということです。こんなことを書きますと、晋ちゃんを可愛がっていらした房江さんのお気持ちを傷付けることは重々承知しております。が、この回想録に書かれたことが事実だとすれば、私は因縁を感じてならないのです。

芙美子さん、斎藤謙太郎氏、そして晋ちゃん。血の繋《つな》がりがあったかどうかはわかりませんが、まるで一家がまるごとこの世から消滅したかのようで、悲しいではありませんか。

房江さん、甚だ無責任なことを申し上げます。私は、この回想録を焼却するのは勿体《もったい》ない、と感じます。

理由は、ここに芙美子さんの心情が書かれているからです。呻《うめ》くような痛みが、そして人を愛し、小説を愛する心があるからです。

文学的資料になれば、ご遺族のお気持ちを傷付けることになりかねない。その矛盾もわかっておるつもりです。家族に芙美子さんのような文学者がいれば、緑敏さんも房江さんも、人々の好奇の対象、どころか研究の対象にもなります。私が、部外者である、というのはこのような意味でもあります。

しかし、私には、緑敏さんが焼却できなかったお気持ちもよくわかるのです。その理由は、緑敏さんが芙美子さんの死後、とても可愛がられた晋ちゃんの記録が赤裸々に書かれているからではないでしょうか。また、戦後、戦争協力者と陰口を叩《たた》かれた芙美子さんの復権も考えられたのかもしれません。

房江さん、この回想録は記念館に渡しませんか。林芙美子という類《たぐ》い希《まれ》な作家がいて、戦争に翻弄《ほんろう》され、人を愛して子を生《な》し、素晴らしい作品を書き、充分に生きた、ということを世間に知らせましょう。

乞《こ》われるまま調子に乗って、勝手なことを書き連ねてしまいました。誠に申し訳ありません。勿論《もちろん》、最終的な御判断は、房江さんがなさるとよろしいでしょう。

母にもすべてを読ませたいと思っていますが、それも房江さんのお気持ちによります。御許可頂ければ幸いです。

それに致しましても、芙美子さんの魂の記録に触れて、幸せな時間を過ごすことができました。有難うございます。

最後になりましたが、時節柄、ご自愛ください。

敬具

平成三年　六月二十八日

黒川久志

黒川久志様

拝啓　黒川様には、お元気でお過ごしのことと存じ上げます。

叔母の庭では、紫陽花《あじさい》が終わり、山百合《やまゆり》と石榴《ざくろ》の花が綺麗《きれい》です。東京は今日、真夏のような暑さでした。じきに、夏本番でございますね。

先日は、雨の中、わざわざ叔母の原稿をお運び頂きまして、相済みませんでした。「大事な物だから、送る途中で紛失でもしたら、私の責任だ」と、手ずからお持ちくださいましたこと、誠に恐れ入ります。

それにひきかえ、私は何と安易にお送り申し上げてしまったのでしょう。叔父が生きておりましたら、黒川様にご迷惑だ、ときつく叱《しか》られたに違いありません。至りませんで、本当に申し訳ございません。

それでも、「東京に用があったから、ついでですよ」と気安く言い添えてくださり、今更ながら、叔母叔父亡き後も、私共が黒川様の変わらぬご厚情を賜っていることを有難く存じました。

お土産の蒲鉾《かまぼこ》も、美味《おい》しく頂きました。西の方の白身魚は、お味が上品で美味しゅうございますね。私も鹿児島育ちのせいか、東のお魚は大味のような気が致します。

叔母が、『浮雲』の取材で、黒川様のお宅に寄った時の逸話、大変面白うございました。久しぶりにお目にかかれて、心が晴れました。

お母様の血圧のこと、ご高齢でいらっしゃいますから、さぞやご心配でございましょうね。それでも、お母様は、叔母の「回想録」をお読みになって涙を流され、しばらく黙っていらしたとのこと。そのお話を伺って、私もその晩は胸が騒いで眠れませんでした。

あの原稿が、手記なのか、未発表の小説なのか、本人以外の誰にもわかりますまい。ですが、いずれに致しましても、故人が書き遺《のこ》した物には、故人の魂が宿っているような気がして、畏《おそ》れさえ感じます。

私はまったく文学には無縁の人生を歩んで参りました。それでも、あの原稿を読めば、叔母の切ない思いを感ぜずにはいられません。きっと叔母は、この世に大きな思いを遺して亡くなったのでしょう。自分がこんなに早く亡くなるなど、想像もしていなかったに違いありません。」

なぜなら、叔母には、書きたいものや、やりたいことがたくさんあった、と聞いておりますす。その強い意志を支えていたのは、晋ちゃんを立派に育て上げねばならない、という責任感だったと思います。

巷間《こうかん》、叔母の死は唐突にやってきたように言われていますが、実は亡くなる数年前から、持病の心臓弁膜症はかなり悪化しておりました。

昭和二十四年の冬、肺炎に罹《かか》りまして、その折、医者から仕事量を減らすよう注意を受けました。しかし、叔母は聞き入れませんでした。まだ若いですし、あまり重病の実感もなかったのかもしれません。

が、病状は次第に悪化していきました。亡くなる頃には、階段や坂を上ると、息苦しさを訴えることもしばしばでした。前年暮れの忘年会では、銀座のビルの階段を上れなかったとも聞きましたし、家の前の坂の上り下りにも難儀しまして、女中が腕を貸しに表に駆け出たりすることもありました。気分が悪い、とむくんだ顔をしていたことも多かったようです。加えて、煙草《たばこ》も吸いましたし、酒も好きでした。原稿が終わった翌日など、よほど気持ちが楽になったと見えて、朝から縁側で日本酒などをちびちび舐《な》めながら、庭を眺めていたものです。

黒川様もよくご存じでいらっしゃいましょうが、叔母は、昭和二十一年頃から、亡くなる二十六年までの間、売れっ子作家として、戦前にもまして忙しく過ごしておりました。

戦後すぐは紙が払底《ふってい》して、新聞も雑誌もほとんどありませんでしたから、人々は活字に飢えていたのでしょう。昭和二十二年頃から新聞に小説が載り、雑誌の連載が始まると、叔母の小説はたちまち人気を博しました。体に悪いからほどほどに、と言われつつも、叔母は人々に新作を乞われるのを意気に感じていたと思います。また、戦時中の検閲から解放された喜びもあったのでしょう。書く物はすべて評判よく、叔母の創作意欲は一向に衰えませんでした。

私が鹿児島から上京したのは、ちょうど叔母の死の二カ月前。手が足りないから手伝いに来てくれないか、と叔母自身に頼まれたのです。その二カ月後に叔母は帰らぬ人となり、私は落合に住み着いて、叔父の妻になりました。思ってもいなかった人生でございます。

当時、まだ若かった私は、華やかで忙しい、叔母の生活に驚いたものです。編集者が押しかけて、玄関横の小部屋で原稿を待っている様子。碁を打つ人、隅っこで本を読む人、談笑している人。皆、じっと叔母の原稿を待っているのです。他にも、知り合いと称する怪しい人が来たり、新しい仕事の依頼があったり、来客の切れない家は、始終、駆け回っても足りない忙しさでした。

それでも、私は何度か、叔母が虚《うつ》ろな表情で庭の一点を眺めながら、煙草を吸っているのを見たことがあります。誰もが、声もかけられずに引き下がったものです。一流の仕事をする人は、余人にはない、特別な大きな感情を持っているのだろう、と私も若いなりに感じました。

叔母が亡くなった日の昼間のことは、よく覚えております。

叔母は、朝から二本の連載原稿を書いていました。ひとつは雑誌原稿、もうひとつは朝日新聞の「めし」でした。さらに、夜にも予定がありました。「主婦之友」の「私の食べあるき」という記事の取材のために、銀座の「いわしや」に出掛けることになっていたのです。

葬儀の折、編集者の方に伺った話では、「主婦之友」に連載していた「真珠母」が人気絶頂で、編集部から、読者のために何かやりませんか、と叔母に提案したのだそうです。すると叔母は、評判の店を食べ歩いて記事を書きたい、と言ったとか。

叔母が、「いわしや」に行く時に着ていた着物は、最期《さいご》の装《よそお》いとなりました。濃紺の本結城紬《ゆうきつむぎ》の単衣《ひとえ》です。棺《ひつぎ》に入れて、叔母の体に掛けてあげたので、よく覚えております。叔母は結城を大層気に入って、他に数枚は持っていました。値段を聞いたら高価なので、とても驚いたものです。庶民が買えるような値段では、到底ありませんでした。

叔母は、濃紺の本結城に白い帯、虎目石《とらめいし》の大きな帯留め、という粋《いき》な姿で出掛けました。叔母のその姿は、店の前でポーズを取る、有名な写真となって残っております。

写真に写った叔母の顔を見て、心臓病特有のむくみを指摘される方もいらしたそうですが、近くで忙しさに追われていた家族は、それほど叔母の病状が悪化していたとは気付きませんでした。つくづく残念なことだったと思います。

夕方、迎えの車が来ますと、叔母は、竹林絵馬さんと一緒に乗り込みました。絵馬さんは、ちょうど書き上がった「めし」の原稿を朝日新聞に届けるためです。

絵馬さんは美しいばかりか、賢くてハイカラなので、叔母の大のお気に入りでした。叔母は、絵馬さんをあちこち連れ回して、相手の驚いた顔を見るのを楽しんでいた模様です。「回想録」にもちょくちょく登場しますが、絵馬さんは語学教師のお嬢さんで、ご近所に住まわれていましたので、今で言う秘書的な仕事をして、叔母を手伝っていたのです。

叔母は、「いわしや」では、つみれ、南蛮漬け、酢の物、蒲焼《かばや》きを少量食べ、ビールを一杯飲んだ、と聞いております。その後、「自分のおごりだから」と、深川の「みやがわ」に寄りました。仕事で食べられなかった編集者や写真部の人に気を遣ったのでしょう。そこでは、鰻《うなぎ》に箸《はし》を付けただけで、酒も少量だったとか。すでに体調が優れなかったのかもしれません。

落合の家は、坂の途中にありますので、編集部の女性は、車をわざわざ坂上に停めてくださったそうです。それでも叔母は息苦しいと、その方の腕に縋《すが》って、帰宅しました。

ところが、叔母は帰るなり、こう言いました。

「昼間の餡《あん》はどうした」

昼間、庭に植木職人が入りまして、叔母が自らお汁粉を作って、三時のおやつに出したのです。

お母様ならよくご存じかと思いますが、叔母は料理を作って、皆に振る舞うのが大好きでした。料理だけは女中に任せず、自らがくるくると動いて、魚を捌《さば》いたり、野菜の下拵《したごしら》えをしたりと、働き者でした。

「まだ残っています」

私が答えますと、叔母は眉《まゆ》を顰《ひそ》めました。

「この陽気に明日まで置けないよ。よし、私が今から作ってやる」

台所に立った叔母は、手際《てぎわ》よくお汁粉を作り、皆に食べさせました。その時、家にいたのは、緑敏、祖母のキク、竹林絵馬さん、晋ちゃん、そして私でした。夜に汁粉か、と叔父は嫌そうでしたが、叔母は餡の始末が出来た、と上機嫌でした。叔母は流行作家になっても、常に家族の食べ物に気を配っていました。叔母は、本当の庶民の暮らしを知る人でございました。

私が後片付けをしていると、叔母がやって来て、私に言いました。

「今夜はやけに肩が凝る。マッサージをしてくれないか」

私は布団《ふとん》に横たわった叔母の肩を揉《も》みました。でも、叔母は「ちっとも効かないねえ」と、首を傾《かし》げるのです。急に苦しみだしたのは、それからしばらくしてからのことでした。苦しむこと数時間。あっけない最期でした。

黒川様も書いておられましたが、叔母が亡《な》くなってから、四十年経《た》ったのですね。あの夜の衝撃も、今は遥《はる》か遠い昔のこととなりました。

こうして叔母の「回想録」を読んでおりますと、黒川様も書いてくださった通り、叔母の声が、耳許《みみもと》で聞こえるような気がして、心がざわめいてなりません。

しかしながら、私は、叔父そして夫であった緑敏の死によって、「林芙美子」の著作権継承者となりました。黒川様が書いてくださった通り、私の一存で原稿の生死が決まると思いますと、重責を感じます。

いったいどうしたらいいのか。私も何度も読み返して、悩みました。

多分、「回想録」を公《おおやけ》にすれば、出版したい、と手を挙げる出版社も現れることでしょう。

「林芙美子の手記発見、死後四十年にして暴《あば》かれた秘密」

疎《うと》い私でさえ想像できる、宣伝文句が躍りそうです。記念館の開設準備をされている区の方でも、未発表原稿が出た、と言えば、話題作りになる、と喜んでくれると思います。

黒川様、それでも私は決心がつかないのです。この「回想録」か、「小説」かわからない原稿を、世に遺《のこ》していいのだろうか、と。

叔父が、焼却はしないまでも、自身の絵の裏に隠しておいた紙袋。その中にあった原稿は、世間様には面白くても、私共には怖《おそ》ろしいことが書いてありました。

叔父は読んで驚愕《きょうがく》したに違いありません。あるいは、ああ、そうだったのか、と得心したかもしれません。芙美子が実子でもない子をあれだけ可愛《かわい》がる理由がわかった、と。

夫の遺言は、自分の絵をすべて焼却してくれ、ということでした。潔《いさぎよ》すぎる、と非難もされましたが、何も残さない生、それが夫の生きた道なのです。作家の夫は、何も残したくないのかもしれません。

夫の死後、その遺言を実行しないのでは、妻たり得ません。「焼け」と命じられた絵の裏にあった原稿は、やはり焼かれる運命なのではございませんでしょうか？

それに、このまま世に出てしまっては、故人といえど、斎藤様方にも申し訳ない気が致します。

黒川様、実は私は斎藤様を存じ上げております。叔母の葬儀にいらしたところを、ある編集者がそっと耳打ちして教えてくださいました。

「あの人が芙美子さんの恋人だったと噂《うわさ》された人ですよ」

背の高い、頭のよさそうな人でしたが、やや異様な印象でした。泣きもせずに、ずっと叔母の遺影を睨《にら》んでいるのです。瞼《まぶた》が膨れて膚《はだ》が荒れ、そこはかとなく荒廃の匂《にお》いが致しました。アルコール中毒を病んでおられる、と聞いたのは後のことですが、頷《うなず》ける顔貌《がんぼう》ではなかったかと思います。

叔母が亡くなった後、斎藤さんは大学をお辞めになったと聞きました。理由は誰も知らないとのことでした。もし、戦時中の怖ろしい疑いが原因だとしたら、優秀な方なのに、何ともお気の毒な運命だったと思います。

黒川様。仮に、この「回想録」を真実と致しましょう。

そうしますと、叔母が亡くなったのが、昭和二十六年六月二十八日。「回想録」によれば、叔母の出産を知っていた祖母キクの死が、昭和二十九年五月五日。そして、晋ちゃんが亡くなったのが昭和三十四年八月三十日、斎藤さんが亡くなられたのが、同じ三十四年の秋。

まるで芙美子と晋ちゃんが、あの世から斎藤さんを呼び寄せたよう。

そう書いている私自身が鳥肌立っております。偶然とは思いますが、黒川様もお書きになられたように、仲のよい家族になるはずだった人たちがそうはできずに壊滅していき、あの世で再会した、とそんな気も致します。だからこそ遺しましょう、皆さんに読んで頂きましょう、と仰《おつしや》る黒川様のお気持ちも、痛いほどわかります。

しかし、私と緑敏は、芙美子亡き後、二人で晋という遺児を育ててきました。ここには書けない苦労もたくさん致しました。なのに、あんな事故であっけなく喪《うしな》ってしまって、慚愧《ざんき》の念に堪えません。

あの晋の死を、芙美子が呼び寄せた、と思うのは（自分で書いていて矛盾するようですが）、どうしても頷けない自分もいるのです。それでは、夫と私と晋ちゃんと、まったく血の繋《つな》がらない、年齢もまったく違う私たちはいったい何だったのか、ということでございます。

その答えは、ちゃんと出ています。私たちは、間違いなく晋ちゃんを中心とした、真の家族でした。夫と私は、晋ちゃんの健康に心を配り、その成長と幸せを願い、どんな大人になるだろう、と希望を託して育ててきました。ですから、芙美子と斎藤さんと晋ちゃんとが、本当の家族だなどと考えたくはないのが、正直な気持ちなのです。

今頃、あの世で、夫は芙美子や晋ちゃんと再会して、喜んでいることでしょう。そして、その輪の中に、いずれは私も入らせて貰《もら》うつもりでおります。そこには、斎藤さんの入る余地はございません。いいえ、決して狭量《きょうりょう》だとは思いません。何よりも、それが芙美子の一番の望みだったと信じております。

小説家の家族は、すべてが文学的資料になるので、何もかもが洗いざらい公になってしまう。これは、夫が常々申しておりました言葉でございます。もしかすると、この原稿は大きな文学的資料になるのかもしれません。しかし、黒川様、もういいのではないか。そんな気が致します。芙美子の名も仕事も、立派に後世に残りました。芙美子の作品は、これからも読者を感動させていくことでしょう。その芙美子に、ひとつくらい謎《なぞ》があって、その謎を最後まで守る者たちがいてもいいではありませんか。

小説は虚構だ嘘話《うそばなし》だと言われます。芙美子の書いた最大の嘘話が晋ちゃんだった。私はそんな風に思うのです。

黒川様、ご心配は充分わかっておりますが、私は夫の遺言に従うつもりでおります。こうして書いていて、ようやく決心がつきました。有難うございました。

なお、記念館は、来春の開館に向けて、補修工事に入りました。庭木の手入れも始まり、職員が行き交って、まるで往時の叔母の家のように活気があります。資料の読み込みや分類も進んでいるようです。

今後共、変わらぬご厚情を賜りますよう、お願い申し上げます。

敬具

平成三年　七月八日

林　房江

参考文献

林芙美子『林芙美子全集第十一巻 ボルネオダイヤ・あひびき』一九五二年、新潮社
林芙美子『北岸部隊 伏字復元版』二〇〇二年、中公文庫
林芙美子『戦線』二〇〇六年、中公文庫

朝日新聞社社史編修室編『朝日新聞の九十年』一九六九年、朝日新聞社
朝日新聞「新聞と戦争」取材班『新聞と戦争』二〇〇八年、朝日新聞出版
朝日新聞百年史編修委員会編『朝日新聞社史 大正・昭和戦前編』一九九一年、朝日新聞社
荒井とみよ『中国戦線はどう描かれたか 従軍記を読む』二〇〇七年、岩波書店
池田康子『フミコと芙美子』二〇〇三年、市井社
石川達三『生きている兵隊 伏字復元版』一九九九年、中公文庫
磯貝英夫編『新潮日本文学アルバム34 林芙美子』一九八六年、新潮社
板垣直子『林芙美子の生涯 うず潮の人生』一九六五年、大和書房
市川市文学プラザ編『郭沫若と日中文化ゆかりの市川の文人たち』二〇〇八年、市川市文学プラザ
市川市文学プラザ編『脚本家水木洋子と日本映画の黄金時代』二〇〇七年、市川市文学プラザ
市川市文学プラザ編『水木洋子の〈浮雲〉〈おかあさん〉』二〇〇八年、市川市文学プラザ
井上隆晴『林芙美子とその周辺』一九九〇年、武蔵野書房
井上隆晴『二人の生涯』一九七四年、光風社書店
井伏鱒二『徴用中のこと』二〇〇五年、中公文庫
巌谷大四『「非常時日本」文壇史』一九五八年、中央公論社

太田治子『石の花　林芙美子の真実』二〇〇八年、筑摩書房
尾崎秀樹『近代文学の傷痕』一九九一年、岩波書店
神谷忠孝・木村一信編『南方徴用作家　戦争と文学』一九九六年、世界思想社
川本三郎『林芙美子の昭和』二〇〇三年、新書館
岸良幸『南ボルネオの現状』一九四三年、東京国民書院
木村一信『昭和作家の〈南洋行〉』二〇〇四年、世界思想社
木村一信編『南方徴用作家叢書4　ジャワ篇』一九九六年、龍溪書舎
倉沢愛子編『復刻版ジャワ・バル1』一九九二年、龍溪書舎
黒田秀俊『軍政』一九五二年、学風書院
小杉徳一郎『ボルネオ夜話』一九四二年、育成洞
後藤乾一・木村一信解題『赤道報・うなばら』一九九三年、龍溪書舎
斎藤充功『昭和史発掘　幻の特務機関「ヤマ」』二〇〇三年、新潮新書
櫻本富雄『文化人たちの大東亜戦争　PK部隊が行く』一九九三年、青木書店
『the座　季刊第64号』二〇〇八年、こまつ座
佐多稲子『白と紫　佐多稲子自選短篇集』一九九四年、學藝書林
佐多稲子『時と人と私のこと』一九七九年、講談社
佐多稲子『年譜の行間』一九八三年、中央公論社
『日本文学全集47　佐多稲子集』一九六七年、集英社
渋川環樹『蘭印踏破行』一九四一年、有光社
清水英子『林芙美子・恋の作家道』二〇〇七年、文芸社

清水英子『林芙美子、初恋・尾道』二〇〇八年、東京図書出版会
清水英子『林芙美子・ゆきゆきて「放浪記」』一九九八年、新人物往来社
ジャガタラ友の会編『ジャガタラ閑話　蘭印時代邦人の足跡』一九七八年、ジャガタラ友の会
ジャガタラ友の会編『写真で綴る蘭印生活半世紀――戦前期インドネシアの日本人社会』一九八七年、ジャガタラ友の会
新宿歴史博物館編『林芙美子記念館図録』一九九三年、（財）新宿区生涯学習財団
関川夏央『女流　林芙美子と有吉佐和子』二〇〇六年、集英社
竹本千万吉『人間・林芙美子』一九八五年、筑摩書房
辻平一『文芸記者三十年』一九五七年、毎日新聞社
鶴見俊輔・加藤典洋・黒川創『日米交換船』二〇〇六年、新潮社
中野五郎『祖国に還へる』一九四三年、新紀元社
日本女流文学者会編『女流文学者会・記録』二〇〇七年、中央公論新社
日本文学報国会編『新生南方記』一九四四年、北光書房
野村尚吾『週刊誌五十年』一九七三年、毎日新聞社
長谷川啓『佐多稲子論』一九九二年、オリジン出版センター
秦郁彦編『日本陸海軍総合事典』一九九一年、東京大学出版会
半藤一利『坂口安吾と太平洋戦争』二〇〇九年、ＰＨＰ研究所
久生十蘭『久生十蘭「従軍日記」』二〇〇七年、講談社
福田清人編・遠藤充彦著『林芙美子　人と作品15』一九六六年、清水書院
平櫛孝『大本営報道部』一九八〇年、図書出版社

平林たい子『林芙美子・宮本百合子』二〇〇三年、講談社文芸文庫
『文藝春秋　臨時増刊　太平洋戦争　日本陸軍戦記』一九七一年、文藝春秋
『文藝春秋　臨時増刊　目で見る太平洋戦争史』一九七三年、文藝春秋
保阪正康『あの戦争は何だったのか　大人のための歴史教科書』二〇〇五年、新潮新書
毎日新聞百年史刊行委員会編『毎日新聞百年史』一九七二年、毎日新聞社
美川きよ『夜のノートルダム　鳥海青児と私』一九七八年、中央公論社
宮崎清隆『憲兵』一九六四年、日本文芸社
望月雅彦編著『林芙美子とボルネオ島　南方従軍と『浮雲』をめぐって』二〇〇八年、ヤシの実ブックス
吉川英治『南方紀行』一九四三年、全国書房
吉武輝子『女人　吉屋信子』一九八二年、文藝春秋
E・O・ライシャワー著／高松棟一郎訳『太平洋の彼岸』一九五八年、日本外政学会出版局

その他、当時の新聞・雑誌記事等を参照しました。

解説

佐久間文子

『放浪記』や『浮雲』『晩菊』などいまも読み継がれる不朽の名作を残した林芙美子《ふみこ》（一九〇三〜一九五一）。昭和を代表する女性作家の未発表原稿が、死後四十年近くたって自宅で発見されたというところから『ナニカアル』は始まっている。

原稿は、芙美子の夫で画家の手塚緑敏《りょくびん》が、自分が死んだらすべて燃やすように言い残した絵の裏に隠されていた。これは芙美子の手記か、それとも手記のかたちをとった小説なのか。原稿を納戸《なんど》の奥深くに秘匿《ひとく》しながら、自分の手では破棄しなかった緑敏の真意はどこにあるのか。

ナニカアル、のだ。

芙美子の姪で芙美子が死んだ後に緑敏の妻となった女性が、知人に原稿の扱いについて相談する手紙が小説のはじめと終わりに置かれている。

核となる物語を別の手紙で挿《はさ》む構成は劇中劇のように物語を多層化させ、虚実の判定がいったん宙に浮く。桐野作品では『残虐記《ざんぎゃくき》』（二〇〇四）でも採用された方法だが、林芙美子をモデルにした本作の場合、その効果がひときわ生きている。

芙美子は日記ふうの作品をいくつも発表しているが、作家になる以前の流浪《るろう》の日々を生々しく描いてベストセラーになった『放浪記』にしても、嘘《うそ》の部分、あえて書かなかった部分が数多くあるとのちに指摘されているからだ。『放浪記』を書く原本となった六冊の雑記帳は、夫の緑敏にも決して見せようとしなかったという。

手記には南方の回想が書かれていた。日付は昭和十八（一九四三）年六月十五日から始まっている。前年の十月末、芙美子は陸軍の要請で日本占領下のシンガポールやインドネシアに赴いている。陸軍報道部の嘱託という身分だが、実際には軍による徴用に近い強制力が働いていた。

このとき派遣された女性作家は窪川《くぼかわ》（佐多）稲子、美川きよ、小山いと子、当時ラジオドラマの作家でのち脚本家となり映画「浮雲」の脚本も手がけた水木洋子。窪川、美川は美人作家としても名高く、昭和十三（一九三八）年の従軍の際、女だてらに一番乗りで漢口陥落を報じて名を馳《は》せた人気作家の芙美子とともに、軍が周到に宣伝効果を考えたことがうかがえる人選だ。「キング」や「週刊朝日」「婦人公論」など一流雑誌の編集長や編集者も同行した。

回想録はもちろん桐野の創作だが、こうした史実をきちっと押さえたうえで、南方で芙美子に何があったのかを想像力を働かせて大胆に描き出す。

病院船を偽装した軍徴用の船での息をひそめながらの航海。出発前に軍が約束していた「将校並みの待遇」とはかけはなれた粗末な食事。南方で一旗あげようと船底にひしめく人々。船室の事務机の上での刹那《せつな》的な情事や女性作家どうしの短い会話からは、林芙美子という毀誉《きよ》褒貶《ほうへん》のなかにいた人物像が鮮やかに浮かび上がる。

林芙美子に関心を抱いた理由のひとつに、彼女をとりまく悪評があったといくつかのインタビューで桐野が答えているのは興味深い。

『放浪記』がベストセラーになった背後には、行商人の義父と母に連れられての貧しい放浪生活や私生児としての出生、男性遍歴まで赤裸々に描いたことへの大衆の好奇心があっただろう。文壇の良識派が目を剝《む》く奔放な生き方と、だれにもまねできない活《い》きのいい言葉で注目を集め、立て続けに秀作を発表して早逝した作家だけに、作家的成功と比例するかたちで実像以上に悪評が膨らんでいったことは想像に難くない。

〈なにかある……／私はいま生きてゐる。〉

作中にも出てくるように、「ペン部隊」一員として中国へ行き、戦地をルポした『北岸部隊』の冒頭に掲げられた自作の詩の一節である。初めての土地を旅し自分の感覚が更新されることで芙美子は生を実感する。

だが芙美子たちが南方に派遣された昭和十七年には、中国に行ったころとは作家をとりまく状況が大きく変わっていた。前年には太平洋戦争が開戦。軍の対応はめだって威圧的になり、従軍作家が私的な記録をとることも許されない。

プロレタリア作家で軍に睨《にら》まれていた窪川稲子は「尻尾《しっぽ》を摑《つか》まれないように」と忠告してくれるが、反戦でも好戦でもなく見たこと感じたことをありのままに書いてきたと自負する芙美子にはその意味がわからない。

それでも軍政監部から従卒という名の監視役がつけられるにいたっては、自分をとりまく状況を認識するようになる。スコールに濡《ぬ》れた服を洗濯に出したり髪を洗おうと申し出たり、かいがいしく世話をやく剽軽《ひょうきん》な野口という男に心を許しかけるが、自分と話すときだけまのびした静岡弁を使っていることに芙美子は気づく。

それまで見えていた風景の色が塗り替えられる瞬間だ。林芙美子の人生をたどるというより、内側から生き直すようにして桐野は回想を書き継いでゆく。

デング熱で入院した野口に代わって監視役につく松本という憲兵とのやりとりがすさまじい。生殺与奪の権が自分の手にあることを見せつけ、芙美子を「先生」と呼び、ときに「あんた」呼ばわりもする。人を追いつめることを仕事にした人間はなるほどこんなふうにふるまい、語るものかと思わされる迫真性がある。

自宅で開いたパーティーでの会話から厭戦《えんせん》思想を疑われたボルネオの大農場主の息子らが憲兵隊に連れていかれた。密告したのはその場にいた新聞記者なのか。すべての人間が疑わしく、芙美子には相談できる相手がいない。

『ナニカアル』を書くにあたって、桐野夏生の念頭に芙美子晩年の傑作『浮雲』（一九五一）の創作の謎《なぞ》に迫る気持ちがあったのではないだろうか。

日本占領下の仏領インドシナで出会い、敗戦後の東京で再会したタイピストゆき子と農林省技師の富岡。戦争によって大きな虚無を抱え、浮雲のようにたよりなく流れていく男女の愛憎を描くには、芙美子自身の決定的な別れがかかわっているのではないか。仮説を検証するようにして、この小説は描かれていると思う。

小説の芙美子には夫がいながら斎藤謙太郎という七歳年下の恋人がいる。毎日新聞の特派員として中国やロンドン、ニューヨークに駐在、日米交換船で帰国できたのにいっこうに連絡をよこさない。南方行きが決まった芙美子のほうから謙太郎が妻子らと暮らす自宅を訪ねる場面は、『浮雲』のゆき子が富岡の家まで押しかける場面とどうしても二重写しになる。久しぶりの再会にも人が変わったようによそよそしい恋人。何かが決定的に違ってしまっているのだ。

別離をなかば覚悟したスラバヤの芙美子のもとに、謙太郎から「原稿を取りに南方まで伺うことも視野に入れております」という手紙が届く。

検閲されることを考えて「好きだ、会いたい」と書くかわりに、「原稿」が符牒《ふちょう》として使われる。ちなみに「ゲンコウオクレ」「ゲンコウオクツタ」という電報のやりとりは、芙美子の戦後の短編「夢一夜」に出てくる。

英米特派員経験者の謙太郎にはスパイの嫌疑がかけられていた。芙美子の「尻尾」とは斎藤のことだったのだ。監視の目がはりめぐらされた外地でようやく会えたふたりは、作家としてジャーナリストとして手足を縛られた自分を情けなく思うからこそ、非難の応酬で激しく傷つけあう。

戦争という檻《おり》に閉じ込められ逃げ場をなくしたふたり。ここで描かれる男女の姿も、流れついた先の屋久島《やくしま》でやむことのない雨に降りこめられる『浮雲』の男女と反響しあうようで思わず息をのんだ。

作家は現実に起きたできごとの何かを核にして小説の虚構を描く。その作業を反転させて、書かれた小説の核となったできごとはこうであっただろうと、もうひとりの作家の手で虚構の小説として完璧《かんぺき》につくられ呈示されているのである。

「きみの書いた物など、十年後には何ひとつ残っちゃいないんだよ」

スラバヤのホテルの一室で謙太郎から投げつけられた言葉は芙美子の体に鋭く突き刺さる。学歴も後ろ盾もない芙美子の才能を認められない人は文壇にも大勢いた。恋人もまた、そうした一人だったのだ。言葉の刃《やいば》で切り裂かれ、床にぶちまけられた灰色の腸《はらわた》を、芙美子は冷ややかな思いで眺めるばかりだ。

現実の林芙美子も、ほぼ同じことを恋人から言われた経験がある。友人の作家平林たい子による評伝『林芙美子』（一九六九）には芙美子が恋人の新聞記者にあてた手紙が引用されている。

きみの書いた物などあと何も残らない、と言われ、〈十五年の作家生活も一夢と化したような、ひどい傷を受けたような気がしました〉と芙美子は書く。

二人だけしか知らないはずの私信の内容が外部に明らかになっているのは、この恋人が芙美子の死後、彼女からもらった手紙を骨董屋《こっとう》に売り払ったからだ。平林はその心ない仕打ちに激怒しているが、そうした行動をとった相手の側の傷の深さもまた推しはかれるのである。経済的な事情もあるかもしれないが、それほどまでに愛し、憎み合ったということだろう。編集者でもあった作家の和田芳恵《よしえ》は『浮雲』の富岡のモデルをこの新聞記者高松棟一郎ではないかと推測している。

林芙美子が突然、世を去ったのは『浮雲』の連載が完結したわずか二カ月後のことである。

『ナニカアル』にはもうひとつ思い切った仮説が提出されている。

南方から帰った年の暮れ、緑敏とのあいだに子どものなかった芙美子は男の子の養子をもらっている。昭和十八年といえば戦局は混迷を深め、物資も乏しくなってきていた。そんな時期に、なぜわざわざ養子をひきとったのか。

桐野の答えは回想の中にある。バンジェルマシンの近くで恋人が「二人の子供みたいなものだよ」と買ってくれたダイヤモンドの原石を、芙美子はかわいがっていた近所の美しい娘におしげもなくやってしまう。ダイヤはもう自分に必要ない。この回想録は、たったひとりの人間にあてて書かれた遺書だったのである。

虚無を抱きながら、一方で、それでも一度だけ試みてみようと生きているような彼女――『ナニカアル』を読むと、平林たい子が林芙美子を回想する一節を思い出す。若いころは同じ部屋で暮らすほど親しかったのに晩年は疎遠《そえん》になっていたという平林の評伝は芙美子の悪評を拾いすぎている面もあるが、こう書くところはさすがに長年の友だちだと思う。

スラバヤのホテルの床にぶちまけられた灰色の腸は傷つけられた作家の誇りである。眺めているのは林芙美子と、桐野夏生、二人の女性作家の視線である。珠玉の作品として生まれ変わるための深い傷。完璧な虚構の中に探り当てた真実がひそんでいる。作家にしかとらえられない、時間をかけたメタモルフォーゼのありようを、林芙美子の内面の奥深くまで潜り、渾身《こんしん》の力をこめて書かれた『ナニカアル』はたぐいまれな小説である。

（平成二十四年八月、文芸ジャーナリスト）

初出　「週刊新潮」二〇〇八年十二月十一日号～
二〇〇九年十一月十二日号

この作品は二〇一〇年二月新潮社より刊行された。

ナニカアル

新潮文庫　き－21－7

平成二十四年十一月一日発行

著者　桐《きり》野《の》夏《なつ》生《お》

発行者　佐藤隆信

発行所　株式会社新潮社

郵便番号　一六二―八七一一
東京都新宿区矢来町七一
電話　編集部(〇三)三二六六―五四四〇
　　　読者係(〇三)三二六六―五一一一
http://www.shinchosha.co.jp

価格はカバーに表示してあります。

乱丁・落丁本は、ご面倒ですが小社読者係宛ご送付ください。送料小社負担にてお取替えいたします。

印刷・大日本印刷株式会社　製本・憲専堂製本株式会社

ISBN978-4-10-130637-7 C0193